作者简介

　　王泽鉴 台湾著名民法学家，1938 年出生于台北，毕业于台湾大学法律系，获德国慕尼黑大学法学博士。曾担任德国柏林自由大学访问教授，并在英国剑桥大学、伦敦大学政经学院、澳洲墨尔本大学从事研究工作。现任台湾大学法律系教授。

债 法 原 理 ①

王泽鉴法学全集（第十二卷）

债法原理【1】

基本理论
债之发生

契约 代理权授予 无因管理

王泽鉴 著

中国政法大学出版社

序　言

　　中国政法大学出版社整理编纂拙著，以全集的方式出版，俾便于使用参考，易于保存，谨对出版社各位同仁的协助和辛劳，表示最诚挚的谢意。

　　本全集前八卷"民法学说与判例研究"，完成于一九七五年至一九九二年，乃笔者任教于台湾大学法律系教学研究的心得。此段期间是台湾民法发展的关键时期，作者应用法学方法，针对重要的裁判，分析检讨其理由构成，并就个别具体案件发掘阐释其所蕴含的法律原则，建构其理论体系。这八册著作在某种程度反映了民法为因应社会经济变迁所面临的问题，如何解释适用法律，填补漏洞，创设新制度而成长的过程，记录着民法的理论发展史。

　　"民法思维与实例研究"，旨在建立民法上请求权基础的理论架构，具实用法学方法论的意义。请求权基础的思考方法已广为法学界及实务所采用，有助于更有系统、有步骤地学习民法，应可增进论证的严谨、透明，更客观的检验法律解释适用的合理性。

　　"民法概要"刊行于二〇〇二年，主要是为学习民法者提供基本教材，兼作初学入门及综合复习之用。本书简明扼要地说明民法的价值理念，介绍民法的重要制度，并提供若干统计资料，使读者能较完整地了解民法与社会生活的关系，培养法律思维及论证的能力。

　　"民法总则"、"债法总论"与"民法物权"诸书则在论述民法的内容，说明其解释适用的争议，并探究其发展趋势。其中债编总论具专门著作的性质，尤其是"不当得利"，以类型化理论重新检视、综合评释数以百计的案例，兼具教科书及案例法的功能，乃写作方法上为新的尝试。"侵权行为法"关于特殊侵权行为部分，尚待补充。"损害赔偿"为民法的核心问题，正在积极整理稿件中，最大的愿望是撰写一部关于台湾民法与社会变迁的著作，希能早日完成。

　　民法全集的内容和体裁虽有不同，其所共同的是，致力于结合理论与实务，采请求权基础的思考方法，以实例突显问题争点，运用比较法探究各种规范模式，作为解释适用的参考。多年从事民法学的研究，使我更深刻的体认，民法系以人为本位，根基于自由平等的理念，保障人的价值和尊严。为民法而努力，乃为人的自由、平等、价值和尊严而奋斗。

　　三十年的写作生涯是个漫长和艰难的过程，承蒙师长、同事、同学以及读者的鼓励和支持，衷心铭感。最要感谢的是家人的爱心和宽容，尤其是得蒙　神的保佑和恩典，使我能在平安喜乐中持续不断的学习和工作。

二○○三年六月二日

六十五岁生日序于台北

增订版序言

  民法债编及债编施行法部分修正条文已经于一九九九年四月二日通过，四月二十一日公布，并定于二〇〇〇年五月五日施行。此项修正将使台湾现行民法更能适应二十一世纪台湾社会经济的发展，更能合理有效率地规范人民的生活。为配合法律的变迁，特全面增订本书，应说明者有三：❶预定以"债法原理"为题，就债法的重要基本问题，从事系列专题性的研究，期望能对民法学的发展作出一点贡献。❷采请求权基础方法，以实例引导法律上的思考，并供复习之用。❸对新修正条文的解释适用，作较详细的阐释。为留下时间早日完成侵权行为法的撰述，未能作更深入的研究，敬请鉴谅。

  本书出版，承蒙林清贤先生校阅及提供资料，助益甚巨；学林出版社同仁协助校对，备极辛劳，感激之余，并此致谢。修订期间长达四个月，阅读资料及写作多在晚间为之，夙夜匪懈；为构思例题，常散步于五峰山，感谢家人的宽容、体谅及支持，尤其是神的恩典，使我在这卑微的工作上得蒙保守。

王泽鉴

于新店五峰山

一九九九年九月九日

目　　录

第一章　基本理论

第三章　代理权之授予及意定代理

第四章　无因管理

第一章　基本理论

第一节　债之关系的结构分析[1]

第一款　债之意义及发生原因

试分析下列四则案例，阐释债之概念如何形成、何谓广义债之关系及狭义债之关系，并说明债之发生原因：

（1）甲雇用乙为电脑程式工程师，约定月酬十万元，乙不得在外兼职。

（2）乙患病昏迷于途，甲送乙赴医救治，支出医药费二千元。

（3）甲出售 A 车给乙，依让与合意交付后，

---

〔1〕参阅 Gernhuber, Schuldverhältnis, 1989; Medicus, Probleme des Schuldverhältnises, 1994. 关于债之关系由罗马法上的 obligatio 到德国法上 Schuldverhältnis 的发展，参阅 Hattenhaver, Grundbegriffe des Bürgerlichen Rechts: Historische, dogmatike Einfürung, 1982, S. 75 – 97.

甲因意思表示错误而撤销该买卖契约。

(4) 乙驾车不慎撞伤路人甲。

第一项 债之意义

现行民法是由抽象的法律概念及严谨的体系所组成的法典。要了解其风格特色及解释适用的基本问题，首先需要认识其概念形成（Begriffsbildung）及体系结构（Systemaufbau）。众所周知，民法总则编系以"权利"及"法律行为"为核心，规定得适用于民法各编及整个私法的原理原则。[1]民法第二编称为"债"，然则，债之意义如何？债之概念如何形成？开宗明义，实有究明的必要。

关于"债"之意义的说明，可采演绎的方法。本书拟采归纳的方法，裨供对照，增加了解。上开四则问题均为债之关系，但属于不同的法律事实。其应研究的是，立法者究竟基于何种共同因素，将不同的法律事实归纳在一起，建立"债"之概念，组成"债编"体系？为解答此一问题，须先分析上开四则案例的内容：

(1) 甲雇用乙为电脑工程师，成立雇佣契约（第四八二条）。甲得向乙请求服劳务，及不得在外兼职。乙得向甲请求支付报酬。

---

[1] 关于法律概念及体系构成，参阅 Bydlinski, Juristische Methodenlehre und Rechtsbegriff, 2. Aufl. 1994. S. 299f.; Canaris, Systemdenken und Systembegriff in der Jurisprudenz, 1969; Larenz, Methodenlehre der Rechtswissenschaft, 6. Aufl. 1991 S. 420f.

（2）乙患病昏迷于途，甲送乙赴医救治，乃无法律上之义务，而为他人管理事务，成立无因管理（第一七二条）。甲管理事务利于乙，并不违反其意思，甲得向乙请求偿还所支出之必要费用二千元及自支出时起之利息（第一七六条）。

（3）甲出售 A 车给乙，并依让与合意移转其所有权。其后甲因意思表示错误而撤销买卖契约。乙系无法律上之原因而取得该车的所有权，成立不当得利（第一七九条），甲得请求返还之。

（4）乙驾车不慎撞伤路人甲，系因过失不法侵害他人之权利（人格权、健康），成立侵权行为（第一八四条第一项前段）。甲得向乙请求损害赔偿（第一九三条、第一九五条、第二一三条）。

如前所述，上开四则案例事实，系不同的法律事实：

（1）雇佣契约为债权契约，因当事人互相意思表示一致而成立，旨在实践私法自治的理念，其须受保护的，乃当事人间的信赖及期待。

（2）无因管理制度旨在适当界限"禁止干预他人事务"与"奖励互助义行"两项原则，使无法律上义务而为他人管理事务者，在一定要件下得享有权利，负有义务。

（3）不当得利制度旨在调整欠缺法律上依据的财货变动，使无法律上之原因而受利益，致他人损害者，负返还所受利益之义务。

（4）侵权行为制度旨在填补因故意或过失不法侵害他人权益所生的损害，期能兼顾加害人的活动自由及被害人保护的需要。

　　由上述可知，关于契约、无因管理、不当得利及侵权行为的指导原则、社会功能以及构成要件各有不同，不足以作为共同构成因素。其构成债之内在统一性的，乃其法律效果的相同性。[1] 易言之，即上述各种法律事实，在形式上均产生相同的法律效果：一方当事人得向他方当事人请求特定行为（给付）。此种特定人间得请求特定行为的法律关系，是为债之关系（债务关系、Schuldverhältnis）。

　　为使读者对此民法上重要法律基本概念的构成，有较清楚的认识，表列如下：

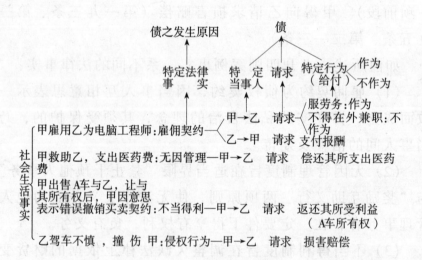

---

〔1〕 法律效果的相同性（Gleichheit der Rechtsfolgen）是债的构成因素。物权的构成因素在于其权利绝对性。亲属与继承的构成因素在于其构成要件的相同性（Gleichheit der Tatbestände），参阅 Medicus, Schuldrecht I, S. 16. 关于此种编制体例的形成，参阅 Schwarz, Zur Entstehung des modernen Pandektensystems, Savigny – Zeitschrift Romanistische Abteilung 42（1921）578ff.

据上所述，债者，指特定当事人间得请求一定给付的法律关系。分析言之，债乃一种法律关系，又称为债之关系。其得请求给付的一方当事人，享有债权，称为债权人，其负有给付义务的一方当事人，称为债务人。给付则为债之标的，包括作为及不作为。第一九九条规定："债权人基于债之关系，得向债务人请求给付。给付不以有财产价格者为限。不作为亦得为给付。"[1]债权的对称，即为债务。民法多从债务的方面设其规定，例如，第三四八条第一项规定："物之出卖人，负交付其物于买受人，并使其取得该物所有权之义务。"又第三六七条规定："买受人对于出卖人，有交付约定价金及受领标的物之义务。"相对言之，即物之买受人对出卖人，有请求交付其物，并移转其所有权之权利。出卖人对于买受人，有请求交付约定价金及受领标的物之权利。

第二项 狭义债之关系及广义债之关系

就上开问题再进一步加以分析观察，债之关系可分为狭义债之关系及广义债之关系。此项区别对于了解债的关系，甚属重要，台湾判例学说多未论及，应予注意。

狭义债之关系（Schuldverhältnis im engeren Sinne），指个别的给付关系，自得请求给付的一方当事人而言，是为债

---

[1] 参阅拙著："契约上的不作为义务"，民法学说与判例研究（八），第一二三页。

权，自负有给付义务的一方当事人而言，则为债务。例如，物之出卖人对于买受人所负交付其物及移转其所有权之义务，买受人对出卖人所负支付价金，受领标的物之义务，均属狭义债之关系；第一九九条所谓债权人基于"债之关系"，得向债务人请求给付，乃指狭义债之关系；第三〇九条所谓，依债务本旨，向债权人或其他有受领权人为清偿，经其受领者，"债之关系"消灭，亦系指狭义债之关系而言。

广义债之关系（Schuldverhältnis im weiteren Sinne），指包括多数债权、债务（即多数狭义债之关系）的法律关系。民法第二编债之分则所称各种之"债"，乃指此而言。在买卖契约，当事人除各负交付其物并移转其所有权，或交付价金，受领标的物之义务外，尚有偿还支出费用（第三七五条）等义务。买受人依债之本旨支付价金时，其债之关系（狭义）虽归于消灭（第三〇九条）；但买卖契约（广义债之关系）仍继续存在，须待各当事人均已履行基于买卖契约所生之一切义务时，此种广义债之关系，始归于消灭，惟仍得作为当事人保有给付的法律上原因。出卖人交付之物具有瑕疵时，买受人得解除契约，请求减少价金或请求损害赔偿（第三五九条以下）。由此观之，可知广义债之关系犹如有机体（Organismus），得产生各种权利义务。此种广义债之关系概念，对于债法理论的发展，具有重大的影响。

债之关系可分为广义及狭义，从不同角度加以观察。为便于了解，兹再以买卖契约为例，图示如下：

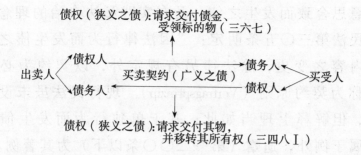

买卖契约系属双务契约，当事人各负"交付其物，并移转其所有权"或"交付约定价金，并受领标的物"的给付义务，互为债权人及债务人。个别债权得让与于第三人（第二九四条以下），债务得由第三人承担（第三〇〇条以下），买卖契约（广义债之关系）的同一性并不因此而受影响。[1]

第三项 债之发生原因

再就上开例题四则案例更进一步加以分析，可知债之发生原因不一，可分为两类：一为基于法律行为，一为基于法律规定。

基于法律行为而发生之债，称为意定之债（或法律行为上债之关系）。契约系意定之债的主要发生原因。此种

---

[1] 设甲向乙购买某某古董车，价金一百万元，乙将其对甲的债权让与于丙，而甲对乙的债务则由丁承担之，并皆已履行。设甲意思表示错误时，得否撤销，如何撤销？当事人间法律效果如何？甲就该车之瑕疵，得否解除契约？当事人间的法律关系如何？最近著作参阅 Dorner, Dynamische Relativität, 1985.

基于意思合致而发生之债，乃在实践私法自治的理念，故德国民法第三〇五条明定："因法律行为而发生债之关系及其内容之变更，除法律另有规定外，以契约为必要。"学者称为契约原则（Vertragsprinzip）。现行民法虽未设类似规定，但解释上理当如此；基于单独行为而发生债之关系，属于例外，遗赠（第一二〇〇条以下）为其著例。

　　基于法律规定而发生之债，称为法定之债。民法债编所规定的有：无因管理、不当得利及侵权行为。法定之债亦有在民法各编加以规定的，如法人侵权行为（第二十八条）；因相邻关系而生的损害赔偿请求权（第七七九条第二项、第七八二条、第七八六条、第七八七条等）；遗失物拾得人的报酬请求权（第八〇五条第二项）；婚约无效、解除或撤销时的赠与物返还请求权（第九七九条之一）；亲属间的扶养请求权（第一一一四条以下）；遗产管理人的报酬请求权（第一一八三条）。学说上所谓缔约上过失（Culpa in contrahendo），例如，甲因过失出卖业已灭失的古董于乙，其买卖契约无效（第二四六条），甲应对乙非因过失而信契约为有效致受之损害，应负赔偿责任（第二四七条），性质上亦属法定之债。兹将债之发生原因表列如下：

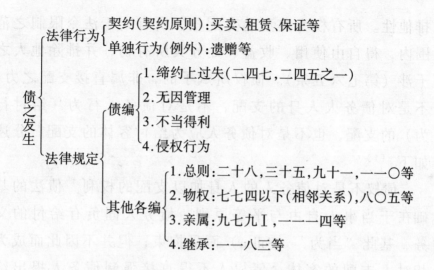

第二款　债权的性质及相对性

第一项　债权的性质

要了解债权的性质，可从两方面加以观察：一为债权不是什么，一为债权究竟是什么。最好的研究方法是将债权与物权加以对照比较。

首先应说明的是，债权非属支配权。支配权，指得直接对其客体予以作用，并排除他人干涉的权利。支配权的赋予具有双重性：一为将某特定客体归于权利人支配，以其意思作为支配该客体的准据；一为基于此种支配而生的排他性。所有权为典型的支配权，所有人于法令限制之范围内，得自由使用、收益、处分其所有物，并排除他人之干涉（第七六五条）。债权所赋予的，非属直接支配之力：不是对债务人人身的支配，不是对债务人行为（给付行为）的支配，也不是对债务人应为给付客体的支配。分述如下：[1]

债权不是对债务人的人身加以支配的权利。债法的基础在于当事人自由与平等原则，债务人固负有给付的义务，基此"当为"（Sollen）而受拘束；但并不因此而成为相对人支配的客体。债权人不得直接强制债务人提出给付。在法院确定判决之后，债权人虽得依强制执行法的规定，使债务人履行其债务，债务人乃是处于法律之力之下，并非受制于债权人的直接支配。

债权并不赋予债权人对债务人给付行为的支配。德国法儒萨维尼（Savigny）曾认为债权系存在于对债务人人身的支配；但其所支配者，不是债务人人身全部，而是其个别给付行为，并强调此种个别行为得由人格者分离，而使之屈服于他人意思之下。[2]然而必须强调的是，行为是人格的直接表现，不是人格的产物，不能将之由人格本身分离，予以物体化，使之成为他人直接支配的客体。诚然，债权人得告知债务人其负有债务，唤醒其履行债务的意识，并使其明了不履行的结果，债权人仅得经由此等方法

---

〔1〕 以下论述，参照 Larenz, Schuldrecht I, S. 15f.

〔2〕 Savigny, Das Obligationenrecht als Teile des neueren römischen Rechts, 2　Bd　1854–1958, § 2.

对债务人的意思加以影响。人的行为系以自由为其存在基础，自由不能成为他人支配的客体。

又债权也不是对给付标的物的支配。债之标的，为物之交付时，债权人对于该给付标的，亦无支配权之可言，例如，甲出卖某电脑给乙，在甲于依物权规定移转其所有权前（参阅第七六一条），债权人乙尚非该电脑的所有人，不得直接支配该物，排除第三人的干涉。

债权非属支配权已如前述，然则其本质何在？债权乃债权人对债务权利的基本思想，在于将某种利益在法律上归属某人。所有权系将对物的支配归属于某权利主体，使其于法令限制之范围内得自由使用、收益、处分其所有物，并排除他人之干涉。债权系将债务人的给付归属于债权人，债权人亦因而得向债务人请求给付，受领债务人的给付。易言之，债权之本质的内容，乃有效的受领债务人的给付，债权人得向债务人请求给付，则为债权的作用或权能。债权与请求权应予区别，此可从两方面加以观察：就请求权言，除债权请求权外，尚有物上请求权等。就债权言，除请求权外，尚有解除、终止等权能。债权请求权罹于消灭时效时，债权本身仍属存在，债务人仍为履行之给付者，不得以不知时效为理由，请求返还（第一四四条第二项）。

第二项　债权的相对性

第一目　债权相对性的意义及债权平等原则

一、债权相对性的意义

如上所述，债权人基于债之关系，得向债务人请求给付。债务人的义务与债权人的权利，乃同一给付关系的两面。此种仅特定债权人得向特定债务人请求给付的法律关系，学说上称为债权（或债之关系）的相对性（Relativität der Forderung），与物权所具得对抗一般不特定人的绝对性（Absolutheit des Sachenrechts）不同。一九二九年上字第一九五三号判例谓："债权为对于特定人之权利，债权人只能向债务人请求给付，而不能向债务人以外之人请求给付。"又一九三二年上字第九三四号判例谓："受任人以自己名义为委任人订立契约取得债权时，仅该受任人得向他方当事人请求履行债务，故在受任人未将其债权移转于委任人以前，委任人不得径向他方当事人请求履行。"均在说明债权的相对性。

二、债权平等原则

物权具有绝对性及排他性，故在同一标的物上只能存在一个所有权。就同一标的物虽得设定多数内容不冲突的限制物权（尤其是担保物权，如不动产抵押权），但应依其发生先后定其位序（第八六五条）。反之，债权既仅具相对性，无排他的效力，因此数个债权，不论其发生先后，均以同等地位并存（债权平等性）。[1]例如，甲先后出卖某屋给乙、丙、丁时，其买卖契约均属有效（参照增列第一六六条之一规定，各买卖契约均经公证），各债权亦立于平等地位；乙、丙、丁均得向甲请求交付该屋，并移转其所有权。设甲将屋所有权移转于丁时，乙、丙的债权虽发生在前，仍不能向丁主张任何权利，仅得依债务不履行规定向甲请求损害赔偿（第二二六条）。又设甲先后向乙、丙、丁借款时，乙、丙、丁对甲的债权亦居于平等地位。债务人应以其全部财产对每一个债务的履行，负其责任。某债权人先为强制执行而受清偿时，其他债权人，纵其债权发生在前，亦仅能就剩余财产受偿。债务人破产时，债权不论其发生先后，均依比例参加分配（参阅破产第一三九条）。

三、第三人侵害债权

基于债权的相对性，债权人仅能向债务人请求给付，债务人因可归责之事由致债务不履行时，应对债权人负损

---

[1] 大法官释字第四八四号解释理由书谓："在一物数卖之情形，其买卖契约均属有效成立，数买受人对出卖人不妨有同一内容之债权，本诸债权平等原则，其相互间并无排他之效力，均有请求所有权移转登记之权利。"可供参照。

害赔偿责任。因此在实务及理论上发生一项重大争议:第三人得否侵害债权?例如,甲出卖某车于乙,交付前被丙不慎毁损,致甲给付不能时,乙就其所受的损害(如转售利益),得否向丙请求损害赔偿?又如,丁受雇于戊,庚以高薪延聘,使丁跳槽时,戊就其因此所受的损害,得否向庚请求损害赔偿?

此项问题的关键,在于第一八四条第一项前段规定:"因故意或过失不法侵害他人之权利者,负损害赔偿责任。"其所称"权利",除绝对权(如物权、人格权)外,是否尚包括债权?关于此点,我学者虽有采肯定说,认为任何权利,既受法律之保护,当不容任何人侵害;物权为然,债权又何独不然?故债权亦得为侵权行为之客体。[1]实则应以否定说为是。盖如前所述,债权系指特定人得向特定人请求为特定行为的权利,不具对抗第三人的效力;第三人既不负义务,自无侵害的可能。于此理论中,寓有一项法律政策上的价值判断,即适当维护第三人的活动自由,不致因故意或过失侵害债务人的人身或给付标的,须对债权人负损害赔偿责任。例如,A 驾车不慎,撞伤将在 B 歌厅作个人秀的歌星 C 时,对 C 身体健康受侵害而生的损害(财产上损害或非财产上损害),固应负赔偿责任(参阅第一八四条第一项前段、第一九三条、第一九五条及第二一三条以下),但对 B 歌厅因辍演所受的损失,则不必负赔偿责任,否则 A 的责任范围,将漫无边际,诚非

[1] 王伯琦:民法债编总论,第七十三页。

合理。须强调的是，否定债权系第一八四条第一项前段所称"权利"，并非表示债权不受侵权行为法的保护。第一八四条第一项后段关于故意以悖于善良风俗之方法，加损害于他人者，亦负损害赔偿责任的规定，仍有适用余地。在上举之例，设丙系为妨碍乙转售该车，故意加以毁损；庚系为打击戊，故意以高薪诱丁违约；或 A 系为与 B 歌厅不正竞争，故意撞伤 C 歌女时，均应依第一八四条第一项后段规定负损害赔偿责任。[1]

第二目　债权相对性及物权绝对性的实例解说

一、债权与物权：买卖标的物被盗

（一）例题

甲在深山捕获白猴，于三月一日出卖于在台北市华西街卖艺者乙，[2]约定三月五日交付。丙于三月四日趁甲疏于保管，盗取该猴。甲悬赏一千元寻猴。一个月后经他人告知丙盗猴之事。乙因甲未如期履行，丧失营业收入五千元，试问：

（1）甲得向丙主张何种权利？

---

〔1〕 拙著："侵害他人债权之侵权责任"，民法学说与判例研究（五），第二〇九页；拙著：侵权行为法（一），第一七三页。
〔2〕 日前陪外籍友人到万华华西街"逛逛"，见一小猴，毛白眼亮，特设此例。

（2）乙得向甲主张何种权利？

（3）乙得向丙主张何种权利？

（二）解说

第一、甲得对丙主张之权利[1]

（1）所有物返还请求权。甲得依第七六七条规定向丙请求返还白猴，其要件为甲系所有人，丙为无权占有。甲于深山捕获白猴，因无主物先占而取得其所有权（第八〇二条）。甲出卖该猴于乙，迄未依让与合意，交付其物（参阅第七六七条），故甲仍为该猴的所有人。丙盗甲所有的白猴而占有之，欠缺占有本权，系属无权占有。甲得依第七六七条规定向丙请求返还白猴。

（2）侵权行为损害赔偿请求权。甲得否依第一八四条第一项前段规定向丙请求损害赔偿，其要件在于丙是否因故意不法侵害甲的"权利"。所谓权利包括所有权，甲为该白猴的所有人，已如上述，故甲得依上开规定向丙请求赔偿为寻猴而支出的悬赏广告一千元。[2]

---

〔1〕关于甲对丙的占有回复请求权（第九六二条）及以"占有"为标的之不当得利请求权（第一七九条），略而不论，参阅拙著，不当得利，第二十九页；民法物权（一）：通则，第五十五页；（二）占有：第二一五页以下。

〔2〕"司法院"院字第一六六二号解释："侵权行为之赔偿责任，以加害人之故意或过失与损害有因果联络者为限，来问所称事主被盗失牛，悬红寻觅，此项花红如有必要，即不能谓无因果联络，至其数额是否相当，则属于事实问题。"参阅拙著：侵权行为法（一），第一八八页。

第二、乙对甲得主张之权利

乙得否向甲请求赔偿因给付迟延而丧失的营业利益五千元，其请求权基础为第二三一条第一项规定。就其构成要件检讨之：

（1）出卖人甲基于买卖契约负有交付白猴于买受人乙，并移转其所有权之义务。

（2）甲之债务已届清偿期（第二二九条第一项）。

（3）被盗的白猴业已寻获，给付尚属可能。

（4）白猴因甲照顾疏失被盗，系因可归责于债务人之事由未为给付。

（5）乙丧失营业利益五千元，与甲之给付迟延，具有相当因果关系。故乙得依上开规定向甲请求损害赔偿。乙依法解除契约时（参阅第二五五条），其损害赔偿请求权不因此而受影响（第二六〇条）。

第三、乙对丙得主张之权利

（1）关于乙对丙得主张的权利，首须检讨的是，乙得否基其对甲的债权而请求丙交付白猴。对此，应采否定说。乙基于买卖契约，仅得向甲请求交付白猴，并移转其所有权，对于该给付标的物（白猴）并无支配的权利。买受人乙对第三人丙并无请求返还白猴的法律规范基础。

（2）有争论的是，乙得否以债权受侵害为理由，依第一八四条第一项规定请求损害赔偿。就本条第一项前段言，问题在于债权是否属其所称的"权利"。关于此点，鉴于债权本身不具社会公示性，为维护社会交易活动及竞争秩序，应对第一八四条第一项前段所称权利作限缩解释，认为不包括债权在内。就第一八四条第一项后段言，其保护的客体虽不限于权利，但如案例事实所示，丙盗窃甲的白猴，并非出于故意以悖于善良风俗之方法加损害于乙。综据上述，乙不得依第一八四条第一项前段或后段规定向丙请求损害赔偿。

（3）基上说明，白猴的买受人乙不得向第三人丙请求返还白猴，仅能依买卖契约向甲请求交付白猴，并移转其所有权。甲得先向丙请求返还其物，再向乙提出给付。甲亦得让与其对丙之所有物返还请求权于乙，以代交付（第七六一条第三项）。于甲不履行其给付义务，又怠于行使对丙之权利时，乙为保全债权，得以自己之名义，行使甲之权利（第二四二条）。本题涉及债权的基本概念，为便于观察，图示如下：

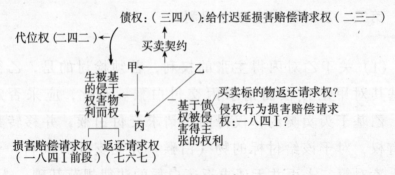

二、不动产的二重买卖[1]

（一）例题

甲将其所有坐落闹区的某屋，出售于乙。甲的邻居丙知此买卖之事，但为扩大自己营业店面，乃出高价向甲购买该屋，并即办理所有权移转登记。试问：

（1）甲与丙间的买卖契约是否有效？

（2）乙得向丙主张何种权利？

（3）设甲于让售该屋于丙之前，已将该屋交付于乙时，丙得否向乙请求返还其屋？

（二）解说

第一、甲与丙间的买卖契约是否有效？

甲与丙间的买卖契约，于当事人就标的物及其价金互相同意时，即为成立（依增订第一六六条之一第一项规定，买卖契约应由公证人作成公证书）。先买受人乙对甲虽有债权，惟无论丙是否知之，均不影响后买卖契约的效力。盖债权对于给付标的物并无支配的排他性；甲将其

---

[1] 参阅拙著："二重买卖"，民法学说与判例研究（四），第一五三页。增订第一六六条之一规定："契约以负担不动产物权之移转、设定或变更之义务为标的者，应由公证人作成公证书。未依前项规定公证之契约，如当事人已合意为不动产物权之移转、设定或变动而完成登记者，仍为有效。"

屋，先后出卖于乙、丙时，乙、丙各对甲取得请求交付其物，并移转其所有权的债权。此两个债权互相并存，居于平等地位。

第二、乙对丙得主张何种权利？

应检讨的是，乙得否依第一八四条第一项规定向丙请求损害赔偿。就本条项前段言，问题在于其所称权利是否包括债权在内。关于此点，应采否定说，前已论及（请参照其理由），故丙自甲受让该屋之所有权，致甲对乙给付不能，基于债权相对性，乙不得依第一八四条第一项前段规定向丙请求损害赔偿。就第一八四条第一项后段言，丙系为扩大自己营业店面而购屋，虽明知乙与甲的买卖在前，尚难认系故意以悖于善良风俗之方法加损害于乙，亦不成立侵权责任。

第三、丙得否向乙请求返还房屋？

丙可得向乙主张返还其屋的请求权基础为第七六七条，其要件须丙为所有人，乙系无权占有。查丙因办理所有权移转登记而取得该屋所有权（第七五八条）。乙是否为无权占有，端视乙与甲之间关于该屋的买卖契约，可否作为占有本权。债之关系得作为占有本权，但此系对债之相对人而言，对第三人则无主张余地（债之关系的相对性）。对甲而言，乙系有权占有；但对自甲受让该屋所有权之丙言，则属无权占有。丙得依第七六七条规定，向乙请求返还其屋。[1]

第三项　债权的物权化

甲有 A、B、C 三屋，分别将 A 屋赠与乙（参照增订第一六六条之一规定），B 屋出租于丙，C 屋无偿借丁使用，均已交付（A 屋未移转其所有权）。其后甲将 A、B、C 三屋出卖于戊，并办理所有权移转登记。试问戊向乙、丙、丁请求返还房屋，有无理由？

债权的物权化，指使相对性的债权亦具有对抗一般人的效力，[2] 其主要情形有二：

一、租赁权的物权化

第四二五条规定："出租人于租赁物交付后，承租人占有中，纵将其所有权让与第三人，其租赁契约，对于受让

---

[1] 参阅一九八三年台上字第九三八号判例："买卖契约仅有债之效力，不得以之对抗契约以外之第三人。本件上诉人虽向诉外人林某买受系争土地，惟在林某将系争土地之所有权移转登记与上诉人以前，既经执行法院查封拍卖，由被上诉人标买而取得所有权，则被上诉人基于所有权请求上诉人返还所有物，上诉人即不得以其与林某间之买卖关系，对抗被上诉人。"

[2] 关于债权物权化的一般理论，参阅 Canaris, Verdinglichung obligatorischer Rechte, Festschrift für Flume, 1978, S. 371f.; Dulckeit, Die Verdinglichung obligatorischer Rechte, 1951.

人仍继续存在。前项规定，于未经公证之不动产租赁契约，其期限逾五年或未定期限者，不适用之。"（注意：本条第一项、第二项系新修正）按租赁契约系债之关系，仅具相对性，存在于承租人与出租人之间。惟依上开规定，租赁权（债权）对于第三人亦生效力，整个租赁关系依法律规定，移转于受让租赁物所有权的第三人；受让人即当然承受出租人地位，而行使或负担租赁契约所生之权利或义务；受让人对于承租人不得主张无权占有，而请求返还其物（参阅例题）。[1]此项"买卖不破租赁"原则，乃为保护承租人而创设。

债权相对性系民法的基本原则，故其物权化，须有法律依据。设某甲将某屋无偿供丁使用，其后又将该屋所有权让与戊时，乙不得主张其使用借贷契约对于受让人戊仍继续存在，应成立无权占有，戊得依第七六七条规定向丁请求返还其物（参阅例题）。一九七〇年台上字第二四九〇号判例谓："使用借贷，非如租赁之有第四二五条之规定。纵令上诉人之前手将房屋及空地，概括允许被上诉人等使用，被上诉人等要不得以上诉人之前手，与其订有使用借贷契约，主张对现在之房地所有人即上诉人有使用该房地之权利。"可供参照。

---

〔1〕参阅拙著："买卖不破租赁：第四二五条规定之适用、准用与类推适用"，民法学说与判例研究（六），第一九三页；许士宦："买卖不破租赁：历年实务见解之整理（上）（下）"，载植根法学，第四卷，第九期、第十期。

二、预告登记[1]

"土地法"第七十九条之一规定，关于土地权利移转之请求权，得声请保全之预告登记（同条第一项第一款）。此项预告登记未涂销前，登记名义人就其土地所为之处分，对于所登记之请求权有妨碍者无效（同条第二项）。例如，甲赠与某地给乙，乙就其对移转标的物所有权之请求权为预告登记后，甲再就该地设定抵押权于第三人时，其处分妨碍乙所登记之请求权，无效。由是可知，经预告登记的债权亦具有物权之效力。

第四项 债之涉他关系

债之关系虽存在于特定债权人与债务人之间，但非谓第三人在债之关系上不具任何地位。第三人得受让债权（第二九四条）；第三人得承担债务（第三〇〇条以下）；第三人亦得承担契约，因而发生债之主体的变更。又债之清偿得由第三人为之（第三一一条第一项）；其对第三人清偿时，经债权人承认等，亦可发生清偿之效力（第三一

---

[1] 史尚宽：土地法原论，第一三一页。预告登记是一项重要制度，关于其理论与实务，值得深入探讨。参阅卢佳香："预告登记之研究"，辅仁大学法律学研究所硕士论文（一九九五年度）。值得注意的是，关于承揽人的报酬请求权，第五一三条设有法定抵押权，为确保承揽人之利益并兼顾交易安全，新修正第五一三条规定设有"预为抵押权登记制度"，可供参照。

〇条）。

然而，第三人之介入债之关系，最值注意的是利益第三人契约，即契约当事人得约定使第三人直接对于当事人一方取得债权（第二六九条）。例如，甲向乙购车，约定第三人丙对于乙（债务人）亦有直接请求给付的权利。实务上以保险契约最属常见，例如，甲与乙保险公司订立人寿保险契约，指定丙为受益人。此项涉他契约突破了罗马法上 alteri stipulari nemo potes（不得为他人订约）原则，构成债之关系相对性的例外，对于扩大契约的机能，具有重大意义。[1]

第三款　债权的实现与自然债务

问题：

（1）乙向甲借款一百万元，届期未还。

（2）甲自制高级家具，出售于乙，价金十万元，乙未付款，已逾二年。

（3）甲为乙作媒，约定报酬二十万元。乙于事成后，仅付五万元。

---

〔1〕 古典著作为 Hellwig, Verträge auf Leistung an Dritte, 1899. 最近专论，Bayer, Der Vertrag zugunsten Dritter: Neure Dogmengeschichte, Anwendungsbereich, dogmatische Strukturen, 1995.

（4）乙向甲签赌大家乐，[1]乙因"明牌"失灵而输一百万元。乙于支付十万元后，拒不付款。

试就上开四例说明：

（1）甲得否向乙请求履行或强制执行？乙于履行后，得否向甲请求返还？设乙拒不履行时，甲得否向保证人请求代负履行之责任，或就担保物（质物或抵押物）求偿？

（2）甲得否以其债权与乙对自己的金钱债权抵销之？

（3）甲得否处分其对乙的债权（让与或设定质权）？

（4）上开四则案例，何者属于所谓自然债务？

第一项　债权的实现

第一九九条第一项规定，债权人基于债之关系，得向债务人请求给付。此项规定课债务人以给付义务，并赋予债权人以请求给付的权利。债务人怠于履行其义务时，法律并不主动采取行动，而是让诸债权人自行决定是否实现其权利；债权人一旦决定行使其权利时，法律则提供其权威、力量及制度，使债权人得诉请履行，必要时并得强制

---

〔1〕在一九八七年间台湾流行大家乐赌博，轰动朝野，为浮华社会的奇观，特设此例，以志其事。

执行；于特殊情形更容许债权人自力实现其债权。债权之处分，亦含蕴实现债权的机能。债权通常兼具诉请履行力、强制执行力、私力实现力、处分权能及保持力。分述如下：[1]

一、诉请履行力（请求力）

债之关系乃以信赖为基础的法律上特别结合关系，债务人的善意固属重要，但难以完全依赖。债务人未依债之本旨提出给付时，债权人得向法院诉请履行（债权请求力）。第一九九条亦寓于此项意义。[2]

二、强制执行力（执行力）

债权人取得执行名义后，得依强制执行法的规定对债务人为强制执行（债权执行力）。关于强制执行的方法，强制执行法分别就金钱请求权、物之交付请求权、行为及不行为请求权，及假扣押假处分之执行等，设有详细规定。[3]

三、私力实现

债权人依诉请求债务人履行给付，或声请法院强制执

[1] 邱聪智：民法债编通则，第九页，列有一表格，颇称简要，可供参考。
[2] 郑玉波："论债之效力及一般担保"，载法学丛刊，第二十六卷，第四期（第一〇四期），一九八一年十二月，第六页。
[3] 杨与龄：强制执行法论，一九九六年；张登科：强制执行法，一九九七年。

行，均藉助公权力，系属公力救济，旨在维护法律秩序及社会平和。惟于例外情形，法律亦容许私力实现，例如，第一五一条规定："为保护自己权利，对于他人之自由或财产，施以拘束、押收或毁损者，不负损害赔偿之责。但以不及受法院或其他有关机关援助，并非于其时为之，则请求权不得实行或其实行显有困难者为限。"例如，某甲向乙借款，于清偿期届至前数日，正图变卖财产，潜逃到外地，时机紧迫，不及受法院或其他机关援助时，乙即得自行救助，拘束其人，押收其财物。惟债权人怠于即时向机关声请援助，或其声请被驳回者，不论有无过失，均应负损害赔偿之责（第一五二条）。现行民法承认的自助行为，除第一五一条规定的自助行为外，尚有出租人得不声请法院，径行阻止承租人取去留置物（第四四七条）饮食店主人得留置客人行李及其物品（第六一二条）等。此等特别自助行为不必具备第一五一条的要件，应予注意。[1]

　　债权人的抵销，亦属于此种无待乎起诉及强制执行的债权实现方法。第三三四条规定："二人互负债务，而其给付种类相同，并均届清偿期者，各得以其债务，与他方之债务，互相抵销。"例如，甲有屋出租予乙，经营家具店，甲向乙购买家具，则甲及乙各得以租金债权及价金债权互相抵销。于此情形，双方债务的履行及债权的实现，依当事人单方的意思表示，一举完成之，从为抵销的债权

---

〔1〕 关于自助行为的基本问题，参阅拙著：民法总则，第三九五页以下。Schunemann, Selbsthilfe im Rechtssystem, 1985.

人方面言，实为自助满足债权的方法，即债权人为满足自己的债权，而依抵销处分他人的债权。[1] 抵销足以节省给付的交换，确保债权的实现，虽属自我满足，但未涉及"实力"，无害于法律秩序及社会平和，故原则上均允许之；其禁止抵销的，则属例外（参阅第三三八条以下）。

四、处分权能

债权实现，广义言之，亦包括对债权的处分权能在内，除前述抵销外，其主要者有：免除（第三四三条）、债权让与（第二九四条）及权利质权的设定（第九〇〇条）等。

五、保有给付的法律上原因（保持力）

债务人自动或受法律的强制而提出给付时，债权人得保有此项给付，债权乃成为保持此项给付之法律上原因，故债权人虽因债务人的清偿而受利益，致他人受损害，并不成立不当得利。

第二项　不完全债权

债权，一般言之，均具有上述五种效力，惟于例外情形，

---

[1] 胡长清：中国民法债编总论，第五七八页。

债权欠缺某种效力的，亦属有之，学说上称为不完全债权（unvollständige Forderung），[1] 或不完全债务（unvollkommene Verbindlichkeiten）。[2] 分述如下：

一、请求力的排除

债权不具请求力的，以婚约最称典型，第九七五条规定，婚约不得请求强迫履行。一九三八年上字第六九五号判例认为，所谓婚约不得请求强迫履行，系指不得提起履行婚约之诉而言，结婚须由当事人以绝对的自由意思予以决定，义务人若甘受违反婚约之制裁，其履行与否，法律不应加以强制。[3]

债权罹于消灭时效后，债务人得拒绝履行（第一四四条第一项）。债务人一旦行使此项消灭时效抗辩权，债权的请求力因而减损，难以依诉之方法强制实现。惟此种债权仍得受清偿，故债务人不知时效而为履行之给付者，不得请求返还，其以契约承认该债务，或提出担保者亦同（第一四四条第二项）。须注意的是，债权人对于债权的处分权能，原则上并不因完成时效而受影响，仍得将该债权让与他人（参阅第二二九条），与他人之债权互相抵销（参阅第三三七条），或设定权利质权。

---

〔1〕 Medicus, Schuldrecht I, S. 10.

〔2〕 Fikentscher, Schuldrecht, S. 47.

〔3〕 戴炎辉、戴东雄合著：中国亲属法，一九八六年修订版，第五十四页。

二、强制力的排除

债权欠缺请求力时，固无执行力，债权有请求力，但欠缺执行力的，亦属有之，其情形有二：

（1）根本无执行力：例如，关于夫妻履行同居义务的判决，一九三八年抗字第六十三号判例谓："命夫妻一方同居之判决，既不得拘束身体之自由而为直接之强制执行。'民事诉讼执行规则'第八十八条第一项所定间接强制之执行方法，依同条第二项之规定又属不能适用，此种判决自不得为强制执行"（参阅强执第一二八条第一项、第二项）。

（2）不得就应履行之给付为强制执行，例如，甲约定为乙绘像，不为履行时，仍不能强制使甲为绘像之行为。其行为可代替者，执行法院得以债务人之费用，命第三人代为履行（强执第一二七条）。其行为非他人所能代为履行者，债务人不为履行时，执行法院得定债务人履行之期间。债务人不履行时，得拘提管收之或处新台币三万元以上三十万元以下之怠金。其续经定期履行而仍不履行者，得再处怠金（强执第一二八条第一项，一九九六年十月九日修正）。

三、处分权能的排除

破产人因破产之宣告，对于应属破产财团之财产，丧失其管理及处分权（破产第七十五条），约定债权不得让与者，其处分权亦受限制，惟不得对抗善意第三人（第二九四条）。

第三项 自然债务

据上所述，可知债权欠缺请求力（诉请履行力）者有之，欠缺执行力者有之，关于此等债权，学说上有称为不完全债权（或不完全债务）。应特别说明的是，所谓的自然债务（Naturalobligation，natürliche Verbindichkeit）。[1] 此项源自罗马法之概念，究何所指，尚无定论，兹就婚约居间约定报酬及赌债说明如下：

一、婚姻居间而约定报酬

第五七三条规定："因婚姻居间而约定报酬者，其修正前约定无效。"[2] 依此规定，当事人间根本不发生报酬请求权（债权），无从诉请履行，设定担保或处分。倘已受领

---

〔1〕 关于自然债务的基本问题，参阅王伯琦："论自然债务——民法上自然债务体系之试拟"，载法学丛刊，第七期。德国法上文献，Klingmüller, Die Lehre von den natürlichen Verbindlichkeiten, 1905；Siber, Der Rechtszwang im Schuldverhältnis, 1903.

〔2〕 第五七三条规定已经修正为："因婚姻居间而约定报酬者，就其报酬无请求权。"立法说明谓："本条立法原意，系因婚姻居间而约定报酬，有害善良风俗，故不使其有效。惟近代工商业发达，社会上道德标准，亦有转变，民间已有专门居间报告结婚机会或介绍婚姻而酌收费用之行业，此项服务，亦渐受肯定，为配合实际状况，爰仿德国民法第六五六条规定，修正本条为非禁止规定，仅居间人对报酬无请求权，如已为给付，给付人不得请求返还。"

报酬时，乃无法律上原因而受利益，致他人受损害，应成立不当得利，而负返还责任。惟婚姻既已成立，当事人致送报酬，乃人情之常，应认系履行道德上义务之给付，而不得请求返还（第一八〇条第一款）。至于此是否为自然债务，系属定义问题。倘吾人认为所谓自然债务系指债权人有债权而请求权已不完整，[1]则因婚姻居间而约定报酬，应非属自然债务，因约定报酬既属无效（依修正前规定），根本不发生债权，实无请求权不完整之可言。

二、赌债

关于赌债，"最高法院"屡著判决。一九五五年台上字第四二一号判例认为赌博系法令禁止之行为，其因该行为所生债之关系，原无请求权之可言。一九六五年台上字第四〇四号判决认为，清偿赌债系不法之原因而为给付，不得请求返还不当得利。一九五四年台上字第二二五号判决认为给付赌博输款，为不法原因，系属自然债务，依法无请求返还之余地。[2]

此三则判决的见解似有未尽协合之处。赌博既属法令禁止（或违反公序良俗）之行为，应属无效（第七十一条、第七十二条），根本不生债之关系，似不得认系"因

---

〔1〕王伯琦先生认为自然债务者，系指债权人有债权而请求权已不完整（民法债编总论，第五页）。

〔2〕关于此三则判决，见拙著："赌债与不法原因给付"，民法学说与判例研究（二），第一二三页。

该行为所生债之关系，原无请求权之可言"。又不法原因给付所以不得请求返还，并非系债权人为本于权利而受领，具有法律上原因，不成立不当得利；而是受领"赌债"之给付，虽属不当得利，但因属不法原因，故不得请求返还（第一八〇条第四款）。[1]准此以言，"最高法院"认赌债属自然债务，系指不法原因而生的债务。

三、自然债务概念的检讨

自然债务此一概念，有时用于不能依诉请求的给付义务（如消灭时效的债务）；有时指基于道德上义务而生的"债务"；有时指因不法原因而生的"债务"；有时更不加区别，兼指诸此各种情形而言。[2]用语分歧，殊失原义，实不宜再为使用。[3]倘予使用，亦须明辨其究指何种情形而言，尤应避免由此而导出不合理的推论。

---

〔1〕 参阅拙著：民法学说与判例研究（二），第一二三页以下。

〔2〕 王伯琦先生谓：消灭时效完成之债务（第一四四条第二项），因不法原因而生之债务或基于道德上义务之债务（第一八〇条），此种债务，学说上称为自然债务。即债权人有债权而请求权已不完整。债权人请求给付时，债务人得拒绝给付，但如债务人为给付，债权人得本于权利而受领，并非不当得利，债务人不得请求返还（民法债编总论第五页）。应说明的是，于消灭时效完成之债务，债权人有债权而请求权已不完整，固属无误，但于因不法原因而生债务（如赌债）及基于道德义务上之债务（如婚姻居间约定报酬，注意第五七三条规定之修正）两种情形，均难认为有债权存在，故给付之受领仍应成立不当得利，只是不足请求返还而已（第一八〇条）。"不成立不当得利"与"虽属不当得利，但不得请求返还"，在概念上应有区别的必要。

〔3〕 Larenz, Schuldrecht I, S. 21; Fikentscher 认为自然债务（Naturalobligation）的用语已属过时（veraltet），应弃置不用，改称为不完全债务，并分别其类型加以观察（Schuldrecht, S. 48）。

第四项　例题解说

关于债权实现及自然债务，因涉及若干易于混淆的观点，为使读者便于了解，兹就上开四则例题综合说明如下：

（1）乙向甲借款一百万元，应于约定期限内返还（参阅第四七八条）。关于此项借用物返还的债权，甲有请求力、执行力、保持力，及享有处分的权能。债务人或第三人并得为此债权提供担保（保证、设定担保物权）。

（2）甲自制家具，出售于乙，价金十万元的请求权因二年间不行使而消灭（第一二七条第八款）。[1]时效完成后，债务人乙得拒绝给付，甲之债权的请求力已不完全，但仍有保持力，故请求权已罹时效消灭，债务人仍为履行之给付者，不得以不知时效为理由，请求返还，其以契约承认该债务，或提出担保者，亦同（第一四四条）。甲对该债权的处分权能亦不受影响。又甲之请求权虽因罹于时效而消灭，如在时效未完成前，其债务已适于抵销者，亦得为抵销（第三三七条）。

---

〔1〕第一二七条第八款所定之商人、制造人、手工业人所供给之商品及产物之代价，其请求权因二年间不行使而消灭，系指商人就其所供给之商品及制造人、手工业人就其所供给之产物之代价，不包括基于委任关系所生之债（一九六二年台上字第二九四号判例）；其所谓商人所供给之商品，系指动产而言，不包括不动产在内，故建筑商人，制造房屋出售，其不动产代价之请求权，无上开条款所定消灭时效之适用（一九八九年度第九次民事庭会议决议（一））。

（3）甲为乙居间婚姻，约定报酬者，就其报酬无请求权（新修正第五七三条规定），即其报酬债权欠缺请求力及执行力，并无从为其提供担保；但仍非不得为处分。如乙为履行之给付，甲仍因债权之保持力不构成不当得利，乙不得请求返还（第一八〇条第一款）。

（4）甲与乙赌博，赢得一百万元，因赌博行为违反法律强行规定（或公序良俗）无效，根本不发生"赌债"请求权（债权），故无请求力及执行力，亦无从为其提供提保，或对之为处分。乙清偿赌债时，甲并无债权上的保持力，应成立不当得利；惟此项给付系不法原因给付，乙仍不得请求返还（第一八〇条第四款）。[1]

第四款 债务与责任

（1）甲女为医治母病，向乙借款，约定倘届期不能清偿，愿任乙割肉偿债，或终身为仆，其效力如何？

（2）甲向乙购买原料，积欠货款二百万元，由丁保证，由丙提供土地设定抵押。试说明甲、丙、丁之债务与责任。

（3）甲经营成衣外销工厂，为运转资金，先向丙借款六百万元；复向丁借款二百万元，以工厂

---

[1] 关于不法原因给付，参阅马志锰："不法原因给付之研究"，台大法律学研究所硕士论文（一九七三年度）。

土地房屋设定抵押。甲经营不善，积欠戊等工资二十万元，欠缴营业税十万元，濒临倒闭，乃急于收取货款，并贱售成衣于知情的亲友。试就此例说明确保债权的问题。

第一项　债务与责任的意义及发展

一、债务与责任的意义

债务（Schuld），指应为一定给付的义务。责任（Haftung），指强制实现此项义务的手段，亦即履行此项义务的担保。[1] 应注意的是，"责任"一词，具多种形态。如第一八四条第一项前段规定，因故意或过失不法侵害他人之权利者，负损害赔偿"责任"（过失责任）；第九十一条规定，表意人依第八十八条及第八十九条之规定撤销意思表示时，对于信其意思表示为有效致受损害之相对人或第三人应负赔偿"责任"（无过失责任）。之二者，均指应就其行为所生的结果"负责"，即应对其行为所生损害予以赔偿。对于此项损害赔偿义务（债务），债务人应以全部财

---

[1] 债务与责任是十九世纪德国民法学上一项最具争论的问题，参阅 Binder, Zur Lehre von Schuld und Haftung, JherJb. 77 (1927) 75ff.; Otto von Gierke, Schuld und Haftung, 1910; Schreibe, Schuld und Haftung, 1914.

产为其担保，负其"责任"。

二、由人的责任至物的责任

债务人就其债务，原则上应以全部财产对其债权人负其责任，今日视之，乃当然自明之理，实已历经变迁。在罗马法及日耳曼法上，债务人系以其人身负责，债务人不履行其债务时，债权人得径为直接强制，拘束其人身，贩卖为奴。由于社会进步，基督教教义的传播及公权力日臻发达，对债务人直接强制，使其屈服于债权人的意思及实力的因素，渐次消逝，给付当为（Leistensollen）的伦理因素，渐次增强，经过长期的发展，终于演变成为纯粹财产责任。[1]台湾亦采此种物之责任制度，因此甲欠乙债，约定割肉偿债，或终身为奴时，均有悖于公序良俗，无效（参阅例题一）。[2]

在现行法上债务与责任互相结合，原则上并属无限财产责任。申言之，负有债务者，于不履行时，即应以其全部财产负其责任；有债务即有责任。诚然，债务与责任在概念上应予区别；无责任的债务（如罹于时效的债务）及

---

[1] 此种由人身责任至物之责任的发展过程，各国皆有，在台湾亦曾有卖身偿债之事。在英国十九世纪有专为债务人而设的监牢，参见英国文豪狄更生（Dickens）所著小说，尤其是"块肉余生录"（David Copperfield），情节动人，颇值一读。

[2] 关于"割肉偿债"，参阅莎士比亚著：威尼斯商人（Merchant of Venice）一书，在法理上具有启示性。参阅拙著："举重明轻、衡平原则与类推适用"，民法学说与判例研究（八），第一页、第二十八页；Kohler, Shakespeare vor dem Forum der Jurisprudenz, 2. Aufl. 1919（此为古典名著，台大法学院图书馆藏有此书）；Hood Philips, Shakespeare and the Lawyers, 1972, pp. 71-118.

无债务的责任（如物上保证人的责任）（参阅例题二），亦属有之，但终属例外。债务与责任原则上系相伴而生，如影随身，难以分开。负债务者，不仅在法律上负有当为义务，而且也承担了其财产之一部或全部将因强制执行而丧失的危险性。盖非如此，实不能保障债权的满足也。

第二项　责任类型

债务人应以其财产，就其债务负其责任的形态，可分为两类：一为无限责任，一为有限责任。

一、无限责任

债务人原则上应负无限责任，即应以财产的全部——除不得查封的物品或不得为强制执行的权利外——供债权人得依强制执行法的规定，满足其债权的担保。所谓不得查封之物品，系指债务人及其共同生活之亲属所必需之衣服、寝具、其他物品及职业上或教育上所必需之器具、物品；遗像、牌位、墓碑及其他祭祀、礼拜所用之物等（强执第五十三条）。所谓不得强制执行之权利，系指债务人对于第三人之债权，为维持债务人及其共同生活之亲属生活所必需者而言（强执第一二二条）。

二、有限责任

有限责任，指债务人以特定财产为限度，负其责任

（物的有限责任）。债权人仅得就该特定财产满足其债权，纵其债权未因此而全部获偿，对于其他财产，亦不得再为强制执行。关于此种有限责任，当事人得自为约定，但实际上甚属少见。法律所明定的，以限定继承最为重要，即继承人得依一定的程序，将遗产与继承人的其他财产分开，限定以因继承所得之遗产，偿还被继承人之债务（第一一五四条以下），遗产债权人仅得就遗产为强制执行，继承人自己的财产则不负责任。

应特别说明的是所谓"量的有限责任"，即以一定的数额为限度，负清偿的责任，例如，股份有限公司股东就其所认股份，对公司负其责任（公司第二条第一项第四款）。此种计算上有限责任，非属真正的责任限制，因为对于此种约定或法定"定额有限责任"，股东于股款缴足后，对于公司之债权人或其他第三人，均不负任何责任。

第三项 债权保全与担保制度

一、债权保全

债务人就其债务，原则上应以其财产全部负其责任，此项责任财产为债权的一般担保，故其减少，关系债权人利害至巨。责任财产的减少，有为债务人消极的行为，如对第三人有所有物返还请求权，而怠于行使；有为债务人积极的行为，如将其房屋赠与他人或贱卖古董车。民法为确保债权的获偿，特赋予债权人两种权利，以资救济：

（1）代位权，即债务人怠于行使其权利时，债权人因保全债权，得以自己之名义行使其权利（第二四二条本文），以维持债务人财产。

（2）撤销权，即债权人对于债务人所为有害债权之行为，得声请法院撤销之，以回复债务人之财产（第二四四条）。[1]

此两种确保债权的手段，在实务上至为重要，案例不少，应值重视（参阅例题三）。

二、为债权的实现而奋斗[2]

债权人的代位权及撤销权，对维护债务人的责任财产，裨益虽巨，但尚不足确保债权的获偿，其主要原因有三：❶构成债务人责任客体的财产，变化不定，景气无常，财产的散逸非债权人所能预见或控制。❷债权不论其发生先后，均居于平等地位，债权重叠又为现代交易的通常现象，责任财产纵能维持不减，众人参与分配，亦难期全获

---

〔1〕 债权请求权已罹于消灭时效时，债权人是否仍得行使撤销权？一九八二年四月二十日，一九八二年度第七次民事庭会议决议："第二四四条所定之撤销权，乃为保全债权之履行而设。甲对乙基于债权之请求权，既因罹于消灭时效而经判决败诉确定不能行使，则甲之撤销权，显无由成立。"

〔2〕 参阅拙著："附条件买卖买受人期待权之研究"，民法学说与判例研究（一），第一六七页。

清偿。❸为"政府财政"之目的而创设税捐的优先权，[1]为保护劳工另建立工资优先受偿制度。[2]处此情势，一般债权人不能不为其债权的担保而奋斗（Kampf um die Sicherheit）。

为适应债权担保的需要，法律乃提供人之保证及物之担保两种制度，供债权人采择使用。所谓人之保证，指第七三九条以下所规定的保证而言。保证人得与债权人约定，于主债务人不履行债务时，由其代负履行责任。保证人原则上系以全部财产供履行债务的担保，债权人于主债务人外，尚有保证人的全部财产供其债权担保，债权的实现，更获保障。至于物之担保，系指担保物权；就广义而言，包括民法规定的抵押权（不动产抵押及权利抵押）、质权（动产质权及权利质权），及动产担保交易法上的动产抵押权、保留所有权（附条件买卖）及信托占有等。担保物权系就债务人或第三人所提供的特定不动产、动产或权利而设定，不受人的因素的影响，且具有优先、排他及追及等效力，其担保性尤胜于人之保证。

据上所述，债权的实现及优先次序，事关当事人利益、

---

〔1〕"税捐稽征法"第六条第一项规定："土地增值税之征收，就土地之自然涨价部分，优先于一切债权及抵押权。""关税法"第五十五条第四项规定："第一项应缴或应补缴之关税，应较普通债权优先清缴。""营业税法"第五十七条规定："纳税义务人欠缴本法规定之税款、滞报金、怠报金、滞纳金、利息及合并、转让、解散或废止时依法应征而尚未开征或在纳税期限届满前应纳之税款，均应较普通债权优先受偿。"

〔2〕"劳动基准法"第二十八条第一项规定："雇主因歇业、清算或宣告破产，本于劳动契约所积欠之工资未满六个月部分，有最优先受清偿之权。"所谓最优先受清偿之权，仍属债权之性质，不优先于担保物权，对劳工之保护乃未周全，为此"劳动基准法"第二十八条第二项又设积欠工资垫偿基金。请参阅一九九六年六月九日修正发布之"积欠工资垫偿基金提缴及垫偿管理办法"。

资金融通（如银行贷款）、社会政策（如劳工工资）及公共利益（如租税债权），可归为四类：

（1）普通债权（一般债权）：即无担保不具优先受偿性的债权，无论其发生时间之先后，均居于平等的地位。

（2）优先受偿的债权：其发生须基于法律的规定，故又称为法定优先受偿权，如劳工工资最优先受偿权（劳基第二十八条第一项）、海商法上的海事优先权（海商第二十四条）。海事优先权，顾名思义，优先于一般债权，但除法律有特别规定外，并不优先于担保物权（参阅海商第二十四条第二项）。[1]

（3）有担保的债权：如设有抵押权担保的债权。除法律有特别规定外，担保物权恒优先于债权。同一标的物上的担保物权，原则上依其发生之先后定其次序（第八七四条；但请参阅动担第五条、第二十五条）。

（4）租税债权：租税债权可分为三种：❶优先于抵押权，如土地增值税（税捐稽征第六条第一项）。❷优先于普通债权，如营业税（营业税第五十七条）、关税（关税第五十五条第四项）。❸与普通债权同其顺序，如所得税。[2]

---

〔1〕关于优先受偿之债权，种类甚多，除本文所述者外，尚有"工会法"第三十八条规定："工会于其债务人破产时，对其财产有优先受清偿之权"，"职工福利金条例"第九条规定："职工福利金有优先受清偿之权"等。参阅吴宗梁："论民法是否应增设优先权之一般规定"，台大法律学研究所硕士论文（一九七五年度）。

〔2〕关于各类债权优先顺序所涉及之特别问题，详阅拙著："租税、工资与抵押权"，民法学说与判例研究（四），第三二七页。

第四项　债权的交易性

综据上述，可知债务人原则上应以其全部财产供履行债务的担保，为维持此项责任财产，民法赋予债权人以代位权及撤销权，以保全债权的清偿。为使债权之实现更臻巩固，复设人保及物保两种制度，俾供使用。关于债权的实现，法律规定可谓备极周详，债权的变现性大为增高，使债权成为交易的客体，得为让与（第二九四条），设定权利质权（第九○○条），并得作为强制执行之标的（强执第一一五条）。

第五款　债之关系上的义务群[1]

债之关系的核心在于给付，给付具有不同意义和功能。除给付义务以外，债之关系上尚有所谓的附随义务及不真正义务。债法的变迁和进步是建立在债之关系上各种义务的形成和发展。债编修正第二四五条之一明定在缔约过程中的"先契约义务"，具有重大深远意义。以下拟对债之关系上的义务群作简要综合的说明，此对了解债法的功

---

[1] 债法的体系构成及变迁表现于债之关系上义务群的建立及发展，德文资料参阅 Esser/Schmidt, Schuldrecht I, Allgemeiner Teil, §6 (S. 81); Fikentscher, Schuldrecht, §8 (S. 34f.); Larenz, Schuldrecht I, Allgemeiner Teil, §2 (S. 6f.).

能、体系变迁及进步发展，最属重要，希望读者特别留意，在研究债法的过程中，经常思考、反省、检讨批评，而能有较深刻的了解。

第一项　给付义务

一、甲患眼病失明，请乙医生开刀，乙虽尽医疗之能事，仍未能使甲复明。甲以乙"给付不能"为理由拒绝支付报酬，法律上有无依据？

二、甲向乙购买系出名门的 A 马，准备参加比赛，价金一百万元。乙已移转该马之所有权于甲，但血统证明书迄未交付。试问：

（1）甲得否向乙请求交付 A 马的血统证明书？

（2）甲得否以乙未交付 A 马的血统证明书，而拒绝支付价金？

（3）甲得否以乙迟延给付 A 马的血统证明书，而解除契约？

一、给付行为与给付效果[1]

给付，指债之关系上特定人间得请求的特定行为，不

---

〔1〕 Wieacker, Leistungshandlung und Leistungserfolge im Bürgerlichen Schuldrecht, Festschrift für Nipperdey, 1965, Bd. I, B. 783; Larenz, Schuldrecht I, Allgemeiner Teil, S. 8f.

作为亦得为给付，且不以有财产价格者为限（第一九九条）。给付具有双重意义，指给付行为（Leistungsverhalten），或给付效果（Leistungserfolge）而言。在雇佣契约，受雇人的给付为劳务的提供，是否因此使雇用人获得预期利益，在所不问。例如，甲受雇于乙在梨山种植果树，只要善尽其义务，即已履行其给付，纵使果树未能丰收，仍有报酬请求权；丙为丁补习功课，投考大学，丙的给付在于补习本身，故丁纵落榜，丙的报酬请求权并不因此而受影响。反之，在承揽契约，承揽人必须完成约定的工作，始属履行其给付义务，盖既曰"承揽"，债务人自须能掌握其工作范畴，理应承担不能达成给付效果的危险性。买卖、赠与或租赁等均以给付效果为内容，故于赴偿之债，出卖人于寄送标的物时，虽已完成其给付行为，但该物于途中遭意外事故灭失时，因未发生给付效果，出卖人仍未依债之本旨，清偿其债务，仅因不可归责之事由，致给付不能，免给付义务，但亦因此丧失对待给付请求权（第二二五条第一项、第二六六条）。至于何种行为及效果构成给付的内容，应就各个债之关系，依其所欲达成之目的决定，自不待言。

甲患眼病失明，由乙医生开刀，乙虽尽医疗能事，仍未能使甲复明，甲主张拒绝给付报酬的法律依据为第二六六条："因不可归责于双方当事人之事由，致一方之给付全部不能者，他方免为对待给付之义务。"首须认定的是，乙究负何种给付义务。通说认为医疗系属委任契约，受任

人负有处理一定事务的义务。[1]乙的给付义务乃为甲开刀
治疗眼疾（给付行为），而非在于使甲眼睛复明（给付效
果），乙以善良管理人的注意，尽其治疗能事，即系依债
之本旨提出给付，不生给付不能的问题，故甲有支付约定
报酬的义务。设甲与乙所约定的，系所谓的"包医"时，
则属承揽契约，[2]乙负有为甲完成一定工作的义务（给付
效果），若乙不能使甲眼睛复明，系属给付不能，甲免支
付报酬的义务。

二、主给付义务与从给付义务[3]

（一）主给付义务

现行民法上债之关系乃建立在"给付义务"之上，学
说上称为"主给付义务"（Hauptleistungspflicht）。主给付义
务，指债之关系（尤其是契约）上固有、必备，并用以决
定债之关系（契约）类型的基本义务（债之关系的要素），
例如，在买卖契约，物之出卖人负交付其物并移转其所有
权的义务，买受人负支付价金及受领标的物的义务；在租
赁契约，出租人负交付租赁物于承租人供其使用收益的义
务，承租人负支付租金的义务；在雇佣契约，受雇人负于

---

〔1〕 关于医疗契约之法律性质，参阅陈碧玉："医疗事故之民事损害赔偿责任"，政大法律学研
　　　究所硕士论文（一九七六年度），第十三页以下；李圣隆："医护法规概论"，一九八五年，
　　　第七十八页以下。
〔2〕 郑玉波："民法债编各论"（上），第三四八页。
〔3〕 Emmerich, in: Grundlagen des Vertrags-und Schuldrechts, Attenäum-Zivilrecht I, 1972, S. 302f; Ess-
　　　er/Schmidt, Schuldrecht I, S. 87f.

一定或不定之期限内为他方服劳务，雇用人负给付报酬的义务。此等义务均属所谓的主给付义务。就双务契约言，主给付义务构成对待给付义务，于他方当事人未为对待给付前，得拒绝自己之给付（第二六四条第一项本文、第二六五条）；因不可归责于双方当事人之事由，致一方之给付一部或全部不能者，他方免为对待给付之义务（第二六六条第一项）。因可归责于债务人之事由，致给付不能、给付迟延或不完全给付时，债权人得请求赔偿损害或解除契约（参阅第二二六条、第二二七条、第二三一条、第二五四条、第二五六条等）。

（二）从给付义务

在债之关系上，除主给付义务外，尚有所谓的从给付义务（Nebenleistungspflicht），其发生之原因有三：

（1）基于法律明文规定：如债权让与人应将证明债权之文件交付受让人，并告以关于主张该债权所必要之一切情形（第二九六条，告知义务）。受任人应将委任事务进行之状况报告委任人，委任关系终止时，应报告其颠末（第五四〇条，报告义务）；受任人因处理委任事务，所收取之金钱、物品及孳息，应交付于委任人，受任人以自己名义为委任人取得之权利应移转于委任人（第五四一条，计算义务）。

（2）基于当事人的约定：如甲出卖其经营的企业于乙，约定甲应提供全省经销商的名单。甲医院雇用乙医生，约定夜间不得自行营业（不作为义务）。

（3）基于诚实信用原则及补充的契约解释（ergänzende Vertragsauslegung）：如房屋的出卖人应交付办理所有权移转登记的文件；名马的出卖人应交付该马的血统证明书。

从给付义务具补助主给付义务的功能，不在于决定债之关系的类型，乃在于确保债权人的利益能够获得最大的满足。须注意的是，从给付义务亦得依诉请求之（einklagbar）。在双务契约上，一方的从给付义务与他方的给付，是否立于互为对待给付之关系，能否发生同时履行抗辩（参阅第二六四条），应视其对契约目的之达成是否必要而定。又从给付义务的债务不履行，债权人得否解除契约亦应依此标准加以判断。[1] 准此以言，甲以高价购买乙的名马，乙非交付血统证书不足以达转售或参加比赛等目的，故甲除得依诉请求乙交付血统证明书外，尚得以乙未交付血统证书，而拒绝给付价金；或于乙给付不能或给付迟延时，依法解除买卖契约。

三、原给付义务（第一次给付义务）及次给付义务（第二次给付义务）[2]

给付义务（主给付义务及从给付义务），更可分为原给

---

[1] 关于此等问题，俟于讨论同时履行抗辩权及解除契约时，再行详述。参阅 Esser/Schmidt, Schuldrecht I, Allgemeiner Teil, S. 87f.；林诚二："论附随债务之不履行与契约之解除"，载中兴法学，第十八期，第二四五页。

[2] 关于 Primäre Leistungspflicht 及 Sekundäre Leistungspflicht，参阅 Larenz, Schuldrecht I, S. 8f. 关于第一次义务及第二次义务，洪逊欣先生作有如下的说明："依义务之相互关系而区别时，义务复可分为第一次的义务与第二次的义务两种。前者系原已存在，非待义务人之不履行而后始发生之义务；后者，系因第一次的义务不履行而发生之义务。例如，原有义务，系第一次的义务；因债务不履行而发生之损害赔偿义务，乃第二次的义务。"（中国民法总则，第六十五页）

付义务（Primäre Leistungspflicht）（第一次义务）及次给付义务（sekundäre Leistungspflicht）（第二次义务）。

原给付义务（第一次义务），指债之关系上原有的义务，就契约而言，如名马的出卖人所负交付其马，并移转其所有权之义务（主给付义务），及交付该马血统证明书之义务（从给付义务）；就侵权行为言，如因故意或过失不法侵害他人权利所生之损害赔偿义务（第一八四条第一项前段）。次给付义务（第二次义务），指原给付义务于履行过程中，因特定事由演变而生的义务，其主要情形有二：❶因原给付义务之给付不能、给付迟延或不完全给付而生之损害赔偿义务。此种损害赔偿义务，有系替代原给付义务（如给付不能，第二二六条），亦有与原给付义务并存的（如给付迟延，第二三一条）。❷契约解除时所生回复原状之义务（第二五九条）。次给付义务亦系根基于原来债之关系，债之关系的内容虽因之而有所改变或扩张，但其同一性仍维持不变。

第二项　附随义务

一、出卖人交付病鸡，致买受人的鸡群亦感染死亡。或出卖人未告知机器的特殊使用方法，致买受人因使用方法不当引起机器爆破，侵害其人身或其他财产。试分别说明买受人的请求权基础。

　　二、甲受雇于乙，乙提供的机器具有瑕疵，发
生事故，致甲身体受损害，乙未为甲投保劳工保
险。试问：

　　（1）乙违反何种义务？

　　（2）甲得主张何种权利？

一、附随义务的概念

　　债之关系在其发展的过程中，除前述给付义务外，依
其情形，尚会发生其他义务，例如，雇主应为受雇人加入
劳工保险（照顾义务）；出卖人于标的物交付前，应妥为
保管（保管义务）；房屋出租人应协力使承租人取得建筑
执照，以从事必要的修缮（协力义务）；电脑工程师不得
泄露雇用人开发新产品的机密（保密义务，不作为义务）；
医生不得泄露病患的隐私等。此类义务的发生，系以诚实
信用原则为依据，固为通说所承认，但关于其名称，则尚
无定论。德国学者有称之为 Schutzpflicht，有称之为 weitere
Verhaltenspflicht（其他行为义务）。[1] 在台湾，有称为附从义
务，[2] 有称为附随义务，[3] 均属德国判例学说上所谓

---

[1] Larenz, Schuldrecht I, S. 10.

[2] 蔡章麟："私法上诚实信用原则"，载社会科学论丛，第三辑，第十二页。

[3] 梅仲协：民法要义，第二四二页、第二四三页；史尚宽：债法总论，第三二九页，第三三
五页。詹文馨："债之关系上之附随义务"，台大法律学研究所硕士论文（一九八九年度）。

Nebenpflicht 的迻译，后者较能表现其特征，本书采之。

二、附随义务与主给付义务的区别

附随义务与主给付义务的区别，可分三点言之：

（1）主给付义务自始确定，并决定债之关系的类型。反之，附随义务系随着债之关系的发展，于个别情况要求当事人的一方有所作为或不作为，以维护相对人的利益，于任何债之关系（尤其是契约）均可发生，不受特定债之关系类型的限制。[1]

（2）主给付义务构成双务契约的对待给付，一方当事人于他方当事人未为对待给付前，得拒绝自己之给付（第二六四条第一项）。反之，附随义务原则上非属对待给付，不发生同时履行抗辩。

（3）因给付义务的不履行，债权人得解除契约。反之，附随义务的不履行，债权人原则上不得解除契约，但就其所受损害，得依不完全给付规定，请求损害赔偿。须注意的是，某种契约上的义务，究为给付义务或附随义务，难免争论。第三六七条规定："买受人对于出卖人，有交付约定价金及受领标的物之义务。"支付价金之义务，系买受人的给付义务，固无疑问，但受领标的物之义务，究为何种义务，则有争论。[2]实务上认系给付义务，一九七五年台上字第二三六七号判例谓："买受人对于出卖人有受

---

[1] Larenz, Schuldrecht I, S. 10f.

[2] 梅仲协：民法要义，第二四三页；史尚宽：债法各论，第五十七页。

领标的物之义务，为第三六七条所明定，故出卖人已有给付之合法提出而买受人不履行其受领义务时，买受人非但陷于受领迟延，并陷于给付迟延，出卖人非不得依第二五四条规定据以解除契约。"可供参照。

关于如何区别附随义务与从给付义务，德国通说认为应以得否独立以诉请求履行（selbständig einklagbar），为判断标准，其得独立以诉请求的，为从给付义务（亦有称之为独立的附随义务），其不得独立以诉请求的，则为附随义务（或称为不独立的附随义务）。如甲出卖某车给乙，交付该车并移转其所有权为甲的主给付义务，提供必要文件（如行车执照或保险契约书）为从给付义务，告知该车的特殊危险性，则为附随义务。

三、附随义务的功能

附随义务种类甚多，就其功能言，可分为两类：❶促进实现主给付义务，使债权人的给付利益获得最大可能的满足（辅助功能），例如，花瓶的出卖人应妥为包装，使买受人得安全携回；牛肉面店的出租人不得于隔壁再行开店，从事营业竞争等。❷维护他方当事人人身或财产上利益（保护功能）。[1] 例如，雇主应注意其所提供工具的安全性，避免受雇人因此而受损害；油漆工人应注意不要污损定作人的地毯；书籍的借用人于返还时，应告知其书籍

---

[1] 此种附随义务所保护利益，在德国判例学说上称为 Integritätsinteresse（完整利益）或 Erhaltungsinteresse（维持利益）。

曾经接触患疯病者之手。须注意的是，附随义务兼具上述
两种功能的，亦属有之，例如，汽锅的出卖人应告知其使
用上应注意事项，一方面使买受人给付上的利益得获满
足；一方面亦维护买受人的人身或财产上的利益不因汽锅
爆破而遭受损害。

　　基上所述，可知债之关系系以主给付义务为核心，决
定债之关系（尤其是契约）的类型。与主给付义务最具密
切关系的，为从给付义务，债权人得诉请履行，其功能在
于使债权人的主给付利益得获满足。附随义务则在辅助实
现债权人给付利益（如花瓶出卖人的包装义务）。

　　附随义务中的保护义务（Schutzpflicht），论其性质，实相当
于侵权行为法上的社会安全义务（Verkehrssicherungspflicht、
Verkehrspflicht），[1]与给付义务的关系较远。债之关系乃一种
法律上的特别结合关系，依诚实信用原则，一方当事人应
善尽必要注意，以保护相对人的权益，不受侵害，例如，
运动器材的出卖人应告知其使用方法及危险性。

四、附随义务的违反与不完全给付

　　民法系以给付义务（主给付义务）为核心，新修正第
二二七条规定："因可归责于债务人之事由，致为不完全
给付者，债权人得依关于给付迟延或给付不能之规定行使
其权利。因不完全给付而生前项以外之损害者，债权人并

---

〔1〕 Verkehrssicherungspflicht, 有译为交通安全义务, 有译为交易安全义务, 有译为社会安全义务。简
　　要说明, 参阅拙著: 侵权行为法（一）, 第四十四页。

得请求赔偿。"所谓不完全"给付"，解释上除主给付义务外，尚应包括从给付义务，如甲出卖 A 马于乙，其所交付的 A 马患有疾病，致感染他马时，构成主给付不完全。设甲所交付的该马血统证明书，具有瑕疵，难为必要的证明，致乙不能参加赛马或转售时，应认系构成从给付的不完全，亦应有第二二七条的适用。

有疑问的是，因可归责于债务人之事由，违反契约上的附随义务，致债权人受有损害时，债权人得否依不完全给付债务不履行规定，请求损害赔偿，例如，雇主不为受雇人加入劳工保险，受雇人不能依劳工保险条例的规定请领保险给付时，得否主张雇主应负债务不履行责任？于此情形，雇主所违反的是雇主未为受雇人加入劳工保险的附随义务，问题在于不完全给付得否扩张解释（或类推适用）及于附随义务的违反。对此问题，应采肯定说，应说明的有三：

（1）关于新修正第二二七条规定，立法说明书谓："不完全给付如为加害给付，除发生原来债务不履行之损害外，更发生超过履行利益之损害，例如，出卖人交付病鸡致买受人之鸡群亦感染而死亡，或出卖人未告知机器之特殊使用方法，致买受人因使用方法不当引起机器爆破，伤害买受人之人身或其他财产等。遇此情形，固可依侵权行为之规定请求损害赔偿，但被害人应就加害人之过失行为负举证责任，保护尚嫌不周，且学者间亦有持不同之见解者，为使被害人之权益受更周全之保障，并杜疑义，爰于本条增订第二项，明定被害人就履行利益以外之损害，得依不完全给付之理论请求损害赔偿。"须注意的是，"出卖人交付病鸡致买受人之鸡感染而死亡"，乃不完全给付（加害给付），"出卖人未告知机器之特殊使用方法"，则属附随义务的违反。由此可知，立法者亦认附随义务的违反得构成不完全给付，而有第二二七条的适用。

（2）台湾侵权行为法关于一般侵权行为未采概括主义。第一八四条第一项前段规定："因故意或过失不法侵害他人之权利者，负损害赔偿责任"，其保护客体不及于纯财产上损害（纯粹经济上损失）。[1]被害人对加害人的过失须负举证责任。雇用人得证明对受雇人的选任、监督并无过失而免责（第一八八条第一项但书）。因此肯定违反附随义务亦得成立债务不履行责任，具有补充侵权行为法的功能。

雇主未为受雇人办理加入劳工保险，致受雇人于保险事故发生时不能请领保险给付，"最高法院"一向认为雇主应负侵权责任，一九九七年台上字第三七四六号判决谓："劳工保险为强制保险，雇主如未为劳工办理劳工保险或将其退保，致劳工于退休时未能领取老年给付者，自属侵害劳工之权利，应负损害赔偿责任。又该老年给付之请求权，于劳工退休时始发生，其消灭时效应自斯时起算。"实则，劳工未能领取保险给付，其被侵害的不是劳工之权利（何种权利？），而具纯粹经济上损失。就侵权行

---

[1] 拙著：侵权行为法（一），第九十六页。

为言，应适用第一八四条第二项规定；[1]就契约责任言，应认雇主违反其应为受雇人加入劳工保险的照顾义务，应依债务不履行规定负损害赔偿责任。[2]

（3）关于附随义务，民法未设一般规定，肯定其与给付义务同属契约上的义务，具法院造法的功能，有助于完善民法民事责任体系。在德国，自 Staub 氏发现积极侵害契约（积极侵害债权）以来，即包括 Schlechtleistung（不良给付）及附随义务的违反（Verletzung der Nebenspflicht）两种类型，实务上以后者更为常见。[3]台湾继受德国法上积极侵害债权的理论，而称之不完全给付，是否及于附随义务的违反，未臻明确。为期涵盖，得扩张解释不完全"给付"，使之包括二者，[4]或加以类推适用。附随义务的违反与不完全给付介于侵权责任与契约责任之间，涉及民事责任制度的变革及发展，如何调整现行民法的概念和体系，实有赖于判例学说的协力，达成共识，期能在法之发现过程上更向前迈进一步。[5]

第三项　先契约义务与后契约义务

一、甲因过失不知某屋业已灭失，仍出售于

---

〔1〕 一九九七年台上字第三七四六号判决；拙著：侵权行为法（一），第三〇二页。

〔2〕 拙著："雇主未为受雇人办理加入劳工保险之民事责任"，民法学说与判例研究（二），第二三九页。

〔3〕 Emmerich, Das Recht der Leistungstörungen, 4. Auf. 1997, S. 222f.

〔4〕 Fikentscher, Schuldrecht, S. 25, 31, 166, 169.

〔5〕 拙著：法律思维与民法实例——请求权基础理论体系，第二八四页。

乙。试问：

（1）甲违反何种义务？

（2）乙得主张何种权利？

二、甲受雇于乙公司担任电脑工程师，因待遇调整问题，发生争吵，乙公司乃终止契约，拒绝发给服务证明书，甲愤而泄露乙公司开发新机种之秘密。试问：

（1）甲违反何种义务，乙公司得主张何种权利？

（2）乙公司违反何种义务，甲得主张何种权利？

一、先契约义务

因债之关系的成立而发生各种义务群，已如上述。须特别指出的是，当事人为缔结契约而接触、准备或磋商时，亦会发生各种说明、告知、保密、保护等其他义务，学说上称为先契约义务（vorvertragliche Pflicht），违反之者，应成立缔约上过失（culpa in contrahendo），或先契约责任（precontractual liability）。[1]第二四七条谓："契约因以不能之给付为标的而无效者，当事人于订约时知其不能或可得而知者，对于非因过失而信契约为有效致受损害之他方当事

---

〔1〕 Hondius（ed.），Precontractual Liability, 1991.

人，负赔偿责任。"系现行民法关于先契约义务及缔约上过失的基本规定。例如，甲因过失不知某屋业已毁于火灾，仍与乙订立买卖契约，对乙所支出的代书或登记费用，应负赔偿责任。梅仲协先生更进一步认为：当事人所欲订立之契约，其必要之点不合意时，契约固属不能成立。但当事人一方，因可归责于自己之事由，使事实不克臻于明了，致引起他方当事人之误解，酿成不合意者，则应负契约过失之责任，该他方当事人因契约不成立而蒙受损害时，得请求相对人赔偿其消极利益。[1]值得注意的是，债编增订第二四五条之一规定："契约未成立时，当事人为准备或商议订立契约而有下列情形之一者，对于非因过失而信契约能成立致受损害之他方当事人，负赔偿责任：❶就订约有重要关系之事项，对他方之询问，恶意隐匿或为不实之说明者。❷知悉或持有他方之秘密，经他方明示应予保密，而因故意或重大过失泄露之者。❸其他显然违反诚实及信用方法者。前项损害赔偿请求权，因二年间不行使而消灭。"

二、后契约义务

契约关系消灭后，当事人尚负有某种作为或不作为义务，以维护给付效果，或协助相对人处理契约终了的善后

---

[1] 梅仲协：民法要义，第九十三页。

事务。学说上称为后契约义务（nachvertragliche Pflichte）。[1]
此项义务的发生，有基于法律特别规定的，如"劳动基准
法"第十九条规定："劳动契约终止时，劳工如请求发给
服务证明书，雇主或其代理人不得拒绝。"[2]"医疗法"第
五十二条规定："医院对出院病人，应依病人要求，掣给
出院病历摘要。"基于补充的契约解释而发生的后契约义
务，其主要者有：企业的出卖人不得再为营业竞争；离职
的受雇人仍应保守雇主的营业秘密；房屋的出租人于租赁
关系消灭后，应容许承租人于适当地方悬挂迁移启事等。
对于后契约义务，债权人亦得请求履行（如发给服务证
书、病历摘要、悬挂迁移启事）。债务人违反后契约义务
时，与违反一般契约义务同，应依债务不履行规定负其责
任。[3]

第四项 不真正义务

一、甲明知乙无驾照而搭乘其车郊游，乙驾车
违规超速，发生车祸，致甲受伤，甲向乙请求损
害赔偿。试问：

（1）甲违反何种义务？

---

[1] 关于后契约义务之一般理论，参阅 Esser/Schmidt, Schuldrecht I, S. 91f.; Stratz, Über die so-
genannte Nachwirkungen des Schuldverhältnisses und den Haftungsmassstab bei Schutzpflichtverstössen,
Festschrift für Bosch, 1976, S. 699; v. Bar, Nachwirkende Vestragspflichten, AcP 179 (1979), 452f.

[2] 拙著："雇主对离职劳工发给服务证明书之义务"，民法学说与判例研究（七），第一八二
页以下。

[3] Erman/Sirg, § 242 Rdnr. 58; Esser/Schmidt, Schuldrecht I, S. 91f.

（2）乙得为何种主张？

二、甲有两件宋代瓷器高价出售于乙，乙受领后，发现瑕疵，乃向甲为解除买卖契约之表示。其后证实该件瓷器于解除前因乙保管疏懈而灭失。试问：

（1）乙违反何种义务？

（2）甲得为何种主张？

债之关系，除给付义务及附随义务外，尚有所谓的 Obliegenheiten（暂译为不真正义务，亦有称为间接义务）。Obliegenheit 为一种强度较弱的义务（Pflichte geringerer Intensität），其主要特征在于相对人通常不得请求履行，而其违反并不发生损害赔偿责任，仅使负担此项义务者遭受权利减损或丧失的不利益而已。[1]此种不真正义务，在保险法上最为常见（参阅保险第五十六条以下规定），民法上亦有之，兹举两种主要情形说明如下：

1. 第二一七条规定："损害之发生或扩大，被害人与有过失者，法院得减轻赔偿金额或免除之。重大之损害原因，为债务人所不及知，而被害人不预促其注意或怠于避免或减少损害者，为与有过失。"被害人所违反的，系对自己利益的维护照顾义务（不真正义务），即所谓对自己之过失（Verschulden gegen sich selbst）。一九八一年台上字第三七五号判决谓："第二一七条所谓损害之发生或扩大，

---

〔1〕 Reimer Schmidt, Die Obliegenheiten, 1953.

被害人与有过失云者，系指被害人苟能尽善良管理人之注意，即得避免其损害之发生或扩大，乃竟不注意，致有损害发生或扩大之情形而言，是与固有意义过失，以违反法律上注意义务为要件者，尚属有间。"[1]亦同此见解。被害人在法律上虽未负有不损害自己权益的义务，但既因自己之疏懈造成损害之发生或扩大，与有责任，依公平原则，自应依其程度忍受减免赔偿金额的不利益。例如，甲明知乙无驾照而乘其车，对损害的发生与有过失，法院得减轻乙之赔偿金额。[2]

2．第二六二条规定，有解除权人因可归责于自己之事由，致其所受领之给付物有毁损灭失，或其他情形不能返还者，解除权消灭。本条所谓可归责之事由（故意或过失），亦属违反不真正义务。盖解除权人于因故意或过失致其所受领之给付物不能返还时，解除权或尚未发生；或虽已发生，但无从知之，难以计及法律上返还义务的存在。惟解除契约之基本目的在于回复原状，解除权人既不能返还其所受领之给付物，理应承受解除权消灭的不利益。例如，买受人因买卖标的物（瓷器）具有瑕疵，虽有解除权（参阅第三五九条），但因可归责于自己之事由，致其受领之瓷器灭失，不能返还时，其解除权消灭。

---

[1] 民刑事裁判选辑，第二卷，第一期，第九十六页。
[2] 驾驶汽机车未戴安全帽或使用安全带，对损害的发生亦足构成与有过失。参阅詹森林："互殴与与有过失"，及"机车骑士与其搭载者间之与有过失承担"，载民事法理与判决研究（台大法学丛书一一三），第二八三页，第二九三页。

第五项　债之关系上义务的体系构成

债之关系上的义务群，乃债法的核心问题。在处理债之问题时，须要考虑的是，相对人负有何种义务，得否请求履行，得否主张同时履行抗辩，违反义务时的法律效果？得否请求损害赔偿或解除契约等？例如，甲出售某名马给乙，价金千万，乙得否请求甲交付血统证明书；于甲未交付血统证明书前，乙得否拒绝支付价金？甲交付血统证明书迟延时，乙得否请求损害赔偿或解除契约？甲交付的血统证明书系属伪造时，乙得主张何种权利？

现行民法系以主给付义务为规律对象，基于诚信原则，由近而远，渐次发生从给付义务，以及其他附随义务，辅助实现给付利益及维护他方当事人的人身及财产上利益。其因此而组成的义务体系(Pflichtssystem)，其发展形成多赖乎判例学说，名称犹未统一，界限亦难完全确定，例如，从给付义务与附随义务如何区别？对何种附随义务得诉请履行(Klagbarkeit)？以维护他方当事人人身及财产完整为目的之附随义务(保护义务)，与侵权行为法上的社会安全义务，性质上如何区别？[1]诸多问题仍未获完全澄清。现代债法的发展，在某种意义上，可以说是债之关系上义务群的发展，为便于观察，表列如下，并请参照本节各款之例题，至其涉

---

〔1〕 综合简要说明，Gernhuber, Das Schuldverhältnis, 1989, S. 1f.

及的问题俟后于论及相关制度时,再为详述。

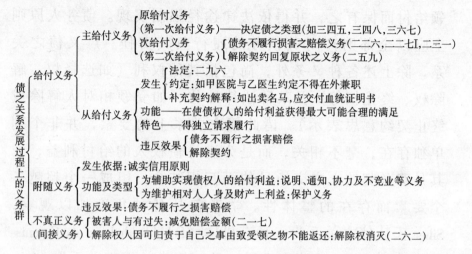

第六款 债之关系之有机体性及程序性

　　甲出卖 A 牛给乙, 价金五万元, 甲将其对乙的价金债权赠与于丙, 并即让与之。甲于乙对丙支付价金时, 即依让与合意将 A 牛交付于乙。A 牛患有传染病, 甲因过失而未发现, 乙之牛群遭受感染, 损失三十万元, 而乙怠于采取必要措施, 对损害之扩大, 与有百分之二十的过失。乙对甲表示解除契约并请求损害赔偿。试就此例分析说明债之关系的结构。

　　由前面各款的论述, 可知债之关系可分为狭义债之关系及广义债之关系, 而广义债之关系的内容系由给付义务、附随义务及不真正义务等所构成。债权之本质在于受领给付而保有之，并得依法律途径强制实现。债务人原则上应以全部财产对其债务的履行负其责任。广义债之关系，除上述各种义务外，尚包括其他权利（如选择权、解除权、终止权等）及某种法律地位（如受领相对人解除或终止契约意思表示）。诸此债之关系上的要素，并非个别单独存在，毫不相关，而是为满足债权人的给付利益，尤其是双务契约上之交换目的而互相结合，组成一个超越各个要素而存在的整体性。学者曾从各种角度加以观察，Siber 氏认债之关系为一种有机体（Schuldverhältnis als Organismus）。[1] Herholz 氏认为系属一种 "恒常的框架关系"（konstante Rahmenbeziehung）。[2] Esser/Schmidt 氏认为系一种计划（Plan）。[3] Larenz 教授采哲学家 Nicolai Hartmann 在其 "真实世界的建构"（Aufbau der realen Welt）一书中所创的概念，称之为 sinnhaftes Gefüge（暂译为具有意义的结构组合）。[4] 各家用语虽有差异，但其实质内容殆无不同，均强调债之关系在其发展过程中得产生各种义务；个别的给付义务得因清偿而消灭，形成权得因其行使或不行使而失其效能；债之客体得因当事人的约定或法律规定而变更（如给付特定物之债，因可归责于债务人之事由致给付不能，变为损害赔偿之债）；债之主体亦得因法律行为（如债权让与债

〔1〕　Siber, Schuldrecht, 1931, S. 1.

〔2〕　Herholz, AcP 130（1930），257f.

〔3〕　Esser/Schmidt, Schuldrecht I, S. 29.

〔4〕　Larenz, Schuldrecht I, S. 27.

务承担）或法律规定而更易，整个债之关系更可因契约承担（Vertragsübernahme）而移转。于诸此情形，债之关系之要素虽有变更，但债之关系仍继续存在，不失其同一性。所谓债之关系不失其同一性者，指债之效力依旧不变；不仅其原有的利益（如时效利益）及各种抗辩不因此而受影响，即其从属的权利（如担保）原则上亦仍继续存在。[1]

债之关系自始即以完全满足债权人给付利益为目的，法律哲学家 Radbruch 曾谓："债权系法律世界中的动态因素，含有死亡的基因，目的已达，即归消灭。"[2]由是观之，债之关系可谓系存在于时间过程上的一种程序，始自给付义务的发生，历经主体的更易，客体的变动，惟无论其发展过程如何辗转曲折，始终以充分实现债权人的给付利益为目标。债之发生及消灭反映着形形色色的经济交易活动，个人利益及社会需要皆因此而得到了满足。

当事人的给付义务均已履行时，债之关系固归于消灭，但在法律规范世界中，并非消逝无踪，仍继续以给付变动的原因而存在，例如，甲以其版画与乙的善本书互易，双方均已交付其物并移转其所有权时，互易契约虽因而消灭；但仍继续作为甲占有乙之善本书并取得其所有权，乙占有甲的版画及取得其所有权的法律上原因，成为受领相对人给付的依据，此乃为债法与物权法功能上关联的所在：当事人依物权法规定取得物权时（第七五八条、第七

---

〔1〕 郑玉波：民法债编总论，第四六一页。
〔2〕 Radbruch, Rechtsphilosophie, 1963, S. 243: "Das Forderungsrecht trägt den Keim seines Todes in sich, es geht unter, wenn es in der Erfüllung sein Ziel erreicht."

六一条），法律所赋予者，为形式的依据；债之关系为其得终局保有此项物权的实质基础。

关于债之关系体系结构的认识，对法律思考助益甚巨，特再就上开例题加以解剖观察：

（1）甲出卖 A 牛给乙，价金五万元，当事人就标的物及其价金互相同意，买卖契约即为成立（第三四五条第二项）。买卖为广义债之关系，得产生多数狭义债之关系：甲得向乙请求支付价金及受领标的物（第三六七条）；乙得向甲请求交付该牛、并移转其所有权（第三四八条第一项）。甲与乙基于买卖契约（双务契约）互负给付义务；于他方当事人未为对待给付前，得拒绝自己之给付（第二六四条第一项）。

（2）甲将其对乙之价金债权赠与于丙（第四○六条，负担行为），并即让与之（第二九四条），此项“债权让与”，系属处分行为（准物权行为），因双方当事人的合意而生效力，丙因而对乙取得价金债权，债权的主体乃发生更易。第二九六条规定：“让与人应将证明债权之文件，交付受让人，并应告以关于主张该债权所必要之一切情形。”此为债权让与人的从给付义务。须注意的是，丙所取得的，乃基于买卖契约（广义之债）所生的个别债权（狭义债之关系），不因此成为买卖契约的当事人，因此亦不能行使基于买卖契约而生的权利（如解除权）。

（3）乙对丙支付价金，系依债之本旨，向债权人为清偿，经其受领，债之关系消灭（第三○九条）。

（4）甲交付于乙之 A 牛患有传染病，具有瑕疵（第三五四条），乙之牛群遭受感染，损失三十万元，因不完全给付而受损害（所谓的加害给付）；甲因过失而未发现牛有病，具有可归责之事由，乙得依债务不履行规定，请求损害赔偿（新修正第二二七条第二项）。此种损害赔偿之债，系给付义务（第一次义务）不良履行而生的次给付义务（第二次义务）。乙对损害之扩大怠于采取必要措施，与有百分之二十过失，乃违反所谓不真正义务（间接义务），法院得减轻甲的赔偿金额（第二一七条）。甲对乙为损害赔偿时，其损害赔偿之债（狭义债之关系），因清偿而消灭（第三〇九条）。

（5）乙得因甲的不完全给付而解除契约。解除权系属形成权，其行使应向他方以意思表示为之（第二五八条第一项）。契约解除时，当事人双方互负回复原状之义务。乙应返还由甲所受领之 A 牛（第二五九条第一款）。有疑问的是，乙究应向甲或丙请求返还其所支付之金钱（第二五九条第二款）。查契约解除时，应负回复原状义务者，系契约之当事人；丙自甲所受让者，仅系个别价金债权而已，不因此成为契约当事人，前已论及，故乙应向他方当事人甲请求偿还支付的价金五万元，并附加自受领时起之利息。[1]此项契约解除后回复原状之义务，性质上亦属次给付义务（第二次给付义务），应准用第二六四条至第二六七条关于双务契约之规定。又乙之损害赔偿请求权不因

---

〔1〕关于此项具有争论的问题，俟于论及"债权让与"时，再行详述。参阅 Dorner, Dynamische Relativität, 1985, S. 314f, 341f.

解除契约而受影响（第二六〇条）。

债之结构的分析有助于认识债之构成要素、内在逻辑及变动发展。若无此项认识，对个别问题的了解，终属零碎的知识，未能构成完整的体系，不足妥适处理错综复杂的债之关系。兹为便于观察，图示如下：

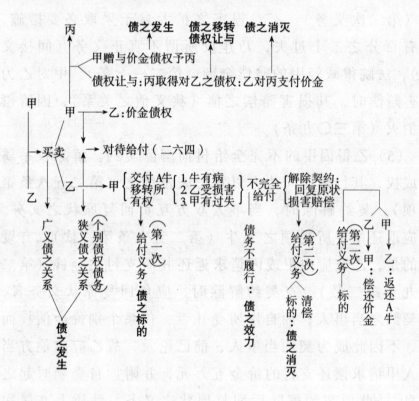

第二节　债法的体系、任务与发展

第一款　债法的编制体系

一、民法债编的构成

甲于三月三日出售某屋给乙（参照增订第一六六条之一规定），约定三月十日交付。乙于三月四日出售其对甲之债权与丙。其后发现该屋于三月一日灭失。试问：❶甲与乙间买卖房屋的契约是否有效？❷乙与丙间买卖债权的契约是否有效？

民法第二编规定"债"。债编分为两章，第一章为通则（学说上称为债总），分为六节：债之发生、债之标的、债之效力、多数债务人及债权人、债之移转及债之消灭；第二章为各种之债（学说上称为债各），规定买卖、租赁、雇佣合会（民法增订）、旅游、人事保证等二十七种之债。此种编制体例系采"从一般到特殊，由抽象到具体"的立法技术，将"共同事项"归纳一起，作为通则，为共同适用的规定。因此，于处理相关问题（尤其是契约）时，首应检查债各是否设有规定；须债各无特别规定时，始适用债总的一般规定。第二四六条第一项规定："以不能之给付为契约标的者，其契约为无效。"在前开例题，甲于三月三日卖某屋给乙，而该屋于三月一日灭失，系属自始客观不能，其买卖契约为无效，甲应依第二四七条规定，对乙负信赖利益的赔偿责任。甲与乙间的买卖契约既为无效，乙自始未取得债权；其以不存在之债权出售于丙，亦系以不能之给付为契约之标的。惟依第三五〇条规定："债权或其他权利之出卖人，应担保其权利确系存在"，可知乙与丙间关于债权的买卖契约仍属有效，丙得依关于债务不履行之规定，行使其权利（第三五三条）。第二四六条系关于契约标的自始客观不能的一般规定，而第三五〇条则系关于债权或其他权利买卖的特别规定，应优先适用。[1] 凡遇到此类问题时，须确实思考立法者所以设特别规定的理由，就本题言，即何以民法对物的买卖及债权的买卖设不同的规定，赋予不同的法律效果？其理由乃立法者认为权利欠缺外部可见的形体，买受人必须信赖出卖人，故应受较周全的保护。

二、民法债编与其他各编的关系

某甲欲丢弃旧笔 A，误取新笔 B 丢弃，某乙先占之。甲于次日发现其事，即向乙请求返还 B 笔，乙表示已将该笔与丙的 C 书互易，并已同时履行。试问甲得向何人主张何种权利？

---

[1] 史尚宽：债法各论，第十七页。

（一）债编与民法总则编

债编是民法的第二编，民法总则编的规定对于债之关系原则上均有适用余地。就契约言，关于契约的成立（要约与承诺均属意思表示）、契约的有效（如当事人的行为能力），及契约请求权罹于消灭时效等。惟应注意的是，债编设有特别规定的，应优先适用，如第三五四条以下关于物之瑕疵担保责任的规定，应排除第八十八条第二项关于物之性质错误得为撤销的规定。[1]

（二）债编与物权编

债编与物权编同属财产法，其在功能上的关联，分三点言之：

（1）债权行为以物权变动为其内容时（如买卖、互易及赠与），其履行须藉助物权行为加以完成（参阅第七五八条、第七六一条）易言之，即依物权行为取得物权，而以债权行为为其法律上之原因。

（2）担保物权（抵押权或质权）旨在确保债权的实现，债权因有担保物权的保障，更能促进社会经济活动。

（3）债权请求权与物上请求权原则上得为并存竞合，如甲借汽车于乙使用，期限届满时，甲得依第四七○条或第七六七条规定，请求返还借用物。

---

〔1〕史尚宽：债法各论，第四十八页；林诚二："瑕疵担保责任与撤销"，载中兴法学，第二十期。

（三）债编与亲属编

亲属编对基于一定身份关系而发生的债权亦设有规定，如解除婚约或违反婚约的损害赔偿请求权（第九七七条以下）；婚约无效、解除或撤销时的赠与物返还请求权（第九七九条之一）；联合财产制消灭时剩余财产差额之分配请求权（第一〇三〇条之一）；判决离婚损害赔偿请求权（第一〇五六条），以及扶养请求权（第一一一四条以下）等。于诸此情形，民法债编规定均有适用余地。

（四）债编与继承编

继承编所规定的，系被继承人财产上一切权利义务之承受；所谓财产上之一切权利义务，包括债权及债务。继承编对债权亦设有规定，遗赠为其著例（第一二〇〇条以下规定）。

（五）实例解说

债编与民法其他各编，在适用上具有密切关系。处理实例时，在方法论上绝不是按照民法五编的先后次序加以思考，而是以请求权基础为出发点，[1]综合整部民法相关规定而为适用。此点特为重要，关系民法的学习至巨，特就上开例题加以说明：

首先应检讨的是，甲得否依第七六七条规定向丙请求

---

〔1〕 拙著：法律思维与民法实例——请求权基础理论体系。

返还 B 笔。此须以甲是该笔所有人，丙为无权占有为要件。甲原为 B 笔所有人，误 B 笔为 A 笔而丢弃，抛弃 B 笔所有权（第七六四条），发生物权行为上意思表示的错误，即甲若知其事情即不为意思表示，甲得将其意思表示撤销之（第八十八条第一项）。[1]甲于次日发现错误后，即向乙说明事由，请求返还 B 笔，乃撤销其错误的物权行为，其抛弃视为自始无效（第一四一条第一项），该 B 笔的所有权仍归甲所有。乙将 B 笔与丙的 C 书互易，其债权契约虽属有效，但让与 B 笔的物权行为则为无权处分，效力未定（第一一八条第一项）。惟丙系以该 B 笔所有权之移转为目的，而善意受让该动产的占有，纵乙无让与之权利，其占有仍受法律之保护，而取得其所有权（第八〇一条、第九四八条）。基上所述，丙善意取得 B 笔所有权，甲已非该笔所有人，不得依第七六七条规定向丙请求返还 B 笔。又丙取得 B 笔所有权，系受有利益致甲受损害，惟此乃基于法律规定；立法意旨在使善意受让者终局保留其权利，具有法律上原因，故不成立不当得利。

应再检讨的是，甲得否向乙请求返还 C 书，其请求权基础为第一七九条。乙受有 C 书所有权的利益。乙无权处分甲的 B 笔，致丙善意取得该笔，已如上述，C 书系甲丧失所有权的对价，在权益归属上应归属于甲，乙取得 C 书所有权，受有利益致甲受损害，并无法律上原因；故甲得

---

〔1〕 关于物权行为错误与不当得利，参阅拙著：民法学说与判例研究（五），第一四九页。

依第一七九条规定向乙请求返还 C 书所有权。[1]

第二款　民法债编与民商合一

民法债编的内容，除债通则外，尚有二十七种各种之债，内容浩繁，较诸德、日债法，特为显著。其主要理由是现行民法采取民商合一制度，不于民法之外，另立商法法典；而将民商分立国家（如德、日、法）在商法上所规定的，诸如行纪、运送、经理人及代办商等纳入债编加以规定。其性质特殊，不能与民法合一规定的，如公司、票据、海商及保险等，则分别另订特别法，学说上称为商事法，对于民法（尤其是债编），应优先适用。至其未规定事项，仍应依民法一般原则。例如关于保证人之资格民法未设限制，自然人及法人均得为之；惟依"公司法"第十

---

[1] 本题思考结构简示如下：

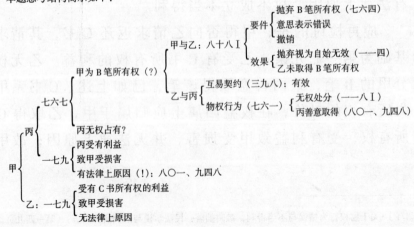

六条规定："❶公司除依其他法律或公司章程规定得为保证者外，不得为任何保证人。❷公司负责人违反前项规定时，应自负保证责任，并各科新台币六万元以下罚金；如公司受有损害时，亦应负赔偿责任。"此为关于公司为保证的特别规定，应优先适用。至于公司负责人之保证责任及对公司之损害赔偿责任，公司法未设特别规定，应依民法关于保证及损害赔偿责任之规定定之。[1]

第三款 债法的社会任务与发展趋势

第一项 债法的社会任务

民法债编条文占三分之一以上，与其他各编并具有密切关联，可说是民法的核心。就公司、票据、海商及保险等特别法合并观之，债法在现代法上实居于优越的地位，财货的贸迁，劳务的提供，损害的分配，多赖债法以为规范，而此与台湾社会经济发展息息相关。数十年来，台湾由农村经济蜕变成为一个高度开发的工商业社会。债法的两个重要制度——契约与侵权行为——提供此项发展的法

---

[1] 相关问题，参阅一九六一年台上字第一〇〇〇号判例："支票之背书，如确系他人逾越权限之行为，按之'票据法'第十条第二项之规定，就权限外部分，即应由无权代理人自负票据上之责任。此乃特别规定优先于一般规定而适用之当然法理，殊无适用第一〇七条之余地。"

制基层结构，他方面亦规范处理其所产生的问题。

契约法是建立在市场经济之上，参与交易活动的，系所谓的经济人（economic man）；趋利避害、精于计算、追求最大利润、拥有一切机会，但也承担所有的危险。[1]此种自我负责原则亦含有伦理因素。倘财货的分配，悉赖"政府"的计划与统制，则个人选择、创造的自由，必受限制，势将妨害经济发展及社会进步。惟须强调的是，自由须以平等为前提；双方当事人地位悬殊，一方屈服于他方意志之下，即无公平正义之可言。在一个市场经济，竞争至关紧要。竞争可以鼓励发明，促进革新、避免衰退，而且要求使用合理生产及销售方法；对于提高经济效率，提供最佳可能的产品及劳务，裨益至巨。准据上述，契约法所面临的任务在于秉持维护契约自由的原则，并兼顾实践契约正义，期能保护劳工、消费者等弱势者的权益。[2]

近年来由于社会发展快速、科技发达、人口集中都市、

---

〔1〕Adam Smith 在其名著 The Weath of Nations，曾谓："人类是经常需要同类的援助；当然不能希望这种援助只是出于他们的恩惠（benevolence）。他如果能够为了自己而刺激别人的利己心，这对他是有利的；并使他们知道他们为他做到他所要求的，乃是有利于他们的；则似乎更能收效。任何人向他人提议某种契约时莫不打算这样做。'给我以我所必要的，然后你也取你所欢喜的'，这是任何交易的意义所在；因有这样的想法，我们可以彼此得到许多必要的照顾。我们所以能够得到饮食，这不是由于屠宰者、造酒者和制面包者的恩惠；这是得力于他们对其本身利益的尊重。我们并非诉诸他们的人道主义，是诉诸他们的利己心。"引自周宪文译：《国富论》（上册），台湾银行经济研究室编印，一九六四年，第十五页。

〔2〕契约及契约法正处于重大的转换，美国学者 Gilmore 鉴于英美契约特有的"约因"（consideration）逐渐丧失其规范力，致改变了契约的交易性（Bargain），而认为契约已告死亡。在德国私法自治原则受到定型化契约的冲击，致传统自由主义的契约法面临危险。如何重构契约法的理论体系，兼顾契约自由及契约正义，使契约得获再生，是契约法上的重大课题。参阅 Kramer, Die Krise des liberalen Vertragsdenkens, 1974; Gilmore, The Death of Contract, 1974; 内田　贵：契约的再生，弘文堂，平成 2 年。

生活竞争激烈，施政不足以及法令执行不力，危害事故层出不穷，造成重大损失。如何防止或减少危害事故、填补损害，并与劳工保险，人民健康保险，强制责任保险等补偿制度协力，建立符合公平有效率的补偿制度，是侵权行为法面临的重大课题。[1]

第二项 债法与特别法

为因应社会经济发展，合理规范契约自由与契约正义，及建立公平、有效率的意外事故补偿制度，多年来立法者制定了为数不少相关法令，形成了民法债编以外的特别私法。为呈现此项历史发展过程，增进了解其与台湾政治经济发展的关系，举其重要者，以其制定年代的次序排列如下：

一九五八年：劳工保险条例。

一九七一年："核子损害赔偿法"。

一九八四年："劳动基准法"。

一九八八年：预防接种受害救济要点。

一九九一年："公平交易法"。

一九九二年："公害纠纷处理法"。[2]

一九九四年："消费者保护法"。

---

[1] 参阅拙著："侵权行为法之危机及其发展趋势"，民法学说与判例研究（二），第一四七页。拙著：侵权行为法（一），第一章（第一至三十六页）。最近重要著作，Dewees/Duff/Trebilcock, Exploring The Domain of Accident Law: Taking the Facts Seriously, Oxford, 1996.

[2] 关于环保的重要法律，尚有"水污染防治法"（一九七四年）、"废弃物清理法"（一九七四年）、"空气污染防制法"（一九七五年）、"噪音管制法"（一九八三年）。参阅邱聪智：公害法原理。

一九九四年："全民健康保险法"。

一九九五年："电脑处理个人资料保护法"。

一九九六年："营业秘密法"。

一九九六年："强制汽车责任保险法"。

一九九八年："犯罪被害人保护法"。

一九九八年：药物受害救济要点。

上开法令范围甚广，本书仅从不同的观点及层面加以分析。就时间言，一九九〇年代之后的立法较多，此与"解除戒严"、"民主宪政改革"及社会力解放等具有"因果关系"。就其渊源言，兼受德国法及美国法的影响。就内容言，其涉及契约的，有劳动基准法、公平交易法、消费者保护法（尤其是关于定型化契约），旨在能以一只可见之手——法律——来巩固竞争秩序、促进总体经济发展并保护劳动者与消费者的权益。[1]其他法律则多攸关意外事故的补偿制度。[2]

第四款　民法债编修正

民法债编自一九二九年十一月二十二日公布，翌年五月五日施行以来，迄今将届满七十年。在长期间的适用后，现有规定确有若干未尽妥适或疏漏不足之处，应予检

---

〔1〕Mestmäcke, Die sichtbare Hand des Rechts: über das Verhältnis von Rechtsordnung und Wirtschaftssystem（一只可见法律的手：论法律秩序与经济体制的关系），1978. S. 139f.

〔2〕参阅拙著：侵权行为法（一），第三十一页。

讨修正。六十余年来，政治环境、社会结构、经济条件均
有重大变化，对于今日繁复多变的生活态样，原本立基于
农业生活形态的债编规定确已未敷所需。自一九七四年八
月间，民法学者及实务专家组成民法研究修正委员会，着
手于民法的研修。最初七年间先行研修民法总则及民法亲
属与继承等编。迨一九八一年三月间该三编的修正草案完
成后，乃继续民法债编的研修工作，迄一九九五年十二月
间终于完成"民法债编修正草案"，数经审议，于一九九
九年四月二日通过，定于二○○○年五月五日施行。

在修正范围方面，其"通则"部分增订十五条、修正
三十五条暨删除二条。"各种之债"部分增订五十二条、
修正八十八条暨删除七条。"民法债编施行法"则增订二
十一条、修正十四条。总计在六百一十九条的现行条文
中，本修正草案拟增修删废的条文合计二百三十四条，占
原条文之百分之二十六，变动幅度甚高。修正内容有的仅
在阐释法条文义疑义，有的将判例学说的发展加以明文
化；修正内容多属妥适，产生疑义的，亦属有之。[1] 兹将
主要修正重点列为七项简述如下，俟于相关部分，再行详
论。

一、诚实信用原则

诚实信用原则的适用，历经变迁，第二一九条规定：

---

[1] 本书作者正撰写《债法修正与民法发展》一书，拟从判例学说、比较法及立法政策的观点
检讨民法修正及其解释适用的问题。

"行使债权、履行债务，应依诚实及信用方法。"实务上曾拘泥于其文义及体系，认为诚实信用不适用于物权关系。[1]为发挥诚实信用的规范功能，一九八二年修正总则编时，特于第一四八条第二项规定："行使权利、履行义务，应依诚实及信用方法。"此项规定虽扩大诚实信用原则的适用范围，但仍限于行使权利、履行义务的方法。

诚实信用原则的重大演变，是"消费者保护法"第十二条第一项规定："定型化契约中之条款违反诚信原则，对消费者显失公平者，无效"，使诚实信用作为规范定型化契约条款内容的准据，期能更合理的分配契约上的危险。

值得注意的是，债编修正，一方面删除第二一九条规定；他方面于新修正条文第二四五条之一规定，"显然违反诚实及信用方法者"，应负缔约上过失责任。[2]其主要功能在于基于诚实信用原则创设先契约义务，尤其是说明及保密义务，对于债法的发展，具有重大深远的意义。

诚实信用原则经过了总则编的修正，"消费者保护法"第十二条规定及债编第二四五条之一规定，终于逐渐成为君临法域的"帝王条款"；藉着判例学说的协力，将更丰富民法的生命。

二、人格权保护与慰抚金请求权

民法以人为主体，人格权的保护最属重要，尤其是关

---

[1] 拙著："诚实信用原则仅适用于债之关系?"，民法学说与判例研究（一），第三二九页。
[2] 拙著："缔约上过失"，民法学说与判例研究（一），第七十七页。

于侵害人格权的慰抚金请求权。第十八条第二项规定，人格权受侵害时，以法律有特别规定者为限，得请求损害赔偿或慰抚金。其得请求慰抚金的，如第一九四条、第一九五条、第九七九条、第九九九条等。第一九五条规定不法侵害他人之身体、健康、名誉或自由者，被害人就非财产上损害，亦得请求赔偿相当之金额。如何突破此项限制，乃多年来判例与学说研究的重点。债编修正要点有三：

（1）修正后第一九五条规定："不法侵害他人之身体、健康、名誉、自由、信用、隐私、贞操，或不法侵害其他人格法益而情节重大者，被害人虽非财产上之损害，亦得请求赔偿相当之金额。其名誉被侵害者，并得请求回复名誉之适当处分。前项请求权，不得让与或继承。但以金额赔偿之请求权已依契约承诺，或已起诉者，不在此限。前两项规定，于不法侵害他人基于父、母、子、女或配偶关系之身份法益而情节重大者，准用之。"

（2）修正第二二七条为关于不完全给付的规定（阅读之！）；并增设第二二七条之一："债务人因债务不履行，致债权人之人格权受侵害者，准用第一九二条至第一九五条及第一九七条之规定，负损害赔偿责任。"此项规定缩小契约责任与侵权责任的差距，对契约法及民事责任的发展深具影响。

（3）于债编分则第八节之一增设"旅游"契约，其第五一四条之八规定："可归责于旅游营业人之事由，致旅游未依约定之旅程进行者，旅客就其时间之浪费，得按日请求赔偿相当之金额。但其每日赔偿金额，不得超过旅游营业人所收旅游费用总额每日平均之数额。"此为债务不履行得请求慰抚金的特别规定，应予注意。[1]

三、契约

契约的修正范围甚广，分四点言之：

第一，契约自由原则。债编修正涉及契约自由的有二：

（1）增设对附合契约（定型化契约）的规范，于第二四七条之一规定："依照当事人一方预定用于同类契约之条款而订定之契约，为下列各款之约定，按其情形显失公平者，该部分约定无效：❶免除或减轻预定契约条款之当事人之责任者。❷加重他方当事人之责任者。❸使他方当事人抛弃权利或限制其行使权利者。❹其他于他方当事人有重大不利益者。"

（2）增设要式行为，于第一六六条之一规定："契约以负担不动产物权之移转、设定或变更之义务为标的者，应由公证人作成公证书。未依前项规定公证之契约，如当事人已合意为不动产物权之移转、设定或变更而完成登记者，仍为有效。"又合会契约（第七〇九条之三）及人事保证则应以书面为之（第七五六条之一）。

第二，增设"民法"第二二七条之二规定："契约成立后，情事变更，非当时所得预料，而依其原有效果显失公

---

〔1〕 参阅拙著："时间浪费与非财产上损害之金钱赔偿"，载民法学说与判例研究（七），第一四三页。关于契约上的非财产上损害及慰抚金，参阅 Braschos, Der Ersatz immaterieller Schaden im Vertragsrecht, 1979.

平者，当事人得声请法院增、减其给付或变更其他原有之效果。前项规定，于非因契约所发生之债，准用之。"德国民法为尊重契约，未采情事变更原则，而由判例学说发展出所谓法律行为基础（Wegfall der Geschäftsgrundlage）理论。台湾现行民法原亦未设情事变更一般原则（参阅民诉第三九七条规定），兹经由民法修正引进，如何解释适用，实值重视。[1]

第三，于民法债编各种之债，增设旅游·（第八节之一，第五十四条之一以下）、合会（第十九节之一，第七〇九条之一以下）及人事保证（第二十四节之一，第七五六条之一以下）三种典型契约。

第四，增设缔约上过失责任，于第二四五条之一规定："契约未成立时，当事人为准备或商议订立契约而有下列情形之一者，对于非因过失而信契约能成立致受损害之他方当事人，负赔偿责任：❶就订约有重要关系之事项，对他方之询问，恶意隐匿或为不实之说明者。❷知悉或持有他方之秘密，经他方明示应予保密，而因故意或重大过失泄露之者。❸其他显然违反诚实及信用方法者。前项损害赔偿请求权，因二年间不行使而消灭。"此项"先契约责任"（precontractual liability）与契约责任及侵权责任，深具关联，涉及台湾民事责任体系的再构成，将于本书作较深入的探讨。

---

〔1〕彭凤至：情事变更原则之研究——中、德立法、裁判、学说之比较，一九八六。

四、侵权行为

侵权行为规定的修正重点有三：

（1）明定违反保护他人之法律致生损害于他人者，系独立之侵权行为类型（修正条文第一八四条），使第一八四条规定的一般侵权行为成为三个独立类型的体系。[1]

（2）修正第一八七条规定，使无行为能力人或限制行为能力人衡平责任的斟酌对象，并包括法定代理人之经济状况。鉴于未成年人侵权行为日益增加，此项规定更有助于保障被害人的权益。

（3）增设三种特别侵权行为，即商品制作人责任（第一九一条之一）、动力车辆驾驶人责任（第一九一条之二）以及一般危险责任的概括规定（第一九一条之三），均采推定过失责任，对侵权行为的归责原则作了必要调整。[2]

五、损害赔偿

（1）修正第一九六条，规定不法毁损他人之物者，应负回复原状义务。不法毁损他人之物者，除金钱赔偿外，被害人得请求回复原状。[3]

（2）损害赔偿之方法仍以回复原状为原则，但应许被

---

〔1〕 拙著：侵权行为法（一），第三○○页。
〔2〕 参阅拙著：侵权行为法（二）：特殊侵权行为，作较深入的说明。
〔3〕 参阅拙著："物之损害赔偿制度的突破与发展"，民法学说与判例研究（六），第二十一页。

害人得请求支付回复原状所必要之费用以代回复原状（修正第二一三条第三项），俾合乎实际需要，并周密保护被害人。

（3）增设损益相抵之规定（增订第二一六条之一）。

（4）增设被害人应就其代理人或使用人之过失负责（修正第二一七条第三项）。学者通说及实务上见解，向来认为第二二四条的规定，于过失相抵的情形，被害人方面应有其类推适用。[1]为明确计，特规定被害人之代理人或使用人之过失，应视同被害人之过失，而适用过失相抵原则。

六、债务不履行

关于债务不履行的一般原则，民法债编最主要的修正，系于第二二七条明定："因可归责于债务人之事由，致为不完全给付者，债权人得依关于给付迟延或给付不能之规定行使其权利。因不完全给付而生前项以外之损害者，债权人并得请求赔偿。"现行民法上的债务不履行体系虽以给付不能及给付迟延为核心，但实务上以不完全给付为重要。如何扩大不完全"给付"及于"附随义务"的违反，建立其与缔约上过失（先契约责任）的体系关联，并阐释不完全给付与瑕疵担保责任的适用关系，是民法学上的重大课题。

---

〔1〕 拙著："第三人与有过失与损害赔偿之减免"，民法学说与判例研究（一），第六十三页。

七、消灭时效

消灭时效亦属债编修正重点，[1]其主要的有三：

（1）于增订第二四五条之一第二项规定基于同条第一项规定而发生的损害赔偿请求权，因二年间不行使而消灭。

（2）增订第二四七条第三项规定，契约因自始客观不能而无效时，其损害赔偿请求权因二年间不行使而消灭。

（3）修正第三六五条第一项规定，买受人因物有瑕疵，而得解除契约或请求减少价金者，其解除权或请求权，于买受人依第三五六条规定为通知后六个月间不行使，或自物交付时起经过五年而消灭（原规定为于物交付后六个月间不行使而消灭）。[2]为使读者对于上述修正有较清楚的认识，就相关制度，列表如下：

---

〔1〕德国民法债编修正关于消灭时效作有通盘检讨修正，甚具参考价值，希望能有学者从事比较研究，必有贡献。参阅 Abschlussbericht der Kommission zur überarbeitung des Schuldrechts, Bundesminister (Hrsg.). 1992.

〔2〕第三六五条规定买受人解除权或减少价金请求权的行使期间，究为时效期间或除斥期间尚有争论，一九三三年上字第七一六号及多数学者认系除斥期间；此次债编修正仍未明确澄清此项疑义。

请 求 权	时 效 期 间	条 文
一般请求权	十五年	一般期间（一二五）
侵权行为损害赔偿请求权	1.自请求权人知有损害及赔偿义务人时起二年 2.自侵权行为时起十年	特别期间（一七九）
债务不履行损害赔偿请求权（包括不完全给付）	十五年	一般期间（一二五）
买受人契约解除权、减少债金请求权（三六五）	1.依三五六条规定为通知后六个月 2.自物交付时起五年	1.三五六（新修正） 2.多数说认系除斥期间
缔约上损害赔偿请求权 — 意思表示因错误被撤销（九十一）	十五年	一般期间（一二五） 除斥期间（九十）
缔约上损害赔偿请求权 — 无权代理（一一〇）	十五年（通说）	一般期间（一二五）
缔约上损害赔偿请求权 — 契约缔约上过失（二四五之一）	二年	特别期间二四五之一Ⅲ（新增订）
缔约上损害赔偿请求权 — 给付自始客观不能（二四七）	二年	特别期间二四七Ⅲ（新增订）

消灭时效（或除斥期间）关系当事人权利至巨，并涉及请求权竞合等问题，现行规定及修正条文是否合理？在价值判断、利益衡量上，彼此间是否一贯？为何同为缔约过程上法律行为不成立，无效或被撤销而生的损害赔偿请求权，其期间不同，有为十五年，有为二年？实有全盘研究的必要。

第二章　债之发生：契约

第一节　契约与契约法

甲选修民法课程，到某乙书店购买《民法债编总论》，发现有五本不同的著作，深思熟虑后，决定购买某教授所著页数较少，价格较高的 A 书。甲回家途中一直思考以下问题：

（1）为何有多达五种的《民法债编总论》？

（2）为何我要购买订价较高的 A 书？

（3）为何任课教授未强制指定购买何种著作？

（4）唷！我未与店员商定该书缺页时，应如何处理，怎么办？

（5）契约与契约法究具有何种功能，试从"效率"观点，作所谓的"经济分析"。

一、契约与市场经济

债之发生，有基于法律行为，亦有基于法律规定。基于法律行为而发生之债，除法律另有规定外，须有当事人间的契约，是为契约原则。民法债编第一章将契约列为债之发生原因之首，乃在强调当事人自主决定其权利义务的重要性。英国法制史学家缅因（Maine）氏曾谓，人类进步社会的发展是由身份到契约，[1]形成了韦伯（Weber）所谓的契约社会。[2]在早期社会，债的关系通常系依习俗及身份而决定，多非基于当事人的自由意思。在集权的社会，统治者自认万能，专权决定一切，个人自由选择的权利未获尊重，契约的机能甚属有限。契约制度乃在肯定个人自主及自由选择的权利，期能促进经济发展及社会进步。

契约的功能在于进行买卖、租赁、雇佣、借贷等各种交易活动。在分工的社会，自由、自愿的交易是增加消费者满足及社会财富的重要方法。市场经济是由持续不断的各种交易所构成，例如，在书局购买一本《民法债编总论》，试想关于纸张及其他材料、印刷、经销、著作权等要藉助多少契约媒介始克完成！契约的另一项功能在于增进经济效率。在一个自由的市场，商品或劳务的生产、提供或分配，不是由国家或政府决定，而是经由市场经济与契约机制而达成。契约与市场经济的关系密切不可分离，

---

[1] Henry Maine, Ancient Law (1864), 165："That the movement of the progressive societies has hitherto been a movement from status to contract."（商务印书馆有中译本，古代法）。关于 Maine 氏的生平及著作，参阅 R. A. Gosgrove, Scholars of the Law, 1996, pp. 119 - 145.（本书介绍 Blackstone, Bentham, Austin, Holland, Hart 等英国重要法学者）。

[2] Max Weber（马克斯·韦伯），On Law in Economy and Society, Oxford, 1954, 张乃根译：论经济与社会中的法律，中国大百科全书出版社一九九八年版。本书大部分采自韦伯的名著《经济与社会》第七章（创造权利的形式），论述契约自由与限制甚详，颇值参考。

相伴而生，彼此依存，同其兴衰。以契约为机制的市场经济，是建立在信用体系之上，市场经济、契约和信用是不可分割的三位一体。[1]诚如 Roscoe Pound 所云：财富，在一个商业的时代，大部分是由承诺所构成。[2]

二、契约法的机能

契约系当事人依其合意自主决定其权利义务。本诸契约自由原则，当事人既得商定其内容，为何还要契约法？契约法究具有何种功能？

契约具有伦理道德的性质，契约神圣（pacta sund servanda），应予遵守。[3]交易惯例亦有助契约的履行及纠纷的解决。然而，法律制度亦担负着重要的任务，其所设的"任意法规"，乃就通常情形，对契约上的危险作合理的分配，以补当事人意思的不备（所谓契约漏洞），提供当事人谈判商议的基础，而降低交易的不确定性。契约法上的"强行规定"，可在程序及实质上保障交易的公平性，[4]并使当

---

〔1〕 Ferid, Contract As Promise, A Theory of Contractual Obligation, 1981, p. 11: "A promise invokes trust in my future actions, not merely in my present sincerity." （承诺所引起的，乃对未来行为的信任，非仅在于当前的诚意）。关于市场、道德与法律的关系，参阅 Coleman, Markets, Morals And The Law, 1988.

〔2〕 Roscoe Pound, Introduction to the Philosophy of Law, 1961, p. 236: "Weath, in a commercial age, is made up largely of promises".

〔3〕 Gordley, The Philosophical Origins of Modern Contract Doctrine, Oxford, 1991.

〔4〕 所谓程序上的公平（procedural fairness），如当事人须有行为能力，意思表示须非受诈欺或胁迫。所谓实质（或内容）上公平（substantial fairness），指契约内容本身的妥当性，如不违反公序良俗或诚实信用原则。此项区别在英美法上甚受重视，具有参考价值，参阅 Leff, Unconscionability and the Code: The Emperor's New Clause, U. Pa. L. Rev. 115 (1967) 485; Gordley, Equality in Exchange, Cal. L. Rev. 69 (1981) 1587; Atiyah, Contract and Fair Exchange, U. Tor. L. J. 35 (1985) 1 = Essays in Contract (Oxford 1988) 329.

事人得经由法院实现其契约上的请求权。就经济分析的观点言，契约法可以说是经济活动的润滑剂，有助于扩大交易的数量及规模，增进分工及效率，减少交易成本，对市场经济而言，契约法的功能犹如货币。[1]

第二节 契约自由与契约正义

第一款 概 说

一、契约自由与宪法

契约因当事人互相表示意思一致而成立，一方当事人自己受该契约拘束，并同时因此而拘束他方当事人。此种互受拘束乃建立在契约自由原则之上，即当事人得依其自主决定，经由意思合致而规律彼此间的法律关系。契约自由乃私法自治最重要的内容，为私法的基本原则，"宪法"虽未设明文，但蕴涵于"宪法"第十四条关于人民有集会及结社自由、第十五条人民之生存权、工作权及财产权，

---

[1] 关于契约法的经济分析，参阅 Posner, Economic Analysis, 5th ed. 1998, p. 101f.; Kronman/Posner, The Economics of Contract Law, 1979; Cooter/Ulen, Law and Economics, 2nd. ed. 1997, p. 161f.; Schäfer/ott, Lehrbuch der ökonomischen Analyse des Zivilrechts. 2. Aufl. 1995, S. 321f. 中文资料，陈彦希："契约法之经济分析"，台大法律研究所博士论文（一九九四年度）。

应予保障之内，并属第二十三条所称的自由权利。关于契约自由与"宪法"上其他基本权利的调和，涉及基本权利对第三人效力问题，在此暂不详述。[1]

二、契约自由的内容

契约自由包括五种自由：❶缔约自由，即得自由决定是否与他人缔结契约。❷相对人自由，即得自由决定究与何人缔结契约。❸内容自由，即双方当事人得自由决定契约的内容。❹变更或废弃的自由，即当事人得于缔约后变更契约的内容，甚至以后契约废弃前契约（如合意解除）。❺方式自由，即契约的订立不以践行一定方式为必要。

自十九世纪以来，随着个人主义及市场经济的兴起，契约自由成为私法的理念，使个人从身份的束缚中获得解放，得发挥其聪明才智，从事各种经济活动，对于促进社会发展，具有重大贡献。个人是自己利益最佳的维护者，契约既因当事人自由意思的合致而订立，其内容的妥当性原则上固可因此而获得保障。问题在于"自由"事实上是否存在，当事人是否确能立于"平等"地位从事缔约行为。契约的概念只有在自由及平等两个基础上方能建立起来。如果一方当事人不得不屈服于他人的意思之下，则自由其名，压榨其实，强者逞其所欲，弱者将无所措其手足。试问：佃农如何与地主订立合理的耕地租赁契约？劳

---

〔1〕拙著：法律思维与民法实例——请求权基础理论体系，一九九九年版，第一九一页。

动者如何与拥有生产工具的雇主谈判合理的劳动条件？消费者如何拒绝瓦斯、电力、捷运、保险公司企业厂商提出的契约条款？

契约自由应受限制，为事理之当然。无限制的自由，乃契约制度的自我扬弃。在某种意义上，一部契约自由史，就是契约如何受到限制，经由醇化，而促进实践契约正义的记录。[1]

三、契约正义[2]

契约正义系属平均正义，以双务契约为主要适用对象，强调一方的给付与他方的对待给付之间，应具等值原则（Aquivalenzprinzip）。[1]然给付与对待给付客观上是否相当，如对特定劳务究应支付多少工资，对特定商品究应支付多少价金，始称公平合理，涉及因素甚多，欠缺明确的判断标准。现行民法基本上采取主观等值原则，即当事人主观上愿以此给付换取对待给付，即为已足，客观上是否相

---

[1] 参阅英国著名民法学者 Atiyah 的巨著 Rise and Fall of Freedom of Contract, 1979. 并请参阅 Gimore, The Death of Contract, 1974.

[2] Oechsler, Gerechtigkeit im modernen Austauschvertrag, 1998; Anthony T. Kronman, Contract Law and Distributive Justice, Cal. L. R. 69 (1981) 1587; James Gordley, Equality in Exchange, Yale L. J. (1971) 472; Beale, Inequality of Bargaining Power, Oxf. J. Leg. Stud. 6 (1986) 123; Thal, The Inequality of Bargaining Power Doctrine: The Problem of Defining Contractual Unfairness, Oxf. J. Leg. Stud. 8 (1988) 17.

[1] Larenz, Schuldrecht I, S. 324f., 330.

当，在所不问。法院不能扮演"监护"的角色，[2]以自己的价值判断，变更契约的内容，自不待言。惟此系就原则而言，法律在例外情形，亦得加以干预。就民法言，法律行为，系乘他人之急迫、轻率或无经验，使其为财产上之给付或为给付之约定，依当时情形显失公平者，法院得因利害关系人之声请，撤销其法律行为或减轻其给付（第七十四条）。民法关于当事人行为能力、意思表示错误、被诈欺或胁迫而为意思表示的规定，亦具有促进维护契约内容合理的机能。又须注意的是，民法在若干情形亦重视客观的等值原则，如买卖标的物具有瑕疵者，买受人得请求减少价金或解除契约（第三五九条）。至于因情事变更，致当事人的给付关系显失公平时，应适用诚实信用原则，加以调整（参阅增订条文第二二七条之二）。

　　契约正义的另一重要内容，是契约上负担及危险的合理分配。为实现私法自治，债法多属任意规定，就典型的情形衡量当事人的利益，设妥适的规定，如第三七三条规定，除契约另有订定外，买卖标的物之利益及危险，自交付时起，均由买受人负担，故出卖的房屋于交付后，因火灾灭失时，买受人仍有支付价金的义务。惟当事人挟其经济上优势的地位，以定型化契约条款排除法律规定，作契约上负担或危险的不合理分配，日趋严重，如何加以规

〔2〕 此涉及到所谓家父主义与契约法，是一个值得深入研究的课题，参阅 Anthony T. Kron-manm, Paternalism and the Law of Contracts, Yale L. J. 92（1983）763; Enderlein, Rechtspater-nalismus und Vertragsrecht, 1996.

律，为契约法的重要课题。[1]

契约自由与契约正义系契约法的基本原则，必须互相补充，彼此协力，始能实践契约法的机能。政府不再是中立的旁观者，必须扮演积极的角色，透过立法及法律的解释适用，使契约自由及契约正义两项原则，获得最大的调和及实现。以下就强制缔约、劳动契约及定型化契约三个重要问题，作简要的说明。

第二款　强制缔约[2]

（1）甲在某镇开设惟一的电影院，记者某乙报道该电影院卫生设备不佳。某日该电影院放映"倩女幽魂"，甚为轰动，乙前往购票，甲加以拒绝。乙主张甲有缔约义务，有无理由。设乙所批评的，是该镇惟一经允许设立的甲瓦斯公司时，甲得否拒绝乙声请装设瓦斯？

---

〔1〕 詹森林："私法自治原则之理论与实务"，民事法理与判决研究（台大法学丛书一一三），第一页以下。本书收集论文二十篇，兼括理论与实务，对"最高法院"判决的评释深具洞察力，甚具价值。拙著："台湾民法与市场经济"，民法学说与判例研究（七），第一页。

〔2〕 强制缔约是德国法上热烈讨论的重要问题，论述甚多，参阅 Bydlinski, Zu den dogmatischen Grundfragen des Kontrahierungszwanges, AcP 180 (1980), 1; Kilian, Kontrahierungszwang und Zivilrechtssystem, AcP 180 (1980), 47; Hackl, Vertragsfreiheit und Kontrahierungszwang im deutschen, österreichsischen und italienischen Recht, 1980; Nipperdey, Kontrahierungszwang und diktierter Vertrag, 1920（此为最基本文献）。日本最近资料，参阅山下丈"契约の缔结强制"，收于：远藤浩、林良平、水本浩监修，现代契约法大系，第一卷，现代契约の法理（一），有斐阁，昭和58年初版，第235页。

（2）甲被人杀害，赴乙医院求治，乙医师见甲伤势严重，为避免诉讼出庭作证的麻烦，藉故拒绝。甲就其因延误治疗而受的损害，得否向乙请求损害赔偿？

一、强制缔约的功能及意义

依据契约自由理论，当事人是否愿意订立契约或与谁订立契约，均有其自由，因此屋主得拒绝他人租屋的要约，银行得拒绝某客户的存款。准此以言，在上开例题一，甲所经营的虽系该镇惟一的电影院，亦得拒绝乙购买入场，纵使乙的批评，符合事实，甲仍得不必说明理由拒绝缔约。[1]就一般原则言，此种缔约自由或相对人选择自由，确属合理而必要。惟倘不加任何限制，难免构成自由的滥用，因而产生强制缔约制度。

所谓强制缔约（Kontrahierungszwang），指个人或企业负有应相对人的请求，与其订立契约的义务。易言之，即对相对人的要约，非有正当理由不得拒绝承诺。在强制缔约，其契约的成立，仍基于要约与承诺的方式，故在概念上，应该加以区别的是所谓命令契约（Diktierter Vertrag，或称强制契约，Zwangsvertrag），即以政府行为（尤其是行政处分）取代当事人意思，而成立私法上的契约关系。此在物

---

〔1〕 德国实务上采此见解（RGZ 133, 388）。

质匮乏时期，基于经济统制，或有必要，在现行法上罕见其例，盖此与私法自治原则显有违背也。

二、强制缔约的类型

（一）直接强制缔约

法律对强制缔约设有明文规定的，学说上称为直接强制缔约（Unmittelbarer Kontrahierungszwang），其主要情形有三：

（1）公用事业的缔约义务：邮政、电信、电业、自来水、铁路、公路等事业，非有正当理由，不得拒绝客户或用户供用之请求（邮政第十一条、电信第二十二条、电业第五十七条、自来水第六十一条、铁路第四十八条、公路第五十条）。上述事业居于独占的地位，一般人民事实上依赖此等民生需要的供应，欠缺真正缔约自由的基础，故法律特明定其负有缔约的义务。

（2）医疗契约的缔结：医师、兽医师、药师、助产士非有正当理由，不得拒绝诊疗、检验或处方之调剂（医师第二十一条、兽医师第十一条、药师第十二条、助产士第二十二条）。法律所以设此规定，乃出于对生命健康的重视。关于律师或会计师，则无强制缔约的明文（参阅律师及会计师，但请参阅民第五三〇条）。

（3）耕地三七五减租条例第二十条规定："耕地租约于租期届满时，除出租人依本条例收回自耕外，如承租人愿继续承租者，应续订租约。"此为保护经济上弱者的缔约强制。

须附带说明的是，第八三九条规定，地上权消灭时，土地所有人以时价购买其工作物或竹木者，地上权人不得拒绝。此项土地所有人的"购买权"，性质上属于形成权，于土地所有人依时价提出为购买的意思表示时，即生效力，不以地上权人之承诺为必要，[1]故非属所谓之强制缔约。至于第九一九条规定："出典人将典物之所有权让与他人时，如典权人声明提出同一之价额留买者，出典人非有正当理由，不得拒绝。"实务上认为一方有声明留买的权利，一方有承诺出卖的义务，[2]依此见解，似可归入强制缔约的类型。

（二）间接强制缔约

除上述法律明定的类型外，在何种情形，尚有强制缔约义务存在，其法律基础如何，亦值研究。首先应予考虑的是，总体类推适用现行法关于邮、电、自来水等的规定，而建立一般法律原则，[3]认为凡居于事实上独占地位而供应重要民生必需品者，负有以合理条件与用户订立契约的义务，瓦斯公司为其著例（参阅例题一）。

由第一八四条第一项后段规定亦可导出强制缔约义务，即拒绝订定契约，系出于故意以悖于善良风俗之方法加损害于他人者，应负损害赔偿责任，故相对人得请求订立契

---

〔1〕史尚宽：物权法论，第一八三页。
〔2〕一九四〇年上字第二十号判例及一九四四年上字第六四七九号判例。
〔3〕Larenz/Wolf, AT. S. 647f.

约，以回复原状。[1]

此等缔约义务并非直接基于法律规定，学说上称为间接强制缔约（Mittelbarer Kontrahierungszwang），实务上虽未著判决，但应予肯定，期能对契约自由，作合理的限制。

三、缔约的成立

强制缔约并不取代订立契约所必要的承诺的意思表示。由于强制缔约的存在，缔约义务者对要约的沉默，通常可解为系属默示承诺。缔约义务者拒绝缔约时，相对人得提起诉讼，并依强制执行法的规定强制执行（参阅强执第一三〇条）。关于缔约的内容（尤其是报酬），有价目表者依其价目表，无价目表者，依合理的条件加以决定。以合理的条件订立契约，应包括在强制缔约制度之内。倘负担缔约义务者得任意提出缔约条件，致相对人难以接受，强制缔约制度将尽失其意义。

四、拒绝缔约的法律效果

缔约义务者，非有正当理由，拒绝订立契约，致相对人因而受有损害者，亦时有之，如医师对于急症，无故拒绝诊治，病人因延误加重病情（例题二）。关于此项损害赔偿的请求权基础，有认为应适用第一八四条第一项后段规定，[2]有认为应适用第一八四条第二项，[3]尚有争论。本

---

[1] 此为德国通说，参阅 RGZ 48, 127; 133, 392; Palandt/Heinrichs, 1b zu Einführung vor § 145.
[2] 孙森焱：民法债编总论，第二十四页（注三）。
[3] 郑玉波：民法债编总论，第三十六页。

书认为在法有明文规定强制缔约的情形（如医师第二十一条），该项法律系属保护他人的法律，应有第一八四条第二项适用。反之，在间接强制缔约的情形，则应以第一八四条第一项后段作为请求权基础。

第三款　劳动关系的规范：
雇佣契约、劳动契约与团体协约[1]

甲受雇于乙公司，担任工程师，未定期间。一年后乙公司因新台币升值，订单锐减，不堪亏损，为紧缩业务，决定裁员。试问：

（1）乙得否不经预告而解雇甲？

（2）设甲与乙约定继续工作一年者，解雇应于三十日前为预告，其约定是否有效？

（3）设甲所加入的丙工会与乙公司缔结团体协约，其所订定的解雇预告期间与劳动契约或"劳动基准法"不同时，其效力如何？

为调和契约自由与契约正义，立法者有就特定契约的

---

〔1〕 史尚宽：劳动法原论，正大印书馆，一九七八年版；陈继盛：劳资关系，一九八一年；黄剑青：劳动基准法详解，一九八五年；吕荣海：劳动基准法实用，一九八五年；拙著："劳工法之社会功能及劳工法学之基本任务"，民法学说与判例研究（二），第三四七页；"英国劳工法之特色体系及法源理论"，民法学说与判例研究（二），第三七五页。

内容，藉强制性规定作较完整的规范，租赁契约为其著例。[1] 最值重视的是，在劳动关系上，由民法上的雇佣契约发展到劳动基准法上的劳动契约，由个别劳动契约转向团体协约，使规范劳动关系的法律脱离民法，成为独立的法律领域，简要说明如下：

一、雇佣契约

劳动关系最基层的法律结构是雇佣契约（Dienstvertrag），即受雇人于一定或不定之期限内，为雇用人服劳务，而雇用人负担给付报酬的契约。现行民法关于雇佣契约仅设八个条文（第四八二条至第四八九条），颇为简略，充分表现个人自由主义的色彩。[2] 第四八九条第一项规定，当事人之一方，遇有重大事由，其雇佣契约，纵定有期限，仍得于期限届满前终止之，更直接影响劳工的工作权及生存权。诚然，当事人的一方，均得终止契约，但此纯属形式上的平等。居于从属地位的劳动者，如何与拥有生产工具的企业经营者立于平等地位，讨价还价，商谈工资、工时、休假、退休、资遣、解雇（终止契约）等条件？在契约自由之下，劳动条件实际上殆由雇主片面决定。民法上个人自由主义的雇佣契约既然不足规律劳动关系，劳动法乃应运而生，发展成为独立的法律领域，而以劳动契约及

---

[1]　学说上称此类契约为 Regulierte Verträge（规范化契约），除租赁、劳动契约外，消费者信用契约等。关于欧洲各国法制的比较研究，参阅 Kötz, Europaisches Vertragsrecht I, 1996.

[2]　梅仲协：民法要义，第二八七页。此种个人主义的立法，在德国民法制定时，曾受到严厉的批评，参阅 Anton Menger 氏的名著 Das Bürgerliche Recht und die besitzlosen Volksklassen）"民法与无产阶级"，一八九〇，今日读之，犹具启示性。

团体协约为主要内容。

二、由雇佣契约到劳动契约[1]

劳动契约（Arbeitsvertrag），是由雇佣契约演进而来，系指约定劳雇关系的契约（参阅劳基第二条第六款）。早在一九三一年即已制定的劳动契约法，虽公布而未实施。一九三一年施行的工厂法所谓工作契约即为劳动契约。一九八四年施行的劳动基准法，更以劳动契约为基础，对劳动契约的终止、工资、工作时间、退休等劳动条件，详设规定（阅读之！）。劳基第一条第二项规定："雇主与劳工所订劳动条件，不得低于本法所定之最低标准。"此为对契约自由的限制，具有强行性。惟所订立的劳动条件有利于劳工时，则依其订定（强行规定的相对性），以贯彻保护劳工的社会原则。此种以劳动契约为基础的劳动法，学说上称为个体劳动法（Individuelles Arbeitsrecht），是为目前劳动法制的重心。

三、由个别契约到团体协约

劳工与雇主间缔约力量的不平等，虽经由劳动契约的社会化而缓和，但尚不能确实保障劳工的权益，因为劳动基准法并未对所有的劳动条件设有规定，适用范围受有限

---

[1] 黄越钦："从雇佣契约到劳动契约——瑞士债务法第十章修正之意义"，载政大法律评论，第二十四期。

制（参阅劳基第三条），所设的最低基准，亦非当然就是合理的劳动条件。为济其穷、补其不足，尤其是有效率的规范劳动关系，乃产生团体协约制度。

团体协约（Tarifvertrag），谓雇主或有法人资格之雇主团体，与有法人资格之工人团体，以规定劳动关系为目的所缔结的书面契约（团体协约第一条）。团体协约的特色在于其团体性，即双方当事人皆为团体（雇主虽非团体，但具有类似团体的谈判力量），较能立于为平等的地位，订立契约。工会法赋予工会以法人资格。劳资争议处理法则在处理因缔结团体协约所生的争议，与团体协约共同构成团体劳动法（Kollektives Arbeitsrecht）的法制基础。

团体协约性质上仍属私法上的契约，除在当事人间发生一定的权利义务（团体协约的债权效力）外，尚具有所谓的规范效力，即团体协约所定劳动条件的补充性及不可变更性。所谓补充性，指团体协约所定劳动条件当然为该团体协约所属雇主及工人间所订劳动契约之内容（团体协约第十六条第一项）。所谓不可变更性者，指如劳动契约有异于该团体协约所定之劳动条件者，其相异之部分无效；无效之部分以团体协约之规定代之，但异于团体协约之约定为该团体协约所容许，或为工人之利益变更劳动条件，而该团体协约并无明文禁止者为有效（团体协约第十六条第二项）。团体协约所以具有此项效力，其主要理由系因当事人立于平等地位而缔结，较能保障其内容的合理性。

四、劳动法的阶层结构

要处理劳动法上的问题，首先必须了解关于劳动条件的形成，法律上有不同的手段，在法源地位上具有一定阶层关系。[1]

（1）居于最上阶层的，为法律规定。任意规定（如民法关于雇佣契约的规定）仅于当事人未为约定，或团体协约未另为订定时，始有适用余地。"劳动基准法"的强行规定系最低标准的规定，劳动契约或团体协约得为有利于劳工的约定（有利劳工原则，Günstigkeitsprinzip）。

（2）其次是团体协约。团体协约对于个别劳动契约具有所谓补充性及不可变更性，前已论及，请参照。

（3）又其次是劳动契约。当事人因订立劳动契约而发生劳动关系，其内容应依劳动惯例决定之。雇主的指示命令亦具有形成劳动契约内容的效力。至于所谓工作规则（参阅劳基第七十条），性质上应认系雇主所提出的劳动条件，因劳工明示或默示承诺而成为劳动契约之内容。[2]

兹据上述，就前开例题所提出的三则问题，说明如下：

（1）乙公司不得未经预告而解雇甲（终止劳动契约）。依劳基第十六条规定，雇主因亏损或业务紧缩终止劳动契

---

〔1〕 参阅 Adomeit, Rechtsquellenfragen im Arbeitsrecht, 1969；吕荣海："劳动法法源及其适用关系之研究"，台大法律学研究所博士论文（一九九一年度）。

〔2〕 此为甚有争论的问题，参阅刘志鹏："工作规则法律性质之研究"，载律师通讯（台北律师公会发行）第七十二期，第七页。

约者，劳工继续工作一年以上未满三年者，应于二十日前预告之（第一项第二款）。雇主未依规定期间预告而终止契约者，应给付预告期间之工资（第三项）。

（2）甲与乙约定继续工作一年以上者，终止契约应于三十日前预告之，虽超过劳基第十六条规定的预告期间，因有利于劳工仍属有效（参阅劳基第一条第二项）。

（3）团体协约所订终止契约之预告期间长于劳动基准法规定者，因有利于劳工应属有效。劳动契约所定之终止契约期间长于团体协约所定者，因有利于劳工，除团体协约明文禁止者外，仍为有效（团体协约第十六条第二项）。

综合观之，可知在劳动关系上的法律规范、团体协约及劳动契约间的适用关系错综复杂，独具特色：[1] 一方面设强行规定限制契约自由，使劳动契约趋于社会化；一方面又创设团体协约制度，强化劳资双方的对等地位，商订劳动条件，并采行有利劳工原则，其目的无他，旨在调和契约自由及契约正义，维护工业社会的公道！

---

[1] 一九九七年台上字第三三三号判决："'劳动基准法'（下称劳基法）第一条固揭明该法系明定劳动条件之最低标准，然所谓劳动条件在不同法律层次中均有其存在，在民法债编雇佣一节之意义，乃指雇佣契约当事人对劳动给付与报酬之约定。劳基法施行后，该法未规定者，仍适用其他法律之规定。准此，有关劳基法未规定者，仍应适用民法债编之规定。'民法'第四八四条第一项后段规定受雇人非经雇用人同意，不得使第三人代服劳务，是谓劳动供给之专属性。盖劳务之供给因人而异，若使第三人代服劳务，则往往难达契约之目的，故非经雇用人之同意，不得使第三人代服之。违反此项规定者，依同条第二项，雇用人得终止契约。又劳基法并未就劳工违反劳务给付专属性之事由加以规定，故劳工未经雇主同意，使第三人代服劳动者，仍应适用第四八四条第一项、第二项规定，雇主无须预告，得随时终止雇佣契约。"

第四款 定型化契约[1]

请阅读一份旅游契约、银行贷款保证契约或洗衣店收据，说明何谓定型化契约条款，具有何种功能，问题的所在，及如何加以规范，并探究制定法律规范定型化契约时，应考量的基本问题：

（1）于民法加以规定抑制定特别法？

（2）适用对象应否限定于企业经营者与消费者？企业经营者间的定型化契约条款应如何加以规范？

（3）控制标准究应为"公序良俗"，抑为"诚实信用"？

（4）主管机关对定型化的控制及模范契约的功能？

---

[1] 关于定型化契约（附合契约），著作甚多，可供参考。参阅黄越钦："论附合契约"，载政大法学评论第十六期；刘春堂："一般契约条款之解释"，载法学丛刊九十期；刘宗荣：定型化契约论文专辑，一九八八年；詹森林："定型化约款之基本概念及其效力之规范"，载法学丛刊第一五八期（一九九五年二月），第一四二页。德国有关文献，不可胜计，最基本著作为 Raiser, Das Recht der Allgemeinen Geschaftsbedingungen, 1935; 简要的论述参阅 Larenz/Wolf, AT. S. 782f. （附有德国重要文献）。日本法及德国法比较研究的最近著作，河田正二，约款规则的法理，有斐阁，昭和 63 年。关于英美法，请参阅 Coote, Exception Clauses, 1964; Kessler, Contracts of Adhesion-Some Thoughts about Freedom of Contract, Col. L. J. C. (1943) 629, 640; Yates, Exclusion Clauses in Contracts, 1982; Leff, Unconscionability and the Code-The Emperor's New Clause, 115, U. Pa. L. Rev 485 (1967); Ulmer/Brandner/Hensen, AG-BGesetz, 7. Aufl. 1994.

第一项 问题及规范

一、定型化契约条款的功能

当事人订立契约时，个别磋商，讨价还价，议定条款的，系传统的缔约方式。近年来，契约条款多由一方当事人（通常为企业经营者），为与多数人订约而事先拟定，而由相对人决定是否接受，法国学者称为附合契约（contrats d'adhésion），[1]德国法上称为一般交易条款（Allgemeine Geschäftsbedingung），在日本称为普通条款。在台湾，消费者保护法称为定型化契约条款，其依定型化契约条款而订立的契约，则称为定型化契约。目前银行、保险、运送、电力、旅游、家电用品的分期付款，预售房屋，甚至洗染等行业均使用定型化契约条款，日益普遍，已成为现代交易的基本形态。

定型化契约条款乃现代经济活动的产物。在大量交易的社会，个别磋商的传统缔约方式，无法适应现代交易的需要。交易条件的定型化，可以促进企业合理经营，创设

---

[1] 蓝瀛芳："法国法上的附合契约与定型化契约"，载辅仁学志，第九期。关于法国契约法，参阅 Barry Nicholas, The French Law of Contract, Oxford, 1992; Bell/Boyron/Whittaker, Principles of French Law, 1998, p. 309.

非典型契约（如信用卡契约、融资租赁契约），可以减少交易成本，当事人不必耗费心力就交易条件讨价还价，有助于改善商品的品质及降低价格，对消费大众亦属有利。

然而，所以发生问题的是，企业经营者于订立契约条款，决定交易条件之际，难免利用其优越的经济地位，订定有利于己，而不利于消费者的条款，如免责条款、失权条款、法院管辖地条款等，对契约上的危险及负担作不合理的分配。一般消费者对此类条款多未注意，不知其存在；或虽知其存在，但因此种契约条款多为冗长，字体细小，不易阅读；或虽加阅读，因文义艰涩，难以理解其真意；纵能理解其真意，知悉对己不利条款的存在，亦多无讨价还价的余地，只能在接受与拒绝间加以选择。然而，由于某类企业具有独占性，或因各企业使用类似的契约条款，消费者实无选择机会。如何在契约自由的体制下，维护契约正义，使经济上的强者，不能假藉契约自由之名，压榨弱者，是现代法律所面临的艰巨任务。[1]

二、法律规范体系

现行民法对定型化契约原未设明文，实务上多适用第七十二条规定。一九九四年制定的消费者保护法（以下简称消保法）设有专节规范定型化契约（第十一条至第十七

---

[1] 参阅拙著："消费者的基本权利与消费者之保护"，民法学说与判例研究（三），第二十一页以下。关于定型化契约的规范，有行政、立法及司法的控制方法。就行政规制而言，如保险单条款应先报经"财政部"核准始得出单（保险业管理办法第二十五条）。

条，施行细则第九条至第十五条），其主要特色在于将规制标准，由"公序良俗"移向"诚实信用"。一九九九年四月二日通过的债编修正条文增订第二四七条之一，作为规范所谓"附合契约"（立法说明书用语）的原则性规定。关于定型化契约条款的规制，有多种规范体制并存，立法政策或技术是否妥适，暂置不论，关于其适用关系，应说明者有二：

（1）第七十二条规定仍有适用余地，但其规范功能有限，自消保法实施后，实务上已不再援用。

（2）消费者保护法旨在规范为企业经营者与消费者间的定型化契约，对于企业经营者间的定型化契约（所谓商业型定型化契约）得否适用，虽有争议，但应采肯定说。[1] 至于消保法与"民法"第二四七条之一规定之间，并不具特别法与普通法的关系，相对人得主张定型化契约条款因违反消保法，或上开民法增订规定无效。

（3）消保法及其施行细则关于定型化契约之规定，对于消保法施行前的定型化契约，有无适用，尚有争论。衡诸法律不溯及既往原则及"消保法施行细则"第四十二条规定，应采否定说。消保法及其施行细则规定含蕴一般原则者，如定型化契约条款如有疑义时，应为有利于消费者之解释，仍得适用之。[2]

---

[1] 詹森林："定型化契约之基本问题"，载月旦法学杂志，第十一期，（一九九六年三月），第四页。

[2] 詹森林，上揭论文，第七页。

第二项　第七十二条规定的适用

（1）某商业银行定型化契约订定甲方（存款户）以印鉴留存于乙方（银行）之印章，纵令系被他人盗用或伪造使用，如乙方认为印鉴之印文相符，而付款时，甲方愿负一切责任。此项条款是否有效？

（2）某商银行于其所使用之保证书记载："保证人抛弃民法债编分则第二十四节内第七五一条规定之保证人权利"，其效力如何？

第七十二条规定："法律行为，有悖于公共秩序或善良风俗者，无效。"在消保法施行前，"最高法院"多依此规定判断定型化契约条款的效力。一九八四年第十次民事庭会议决议（一）谓："甲种活期存款户与金融机关之关系，为消费寄托与委任之混合契约。第三人盗盖存款户在金融机关留存印鉴之印章而伪造支票，向金融机关支领款项，除金融机关明知其为盗盖印章而仍予付款之情形外，其凭留存印鉴之印文而付款，与委任意旨并无违背，金融机关应不负损害赔偿责任。若第三人伪造存款户该项印章盖于支票持向金融机关支领款项，金融机关如已尽其善良管理人之注意义务，仍不能辨认盖于支票上之印章系伪造时，即不能认其处理委任事务有过失，金融机关亦不负损害赔偿责任。金融机关执业人员有未尽善良管理人注意之义务，应就个案认定。至金融机关如以定型化契约约定其不负善良管理人注意之义务，免除其抽象的轻过失责任，则应认此项特约违背公共秩序，而解为无效。"[1]

值得注意的是，"最高法院"著有一则关于旅行契约免责条款的判决。某甲偕其妻参加乙旅行社举办的非洲旅行团，乙委托肯亚旅行社负责安排当地旅游活动。因发生车祸，甲受重伤，其妻死亡，甲向乙请求损害赔偿。乙以其在旅行契约中订有不对债务履行辅助人的过失负责的条款，拒不赔偿。一九九一年度台上字第九七二号判决认为乙旅行社的免责条款无效，略谓："旅行契约系指旅行业者提供有关旅行给付之全部于旅客，而由旅客支付报酬之契约。故旅行中食宿之提供，若由旅行业者洽由他人给付者，除旅客已直接与他人发生契约行为外，该他人即为旅行业者之履行辅助人，如有故意或过失不法侵害旅客之行为，旅行业者应负损害赔偿责任。纵旅行业者印就之定型化旅行契约附有旅行业者就其代理人或使用人之故意或过失不负责任之条款，但因旅客就旅行中之食宿交通工具之

---

[1] 一九八四年度第十一次民事庭会议决议（二）："乙种活期存款户与金融机关之间为消费寄托关系。第三人持真正存折并在取款条上盗盖存款户真正印章向金融机关提取存款，金融机关不知其系冒领而如数给付时，为善意的向债权之准占有人清偿，依第三一〇条第二款规定，对存款户有清偿之效力。至第三人持真正存折而盖用伪造之印章于取款条上提取存款，则不能认系债权之准占有人。纵令金融机关以定式契约与存款户订有特约，约明存款户事前承认，如金融机关已尽善良管理人之注意义务，以肉眼辨认，不能发现盖于取款条上之印章系伪造而照数付款时，对存款户即发生清偿之效力，亦因此项定式契约之特约，有违公共秩序，应解为无效，不能认为合于同条第一款规定，谓金融向第三人清偿系经债权人即存款户之承认而生清偿之效力。"

种类、内容、场所、品质等项，并无选择之权，此项条款
与公共秩序有违，应不认其效力。"〔1〕

　　银行使用的保证契约书常载明保证人抛弃债编第二十
四节内第七五一条规定之保证人权利，此项定型化契约条
款是否有效？"最高法院"曾采肯定说，一九八五年台上
字第一〇六四号判决略谓："债编第二十四节内第七五一
条规定之保证人权利，法律上并无不许抛弃之特别规定，
就其性质言，保证人非不得抛弃，且其抛弃与公共秩序无
关。"〔2〕

　　关于上开两则判决，应说明的是，前者的结论可资赞
同，衡诸"消保法"第十二条及增订"民法"第二四七条
之一规定，均应否认该条款的效力。后者则有疑问，其问
题在于"公共秩序"实不足作为规范定型化契约条款效力
的准据，盖其所涉及者，乃契约当事人间利益的均衡、契
约危险的合理分配，与公共秩序并无关系。在结论上应认
此类抛弃保证人权利的条款悖于善良风俗，无效，就上开
消保法及增订第二四七条之一规定言，亦应作此判断。为
期明确，增订第七三九之一规定："本节所规定保证人之
权利，除法律另有规定外，不得预先抛弃。"

---

〔1〕 关于本件判决的评释，参阅拙著："定型化旅行契约的司法控制"，民法学说与判例研究
　　 (七)，第五十六页。
〔2〕 民刑事裁判选辑，第六卷，第一期，第二三三页。

第三项 消费者保护法对定型化契约的规范

消费者保护法对定型化契约条款的规定，甚为详尽周全，适用时应依下列次序加以检讨：

（1）其所争执的，是否为定型化契约条款，此涉及定型化契约条款的概念，"一般条款"与"非一般条款"的区别。

（2）定型化契约条款是否订入契约，此涉及当事人意思合致及异常条款等问题。

（3）经订入契约之定型化条款的解释，此涉及定型化契约条款的解释原则。

（4）定型化契约条款内容的控制，此为核心问题。

（5）定型化契约条款无效时，如何定其契约的效力。

一、定型化契约条款

（一）定型化契约条款的认定

"消保法"第二条第七款规定定型化契约（条款），指企业经营者为与不特定多数人订立契约之用，而单方预先拟定之契约条款。依此规定，定型化契约条款具有两个基本特征：❶契约条款系由企业经营者单方预先拟定。❷其目的在于以此条款与不特定多数人订立契约。定型化契约条款通常多以书面为之，但概念上不以此为必要。就其形式言，有的与契约结合在一起；有的为单独文件。就其范围言，有的印成细密文件，长达数页；有的则以粗体字或毛笔字书写，悬挂于营业场所。定型化契约条款，多系企业经营者自行订定，由商业公会制定的，亦属有之。[1]

（二）一般条款与非一般条款

定型化契约条款分为一般条款与非一般条款（参照消保第十五条）。关于两者的意义和区别，"消保法施行细则"第十条规定："本法所称一般条款，指企业经营者为与不特定多数人订立契约之用，而单方预先拟定之契约条款。本法第十五条所称非一般条款，指契约当事人个别磋商而合意之契约条款。"依第十五条规定："定型化契约中之一般条款抵触非一般条款之约定者，其抵触部分无效"，明定个别约定条款优先于一般条款。其主要理由系认，"非一般条款"既属个别约定，仍有讨价还价磋商的余地，契约内容形成自由仍可维持，特肯定其优先效力，以保护消费者利益。关于"非一般条款"的解释，不适用"消保法"第十一条第二项规定。

---

[1] 实务上认属定型化契约条款者有：❶开放空间自由选购，结账包装后恕不退换之告示。❷海外度假村会员权利商品之买卖定型化契约。❸国际度假村会员卡之契约。❹餐厅订宴收据记载事项。参照消费保护法判决函释汇编（一），消费者保护委员会编印，（一九九八年），第三三一页以下。

二、定型化契约条款之订入契约

法律系学生某甲到乙书店购书，见 A 书甚为喜爱，因所带金钱不足，趁机将该书放入书包，于离店之际被查获。书店主人以书店出入口处张贴有大字告示："偷窃本店任何图书者，应赔偿新台币五千元"，要求某甲赔偿。甲以未见该告示为理由而为拒绝，有无理由？设书店主人证明某甲确知或应知该告示内容时，其法律关系如何？

（一）意思合致原则

定型化契约条款系企业经营者所自创，虽大量广泛使用，但不因此而具有法规范性质，仍须经由双方当事人意思表示的合致，始能成为契约内容。由于定型化契约条款，有的未与契约文件合为一起，有的悬挂于营业场所（如顾客须知），有的因内容复杂，相对人不知其意义，因此如何订入契约，与传统个别磋商缔约应有不同。为维护契约内容形成自由的最低限度，企业经营者应依明示或其他合理适当方式，告知相对人欲以定型化契约条款订立契约，并使相对人得了解条款的内容。惟有具备此两项要件，定型化契约条款始能因相对人的同意而成为契约的内容。准此以言，机车修理厂于订约后始行交付的收据上记载："对于任何瑕疵，本厂概不负责"，因未于订约时表示，不成为契约内容。

（二）未经记载条款之成为契约内容

"消保法"第十三条规定："契约之一般条款未经记载于定型化契约中者，企业经营者应向消费者明示其内容；明示其内容显有困难者，应以显著之方式，公告其内容，并经消费者同意受其拘束者，该条款即为契约之内容。前项情形，企业经营者经消费者请求，应给与契约一般条款之影本或将该影本附为该契约之附件。"本条主要适用于火车、汽车等运送企业经营者所订定型化契约，如于售票处悬挂旅客须知等。所谓经消费者"同意"受其拘束，包括明示或默示在内。

（三）异常条款、难以注意或辨识条款

"消保法"第十四条规定："契约之一般条款未经记载于定型化契约中而依正常情形显非消费者所得预见者，该条款不构成契约之内容。"此种条款学说上称为异常条款（突袭条款 Überraschende Klauseln）。反面推论之，契约之一般条款经记载于定型化契约中，依正常情形虽非消费者所得预见者，该条款仍成为契约内容，然此实不足保护消费者，"消保法施行细则"第十二条乃设规定："契约之一般条款不论是否记载于定型化契约，如因字体、印刷或其他情事，致难以注意其存在或辨识者，该条款不构成契约之内容。但消费者得主张该条款仍构成契约之内容。"例如，出卖咖啡壶者在其定型化契约条款中记载，买受人每月应

购买一定数量咖啡，乃属异常条款，不构成契约内容。

（四）定型化契约条款的审阅期间

定型化契约攸关消费者权益，条款多涉及技术性及专门性问题，"消保法施行细则"第十一条特规定，企业经营者与消费者订立定型化契约前，应有三十日以内之合理期间，供消费者审阅全部条款内容。违反前项规定者，该条款不构成契约之内容。但消费者得主张该条款仍构成契约之内容。主管机关得选择特定行业，参酌定型化契约条款之重要性、涉及事项之多寡与复杂程度等事项，公告定型化契约之审阅期间。

（五）书店的"窃盗罚款"告示

书店主人在入口处悬挂："偷窃本店任何图书者，应赔偿新台币五千元。"旨在以此与不特定多数人订立"罚款契约"，属于所谓定型化契约条款。此项条款以特大字体悬挂于书店入口处时，应认系以显著之方式，公告其内容。问题在于盗书之人是否同意受其拘束。关于此点，应采否定说，盖解释意思表示应探求当事人之真意（第九十八条），盗书者纵明知或应知该项"窃盗罚款"的存在，亦难认其有对此不利于己，超过法定赔偿义务的条款，有为同意的意思。[1]

---

[1] 此项问题在德国判例学说上论述甚多，参阅 Braun, MDR 1975, 629; Canaris, NJW 1974, 525f.; Koblenz, NJW 1976, 63.

三、定型化契约条款的解释

定型化契约条款于订入契约，成为契约之部分后，应经由解释确定条款的内容。鉴于定型化契约条款的功能，及其对相对人（消费者）可能产生的不利益，有四项解释原则，应予注意：❶客观解释原则：定型化契约条款系适用于多数契约，为维持其合理化的功能，应采客观解释，个案的特殊情况原则上不予考虑，而以通常一般人的了解可能性为其解释标准。❷限制解释原则：定型化契约条款旨在排除任意规定，尤其是免责条款，应作限制解释，以维护相对人的利益。❸不明确条款解释原则：定型化契约条款有多种解释可能性存在时，应适用较有利于相对人的解释，由使用人承担条款不明确的危险性。关于此点"消费者保护法"第十一条第二项规定："定型化契约条款如有疑义时，应为有利于消费者之解释。"可资参照。❹统一解释原则：定型化契约条款既用于多数契约，遍及各地，基于解释统一性的需要，应认定型化契约条款的解释，系属法律问题，得上诉第三审。

四、定型化契约条款内容的控制

某商业银行信用卡契约条款订定："持卡人之信用卡如有遗失或被窃，发卡银行仅承担挂失前二十四小时以前遭冒用之损失，对挂失前二十四小时起遭冒刷之损失归由持卡人负责。"其效力如何？

（一）消保法及施行细则的规范体系

定型化契约条款的内容经由解释而确定之后，应再进而检查条款内容的公平性。此为关键核心问题。"消保法"第十二条及第十三条，施行细则第十三条及第十四条分别设有规定，为便于观察，图示如下：

判断标准：定型化契约条款是否违反诚信原则，对消费者显失公平，
（细则十三）应斟酌契约之性质、缔约目的、全部条款内容、交易习惯
及其他情事判断之。

定型化契约中之条款违反诚信原则，对消费者

显失公平者，无效（消保十二Ⅰ）

显失公平之推定：（消保十二Ⅱ）

一、违反平等互惠原则者（细则十四）

一、当事人间之给付与对待给付显不相当者。

二、消费者应负担非其所能控制之危险者。

三、消费者违约时，应负担显不相当之赔偿责任者。

四、其他显有不利于消费者之情形者。

二、条款与其所排除不予适用之任意规定之立法意旨显相矛盾者。

三、契约之主要权利或义务，因受条款之限制，致契约之目的难以达成者。

关于上开控制定型化契约内容的规范体系，应说明的有三点：

（1）就立法体例言，相关规范分散于消保法及施行细则，足见消保法本身规定未臻周全，应有检讨修正的必要。

（2）就规制标准言，"消保法"第十一条第一项规定："企业经营者在定型化契约中所用之条款，应本于平等互惠之原则。"第十二条第一项规定定型化契约中之条款，违反诚信原则，对消费者显失公平者，无效"，同条第二项第一款又明定"违反平等互惠原则者，推定其显失公平。"诚信原则与平等互惠原则究居于何种关系，不无疑问。就第十二条规定观之，平等互惠原则系用来推定定型化契约条款显失公平，此须以违反诚信原则为前提，施行细则又明定违反平等互惠原则的四种情事，致法律的适用重叠、辗转曲折。按诸各国立法例，未见有以平等互惠原则作为控制手段的。实则，以诚信原则作为审查标准，即为已足，施行细则第十四条所定四种情形，可认系诚信原则的适用。

（3）违反诚信原则，显失公平，系属概括条款，有待于就个案，斟酌契约之性质，缔约目的，全部条款内容、交易习惯及其他情事判断之。为提供较明确的判断标准，消保法及施行细则共设六项"推定"其显失公平的情形，在此六项"推定"（举证责任倒置）的情形中，以"消保法"第十二条第二项第二款及第三款较难理解，简述如下：

所谓"条款与其所排除不予适用之任意规定之立法意旨，显相矛盾。"如居间者使用的定型化契约条款订定，无论媒介是否成功，均得请求报酬，违反第五六五条"称居间者，谓当事人约定，一方为他方报告订约之机会，或为订约之媒介者，他方给付报酬之契约"的立法意旨。[1]又银行保证书记载："连带保证人声明抛弃债编第二章第二十四节有关保证人规定之一切权利"，亦属之，盖此将导致保证丧失其从属性，成为负担债务的契约，与保证契约本旨不符（参阅新修正第七三九条之一）。

所谓"契约之主要权利或义务，因受条款之限制，致契约之目的难以达成者。"如出卖人排除物之瑕疵担保请求权；定型化旅行契约订定，旅行业者就其代理人或使用人的故意或过失不负责任。

（二）实务案例

消保法施行后，定型化契约条款的规范，实务上案例日增，涉及信用卡使用契约、保证契约、消费借贷契约、保全契约及工程合约等，值得作深入的类型分析。[2]

其中最具争议的是信用卡契约约定："持卡人之信用卡如有遗失或被窃，发卡银行承担挂失前二十四小时起遭冒用之损失。"易言之，挂失前二十四小时以前冒刷的损失，

---

〔1〕 此例采自德国一般交易条款规制法（AGBG）第九条第二项第一款，参阅 BGH NJW 73, 1276.

〔2〕 杨淑文："消费者保护法关于定型化约款在实务上之适用与评析——新型契约与消费者保护法"，载政大法学丛书，四十五，一九九九年，第八十四页。

应由持卡人负责。台北地方法院一九九七年度简上字第五八二号民事判决，[1] 认此项条款违反"消保法"第十二条第二项第一款所定之平等互惠原则，无效，主要理由有二：

（1）依"优势之风险承担人"之标准理论言，即应将风险分配于支付最少成本即可防阻风险发生之人，始能达成契约最高经济效率之目的。信用卡在挂失前被冒用之风险，包括由发卡机构内部职员、或其履行辅助人（特约商店）之故意、重大过失、或抽象轻过失所生之损失等，此等损失之造成，发卡机构显然较持卡人更有能力避免。发卡银行与特约商店，在接受信用卡而提供消费服务或清偿消费款项时，均可再次检查签账单上签名与信用卡上既有之签名，或持卡人留存之签名记录，是否相符，甚且可查询是否持卡人为真正之信用卡申请人，以之决定接受该笔信用卡消费。反之，若将冒用之风险归诸于持卡人负担，通常持卡人在办理挂失前对信用卡之遗失并未察觉，而未能及时挂失，则持卡人一旦遗失信用卡，在挂失前毫无保护之余地。

（2）就专业能力观之，发卡机构较一般持卡人具有专业素养及训练，较诸持卡人对于冒用信用卡等行为损失可能招致之损害，较有预防能力，而联合信用卡中心与特约商店签订契约时，亦可课与特约商店一定程度之注意义务，谨慎辨明持用人与持卡人之同一性。且就经济观点而

---

〔1〕 消费者保护法判决函释汇编（一），消保会编印，一九九八年，第八十页。

言，发卡机构具有较强之经济能力，可藉由保险或其他方式转嫁风险，或以较强之谈判实力与特约商店约定风险比例分担（例如保险等），故由发卡机构承担冒用之风险，较之经济能力较弱之持卡人承担此一风险，更符合效益与经济成本之考量。

此两项论点，具有法律经济分析的意涵，足供参考。

五、定型化契约条款无效与契约的效力

定型化契约条款有一部分无效时，发生第一一一条："法律行为之一部分无效者，全部皆为无效。但除去该部分亦可成立者，则其他部分仍为有效"的适用问题。在定型化契约，倘某项条款无效，而导致全部契约无效时，相对人所期望之交易目的难以达成，显然不足保护消费者。为此"消保法"第十六条特别规定："定型化契约中之一般条款，全部或一部无效或不构成契约内容之一部者，除去该部分，契约亦可成立者，该契约之其他部分，仍为有效。但对当事人之一方显失公平者，该契约全部无效。"定型化契约条款全部或一部无效，而契约仍属有效时，其因此所发生的"契约漏洞"，应先适用任意规定，无任意规定时，则依契约解释原则加以补充。

六、主管机关对定型化契约的控制与"模范契约"

"消保法"第十七条规定："'主管机关'得选择特定行

业公告规定其定型化契约应记载或不得记载之事项。违反前项公告之定型化契约之一般条款无效。该定型化契约之效力依前条规定定之。企业经营使用定型化契约者，主管机关得随时派员查核。"又施行细则第十五条规定："定型化契约记载经主管机关公告应记载之事项者，仍有本法关于定型化契约规定之适用。主管机关公告应记载之事项，未经记载于定型化契约者，仍构成契约之内容。"

由行政机关公告定型化契约应记载或不得记载事项，具有强制性规范效力，影响私法自治甚巨，为合理节制契约法上的家父主义，[1] 此项公告应慎重为之，乃属当然。关于行政机关公告应记载事项，是否违反诚信原则，显失公平，法院仍得为审查。目前主管机关致力于推行所谓的"契约范本"（如预售房屋买卖契约书范本），其目的仅在于提供参考，虽具有教育及示范作用，但无"消保法"第十七条第二项的效力。[2]

七、实例解说

甲在乙经营的超级商场，购买某厂牌的热水瓶，价金二千元。甲初次使用后即发现该瓶瓶底漏水，即向乙请求交付无瑕疵之物或退还价金。乙表示于商场入口处柜台上有大字悬挂有"货物

---

〔1〕 Enderlein, Rechtspaternalismus und Vertragsrecht, 1996, S. 251f.；Anthony T. Kronman, Paternalismus and the Law of Contracts, Yale L. J 92 (1983) 764.
〔2〕 参照消保会函，台上字第〇〇四三九号。

出门，概不负责"的揭示，而加以拒绝。甲强调
对此揭示未表同意，且其内容不合理，应无效力。
试问甲得向乙主张何种权利？

甲向乙购买某厂牌热水瓶，发现其瑕疵，即要求交付
无瑕疵之物，其请求权基础为第三六四条："买卖之物，
仅指定种类者，如其物有瑕疵，买受人得不解除契约或请
求减少价金，而即时请求另行交付无瑕疵之物。"又甲主
张偿还支付的价金，其请求权基础为第二五九条第二款规
定，即契约解除时，受领之给付为金钱者，应附加自受领
时起之利息偿还之。问题在于乙揭示"货物出门，概不负
责"，是否排除出卖人物之瑕疵担保责任。兹依前述定型
化契约条款审查次序，分五点言之：

（1）首应肯定的是，乙在其商场入口处柜台悬挂"货
物出门，概不负责"的揭示，旨在以此条款与多数之顾
客，订立契约，系属定型化契约条款。

（2）此项条款既经悬挂于商场入口处柜台的明显地方，
可期待顾客知其存在及意义，得经顾客的默示承诺而订入
契约，不因甲未明示同意接受而受影响。

（3）"货物出门，概不负责"既已订入契约，则应进一
步依解释方法，确定其内容。依客观解释原则判断之，乙
订定此项条款之目的在于排除第三五九条及第三六四条关
于物之瑕疵担保责任。

（4）民法关于物之瑕疵责任，系任意规定。依第三六
六条规定："以特约免除或限制出卖人关于权利或物之瑕

疵担保义务者，如出卖人故意不告知其瑕疵，其特约为无效。"故乙以定型化契约排除其责任，并不违反强行规定。问题的关键，在于此项免责条款是否违反诚实信用原则，显失公平而无效。关于此点，应采肯定说，盖"货物出门，概不退换"完全排除出卖人的瑕疵责任，否认买卖契约上给付与对待给付的对价关系，与诚信原则，显有违反。

（5）此项条款无效，不影响买卖契约的效力，其无效部分，应适用任意规定（第三五九条及第三六四条），故甲得请求交付无瑕疵之物，或解除契约而请求乙返还价金。

第四项　新增订第二四七条之一规定的解释适用

一、立法目的

债编修正条文第二四七条之一规定："依照当事人一方预定用于同类契约之条款而订定之契约，为下列各款之约定，按其情形显失公平者，该部分约定无效：❶免除或减轻预定契约条款之当事人之责任者。❷加重他方当事人之责任者。❸使他方当事人抛弃权利或限制其行使权利者。❹其他于他方当事人有重大不利益者。"立法说明书谓：

"当事人一方预定契约之条款，而由需要订约之他方，依照该项预定条款签订之契约，学说上名之曰'附合契约'（contrats d'adhésion）。此类契约，通常由工商企业者一方，预定适用于同类契约之条款，由他方依其契约条款而订定之。预定契约条款之一方，大多为经济上较强者，而依其预定条款订约之一方，则多为经济上之较弱者，为防止契约自由之滥用，外国立法例对于附合契约之规范方式有二：其一，在民法法典中增设若干条文以规定之，如意大利于一九四二年修正民法时增列第一三四一条、第一三四二条及第一三七〇条之规定；其二，以单行法方式规定之，如以色列于一九六四年颁行之标准契约法之规定是。以上两种立法例，各有其优点，衡之台湾现状及工商业发展之现况，为使社会大众普遍知法、守法起见，宜于民法法典中列原则性规定，爰增订本条，明定附合契约之意义，为依照当事人一方预定用于同类契约之条款而订定之契约，此类契约他方每无磋商变更之余地。为防止此类契约自由之滥用及维护交易之公平，列举四款有关他方当事人利害之约定，如按其情形显失公平者，明定该部分之约定为无效。至于所谓'按其情形显失公平者'，系指依契约本质所生之主要权利义务，或按法律规定加以综合判断而有显失公平之情形而言。例如，以在他人土地上有建筑物而设定之地上权，约定地上权期间为一年或约定买受人对物之瑕疵担保之契约解除权为十年等是。"

值得提出的是，消保法使用定型化契约的用语，上开立法说明书另则提出"附合契约"，致生歧异。又立法说明书未提及本条规定与消保法相关规定的适用关系，似未周全。

二、适用范围及与消保法的适用关系

第二四七条之一属原则性规定，其与消保法关于定型化契约规定的适用关系如何，有待研究。第二四七条之一规定的概念用语，虽异于消保法，但其内容殆属相当，皆可纳入"消保法"第十二条及施行细则第十四条规定之内。准此以言，关于其适用范围及与消保法的适用关系，可分两种情形言之：

（1）关于消费者定型化契约，应认消保法并不排除第二四七条之一的规定。但由于消保法规定足以涵盖第二四七条之一，并有较周全的配套规定，更具适用的实益及规范功能。

（2）关于企业经营者间的定型化契约（商业性定型化契约），由于第二四七条之一规定内容皆可纳入消保法规定，故其于仅于认定消保法不适用商业性定型化契约时，始具规范意义。纵属如此，第二四七条之一内容过于简略，以此规范商业性定型化契约条款，是否妥适，不无疑问。

三、第二四七条之一规定内容的检讨

第二四七条之一规定的内容，颇多值得商榷之处：❶

所谓"依照当事人一方预定用于同类契约之条款而订定之契约"，其所称"同类契约"究指何而言，意义不明。❷所谓"按其情形显失公平者"，并未采诚实信用原则的判断标准。❸所列举无效的约款，较诸消保法规定显欠周延。❹"该部分无效时"，其契约效力如何，是否仍有第一一一条的适用？❺定型化条款如何订入契约及解释等基本问题，第二四七条之一均未提及，如何处理颇滋疑义。综合观之，此一"为使社会大众普遍知法守法起见"，于法典中所设规定，内容过于原则性，其存在价值、立法技术及规范功能，均有检讨余地。

第三节 债权契约的意义、类型及结构

第一款 债权契约的意义及其在法律行为体系上的地位

一、契约的种类、体系及法律的适用

甲受雇于乙，担任会计，向丙购买公寓，并即依让与合意办理所有权移转登记。数月后甲与丁结婚，并订立分别财产制。试问：

（1）在本例共有多少契约？何种契约？

（2）契约是否成立有效，依何法律规定判断？

（3）设甲系禁治产人或十九岁时，其所订立上开契约未经法定代理人代理或同意时，效力如何？

（一）契约的种类、体系及法律的适用

契约是法律行为的核心，但民法总则未设一般规定。债编通则第一章第一节第一款所称契约，乃指债权契约而言。债权契约又称负担契约（obligatorischer Vertrag），如买卖、租赁或雇佣契约。应与负担契约区别的是所谓的处分契约（Verfügungsvertrag）。处分契约指直接引起权利变动的契约，包括物权契约及准物权契约。第七五八条规定："不动产物权，依法律行为而取得、设定、丧失及变更者，非经登记，不生效力。"其所称法律行为，即指物权行为，包括物权契约及单独行为。[1] 第七六一条规定："动产物权之让与，非将动产交付，不生效力。但受让人已占有动产者，于让与合意时，即生效力。"其所称"让与合意"，亦指物权契约而言。所谓准物权契约，系指债权让与等契约而言（第二九四条）。除上开财产法上的契约外，亲属编所规定的订婚、结婚、离婚及夫妻财产制的订立，亦属民法上的契约。

据上所述，在民法上应有一广义契约的概念，即当事人为发生一定私法上法律效果为目的之意思表示的合致。

---

〔1〕 参阅拙著："买卖、设定抵押权之约定与民法第七五八条之法律行为"，民法学说与判例研究（五），第一二九页。

以发生债之关系为目的者，称为债权契约。以发生物权或其他权利之变动为目的者，称物权契约或准物权契约（合称为处分契约）。以发生一定身份关系为目的者，称为身份契约。兹从法律行为加以观察，图示如下：

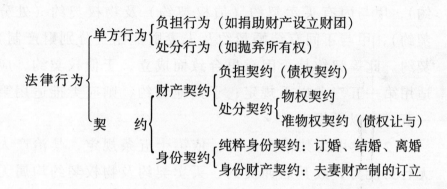

关于上开法律行为体系所生的法律适用问题，应说明者有三：

（1）民法于总则编对契约的成立未设一般规定。债编第一五三条至第一六三条关于债权契约成立的规定，应类推适用于处分契约及身份契约。[1]

（2）总则关于法律行为效力的规定，于债权契约及处分契约均有适用余地。例如，某甲赠与限制行为能力人某乙一部电脑，并依让与合意交付之，乙系纯获法律上利益，纵未得法定代理人允许，其赠与契约及物权契约均属有效（第七十七条）。乙取得该电脑后，将之转赠于限制

————————

〔1〕 梅仲协：民法要义，第八十八页。

行为能力人丙，并依让与合意交付时，其赠与契约及物权契约，非经法定代理人承认，不生效力（第七十九条）。

（二）例题解说

（1）就上开例题言，甲与乙间有雇佣契约（债权契约），甲与丙有买卖契约（债权契约）及物权契约（处分契约），甲与丁间有结婚契约及夫妻财产制（分别财产制）契约。此等契约是否因意思合致而成立，于债权契约，应适用第一五三条以下规定；于其他契约，则应类推适用第一五三条以下规定。

（2）设甲为禁治产人时，依第十五条规定，禁治产人无行为能力，故其雇佣契约、买卖契约及物权契约均属无效。至于结婚契约是否有效，通说认为应视甲于结婚时是否有意思能力而定。[1] 关于夫妻财产制契约的订立，依第一〇〇六条规定，当事人为禁治产人时，应得其法定代理人之同意。[2]

（3）甲十九岁时，为限制行为能力人，未得法定代理人允许所订立契约的效力，分别说明如下：❶甲与乙间的雇佣契约，效力未定（第七十九条）。❷甲与丙间订立的买卖契约，效力未定，但受让房屋所有权的物权契约，系纯获法律上利益，[3] 仍为有效，甲因而取得房屋所有权。若甲的法定代理人不承认买卖契约时，甲系无法律上原因

〔1〕戴炎辉、戴东雄合著：中国亲属法，一九八六年，第七十三页。
〔2〕关于第一〇〇六条，参阅注一，前揭书，第一五〇页。
〔3〕参阅拙著："纯获法律上之利益"，民法学说与判例研究（四），第三十七页。

而受利益，应依不当得利规定负返还的义务。❸甲与丁间的结婚契约，虽未得法定代理人之允许，仍属有效，但法定代理人得向法院请求撤销之（第九八一条、第九九〇条）。❹甲虽因与丁结婚而取得行为能力（第十三条第三项），但仍为未成年人，其订立分别财产制，应得其法定代理人之同意（第一〇〇六条）。由上述可知，未成年人所订立契约效力，虽因契约类型而异，但均出于保护未成年人之目的，立法政策上寓有深意，敬请注意。

二、债权契约与物权契约[1]

　　甲在某校福利社放置咖啡自动贩卖机，乙依指示投入五十元硬币后，一罐咖啡应声而出，乙取而饮之，试说明其法律关系。设该自动贩卖机发生故障，输出二罐咖啡，甲见四处无人，径自取走饮用时，其法律关系如何？[2]

在契约的体系上，债权契约与物权契约具有密切的关联。买卖、互易、赠与等债权契约旨在移转财产权（如所

---

〔1〕　关于债权行为与物权行为的区别，参阅拙著：民法总则，第一八一页。

〔2〕　作者早年就读德国慕尼黑大学时，购买 Esser 教授所著 Schuldrecht（债法，二. Aufl. 一九六〇，约一千页）精读之。Esser 教授于讨论债权法与物权法的关系时，曾举以下之例："自动电话机正常运作，在挂上听筒后，意外的将我投入的硬币退回，此外尚掉落两个其他硬币。若我取走硬币时，其法律效果如何？我得否取走硬币，究依债权法抑依物权法规定予以判定？其区别何在？"（S.4）此例对作者产生相当"震憾"及影响，因当时台湾法学著作及课程讲授甚少提出如此具有启示性的案例，以及精致细腻的论述。

有权），而财产权的移转，则须依物权契约为之。买卖等债权契约系为财产权的处分而先为预备，并作为其法律上原因。在其他劳务契约，如委任、雇佣、承揽等，其报酬的给付亦多依物权行为为之。

此种法律交易上的过程，可就上开例题，分四个阶段加以说明：

（1）甲于某校摆设咖啡自动机，系属欲与不特定人订立买卖契约的要约。乙投入五十元硬币购买咖啡，系对甲的要约为承诺，买卖契约因当事人双方互相意思表示而合致（第一五三条第一项）。甲负有交付其物，并移转其所有权的义务（第三四八条），乙负有支付约定价金及受领标的物义务（第三六七条）。

（2）乙投入五十元硬币，除对甲的要约为承诺外，并为履行买卖契约成立后支付价金的义务，而对其货币所有权（动产）所为的处分，因与甲作成让与合意，并为交付，而移转其所有权于甲（第七六一条）。甲的自动贩卖器输出一罐咖啡，系为履行其买卖契约上的义务，而处分其物，因与乙作成让与合意，而移转其所有权于乙。甲、乙双方各因依债之本旨而为清偿，并经受领，债之关系消灭（第三〇九条）。

（3）出卖人甲因物权契约而取得五十元硬币所有权，乙亦因物权行为而取得咖啡所有权，均以买卖契约上的债权为其法律上的原因。

（4）设自动贩卖机输出二罐咖啡时，就其中之一，甲并无处分的意思，其所有权仍属于甲，乙擅自取走饮用，系故意不法侵害甲的所有权（第一八四条第一项前段）。[1]

第二款　典型契约与非典型契约

一、何谓债权契约自由？物权类型强制？试比较说明之。

二、试问下列契约究为典型契约或非典型契约，此种区别有何实益？

（1）地主某甲与乙建筑公司约定，由甲提供土地，乙提供资金，合作建筑房屋，完工后共同出售，分享利益。

（2）互助会。

（3）甲有 A 车，交乙修理，同时向乙租用 B 车。

（4）甲经营养鸡场，乙向甲贷款开设香鸡城，并约定由甲供应所有之鸡只。

三、某甲在台大附近经营宿舍，学生某乙与甲订立所谓包膳宿契约，由甲交付房间，供应早餐及洗濯衣物，乙每月支付一万元，试问：

（1）设甲供应之早餐含有不洁物，致乙中毒时，乙得向甲主张何种权利？得否解除契约？

---

[1] 依德国的通说及 Esser 教授的见解，甲其后取走另一罐咖啡，违反买卖契约所生的附随义务，应负"积极侵害债权"责任（Positive Vertragsverletzung），Esser, Schuldrecht, 2. Aufl. 1960, S. 6.

（2）设甲交付之房间，屋顶龟裂，具有危险性时，乙得向甲主张何种权利？得否解除契约？

一、典型契约（有名契约）

（一）债权契约类型自由与典型契约

基于契约自由原则，当事人在不违反法律强制规定或公序良俗的范围内，得订定任何内容的债权契约，是为债权契约自由原则，与物权法定主义（第七五七条）不同。[1]须注意的是，民法对债权契约（以下简称契约），虽不采类型强制原则，但对若干日常生活上常见的契约类型，设有规定，并赋予一定名称，学说上称为典型契约或有名契约。债编第二章各种之债规定买卖、互易、交互计算、赠与、租赁、借贷、雇佣、承揽、出版、委任、经理人、代办商、居间、行纪、寄托、仓库、运送营业、承揽运送、合伙、隐名合伙、指示证券、无记名证券、终身定

---

〔1〕欧陆民法上契约的类型，源自罗马法，但罗马法的契约系采类型强制（Betti, Der Typenzwang bei den römischen Rechtsgeschäften und die sogenannte Typenfreiheit des heutigen Rechts, in: Festschrift für Leopold Wenger, Bd. I, 1944, S. 249ff.）。关于罗马法上的契约及其后的发展，参阅陈朝璧：罗马法原理，上册，台湾商务印书馆，第一二五页以下；简要说明，郑玉波编译：罗马法要义，一九七〇年版（三民书局），第四十四页；Pietro Bonfante 著、黄风译：罗马法教科书，中国政法大学出版社一九九六年版，第三五一页（Bonfante 教授是意大利著名的罗马法学者）。外文资料，Zimmermann, The Law of Obligations, Roman Foundations of the Civilian Tradtion, 1996; Kunkel/mayer-maly/Honsell, Römisches Recht, 4. Aufl. 1987, S. 212f. (Wolfgang Kunkel 教授是著名的罗马法大师，本书作者曾于慕尼黑大学选修其课）。关于物权类型法定主义，参阅拙著：民法物权法（一），第三十五页。

期金、和解、保证等契约类型；新增订的有旅游、合会及
人事保证。特别法规定的典型契约，如保险法上之保险契
约（保险第一条），海商法上的海上运送契约（海商第三
十八条）以及劳动基准法上的劳动契约（劳基第二条第六
款，第二条以下）。

（二）典型契约的功能

民法在契约类型自由主义下创设典型契约，[1] 其主要
机能有二：❶以任意规定补充当事人约定之不备。当事人
对如契约的要素（如买卖契约上之买卖标的物及价金）须
有约定，否则契约不成立，但对其他事项（如履行时、履
行地、瑕疵担保、危险负担），疏未注意，或有意不予订
定的，时常有之。法律为使契约内容臻于完备，乃设若干
典型契约，以资规范。❷以强行规定保护当事人的利益。
第三八九条关于分期付价买卖期限利益丧失约款的限制，
即其著例。

认定某一契约究竟属于何种法定契约类型，其主要目
的乃在于确定任意规定或强行规定的适用。从而在处理契
约的问题时，首须考虑的是，此项契约是否为典型契约？
何种典型契约？买卖、互易或承揽？

关于契约类型的认定，应予注意的是，法律不是凭空
创设契约类型，而是就已存在的生活事实，斟酌当事人的

---

[1] Dilcher, Typenfreiheit und inhaltliche Gestaltungsfreiheit bei Verträgen, NJW 1960. 1040; Wlick, Die Idee des Leitbildes und Typisierung im gegenwärtigen Vertragsrecht, NJW 1978, 11.

利益状态及各种冲突的可能性，加以规范。民法系以给付义务为出发点，而设各种契约类型，例如，称买卖者，谓当事人约定一方移转财产权于他方，他方支付价金之契约（第三四五条）。称租赁者，谓当事人约定，一方以物租与他方使用收益，他方支付租金之契约（第四二一条）。称合伙者，谓二人以上互约出资以经营共同事业之契约（第六六七条）。当事人所约定的给付，是否符合法定契约类型所定的特征，应探求当事人真意及契约目的加以认定。近年来，台湾地区实务上关于建筑商与地主约定由地主提供土地，而由建筑商提供资金、技术、劳力合作建筑房屋，并于房屋建成后依约定比例分取房屋及基地之所谓"合建契约"，如何认定其契约类型，迭生争议（例题二之一）。一九八三年台上字第四二八一号判决谓："地主出地，建商出资合建房屋，其所为究为合伙、承揽、互易、或其他契约，应探求订约当事人之意思表示及目的决定之。如其契约重在双方约定出资（一方出土地，一方出建筑资金），以经营共同事业，自属合伙。倘契约着重在建筑商为地主完成一定之建屋工作后，接受报酬，则为承揽。如契约之目的，在于财产权之交换（即以地易屋）则为互易。"[1] 可供参考。由此可知，契约类型认定的重要及困难，为契约法上的重要研究课题。[2]

---

〔1〕民刑事裁判选辑，第四卷，第四期，第一二五页。

〔2〕吕荣海："契约类型之认定"，载军法专刊，第三十一卷第四期，第九页；大村敦志：典型契约上性质决定，有斐阁，1997年。

二、非典型契约

（一）非典型契约的意义及功能

非典型契约，指法律未特别规定而赋予一定名称的契约，亦称无名契约。此为民法一面采契约自由原则，一面又列举典型契约的产物，盖社会生活变化万端，交易活动日益复杂，当事人不能不在法定契约类型之外，另创新型态的契约，以满足不同之需要。此类契约有就特殊情况而约定的。有因长期间之惯行，俨然具有习惯法之效力者（如民间的互助会已因民法修正而典型化，第七〇九条之一）。有为因应现代交易需要，以定型化契约条款而创设的（如 Leasing，Factoring、Franchising）。[1] 非典型契约在现代社会经济活动扮演日益重要之角色，实值重视，俟于债编各论再行研究。[2]

（二）非典型契约的类型

非典型契约的主要问题，在于其契约内容不完备时，应如何适用法律，以资规范。此又涉及非典型契约的类型问题，学说上尚无定论，兹分纯粹的无名契约、契约联立

---

[1] 此三种在美国发展的契约类型，已广为世界各国所采用，在台湾实务上亦居于重要之地位，尤其是加盟店契约，参阅林美惠："加盟店契约法律问题之研究"，台大法律研究所硕士论文（一九九五年度）。

[2] 曾隆兴：现代非典型契约论，一九八六年初版；詹森林："非典型契约之基本问题"，民事法理与判决研究（台大法学丛书一一三），一九九八年，第一一五页。

及混合契约三类加以说明：[1]

（1）纯粹非典型契约（无名契约 Verträge），指以法律全无规定的事项为内容，即其内容不符合任何有名契约要件的契约，如广告使用他人的姓名或肖像的契约、担保契约（Garan tievertrag，如利息之担保）等。[2]其法律关系应依契约目的、诚信原则，并斟酌交易惯例定之。

（2）契约联立。[3]契约联立（Vertragsverbindungen），指数个契约（典型或非典型）具有互相结合的关系。其结合的主要情状有二：

❶单纯外观的结合，即数个独立的契约仅因缔结契约的行为（如订立一个书面）而结合，相互间不具依存关系，例如，甲交 A 车于乙修理，并向乙租用 B 车。于此情形，应适用固有典型契约的规定，即关于 A 车的修理，应适用关于承揽的规定，关于 B 车的租用，适用关于租赁的规定，彼此间不发生任何牵连。

❷具有一定依存关系的结合，即依当事人之意思，一个契约的效力依存于另一个契约的效力，例如，甲经营养鸡场，乙向甲贷款开设香鸡城，并约定乙所需的土鸡，均应向甲购买。于此情形，甲与乙间的消费借贷契约与买卖

---

[1] 最近 Larenz/Canaris 将法律未规定的契约，分为 Typenkombinationsverträge（类型结合契约）、Typenschmelzungsverträge（类型融合契约）及 Typenfremde Verträge（非类型契约），甚值参考（Schuldrecht II/2，§63，S. 41f.）。

[2] 关于担保契约，参阅陈自强："民法上的担保契约"，无因债权契约论（政大法学丛书四十四），一九九八年，第二十九页以下。

[3] 契约联立，是否可归入非典型契约，尚有争论，采肯定说的，有 Fikentscher, Schuldrecht, S. 40.

契约具有依存关系，其个别契约是否有效成立，虽应就各该契约加以判断，但设其中的一个契约不成立、无效、撤销或解除时，另一个契约亦同其命运。

（3）混合契约。[1] 在非典型契约中，混合契约在实务上最为常见，最称重要。混合契约（Gemischte Verträge），指由数个典型（或非典型）契约的部分而构成的契约。[2] 混合契约在性质上系属一个契约，与契约联立有别，应予注意。

关于混合契约的法律适用计有三种学说：❶ 吸收说（Absorptionstheorie）：认为应将混合契约构成部分区分为主要部分及非主要部分，而适用主要部分的典型（或非典型）契约的规定，非主要部分则由主要部分加以吸收之。[3] ❷ 结合说（Kombinationstheorie）：认为应分解混合契约的构成部

---

〔1〕 杨崇森："混合契约之研究"，载法学丛刊，第十六期，第四十二页，本文系有关混合契约最基本文献，深具参考价值。德国法上资料参阅 Charmatz, Zur Geschichte und Konstruktion der Vertragstypen im Schuldrecht mit besonderer Berücksichtigung der gemischten Verträge, 1937; Dellias, Zur Präzisierung der Rechtsfindungsmethode bei gemischten Verträgen, Diss. Regensburg, 1981; Hoeniger, Die gemischten Verträge in ihren Grundformen, 1910.

〔2〕 "司法院"院字第二二八七号谓："混合契约系由典型契约构成分子与其他构成分子混合而成之单一债权契约，若其契约系复数，而于数契约间具有结合关系者，则为契约之联立。"参阅一九九八年台上字第三六二号判决："按社会上所谓'经销商契约'（或称'代理店契约'或'代理商契约'），系指商品之制造商或进口商将其制造或进口之商品，经由经销商为商品之贩卖，以维持或扩张其商品之销路，而与经销商所订之契约。至其法律上之性质，则依其契约之具体内容，可能有三种类型，即具买卖契约之性质者，具行纪契约之性质者及具代办商契约之性质者是，不同类型之当事人间之权利义务关系自属不同。查为原审认定属实之前开备忘录，其第一条虽载有"代理经销"等用语，惟由其后各条之约定内容观之，是否具有代理承销契约与补充买卖契约混合契约之性质，抑或仅具有买卖契约之性质，既攸关当事人间之权利义务，自应先予厘清。乃原审未进一步探究前开备忘录各条约定真意之所在，遽认该备忘录之约定应具有代理承销契约与补充买卖契约混合契约之性质，已有未洽。"

〔3〕 Lotmar, Arbeitsvertrag, 1902, 176 ff.

分而适用各该部分的典型契约规定，并依当事人可推知意
思调和其歧义，统一加以适用。[1] ❸类推适用说：认为法
律对混合契约既未设定，故应就混合契约的各构成部分类
推适用关于各典型契约所设规定。[2] 台湾学者赞成类推适
用说者颇有其人。[3] 实则，没有任何一说可以单独圆满解
决混合契约法律适用问题。于当事人未有约定时，应依其
利益状态、契约目的及斟酌交易惯例决定适用何说较为合
理。兹参照德国通说，将混合契约分四类加以说明之：[4]

（1）典型契约附其他种类的从给付（Typischer Vertrag
mit andersartiger Nebenleistung）：即双方当事人所提出的给付
符合典型契约，但一方当事人尚附带负有其他种类的从给
付义务。例如，甲租屋于乙（租赁契约），附带负有"打
扫"义务（雇佣的构成部分）；或甲向乙购买瓦斯（买卖
契约），约定使用后返还瓦斯桶（使用借贷的构成部分）。
于此类型混合契约，原则上应采吸收说，适用该典型契约
（租赁或买卖）的法律规定。

（2）类型结合契约（Typenverbindungsverträge,
Kombinationsverträge）：即一方当事人所负的数个给付义务属
于不同契约类型，彼此间居于同值的地位，而他方当事人
仅负单一的对待给付（有偿契约），或不负任何对待给付。
例如，甲与乙订立包宿膳契约，每月新台币一万元，甲所

---

〔1〕 Rümelin, Dienstvertrag und Werkvertrag, 1905, S. 320f.
〔2〕 Schreiber, Iher Jb. 60, 106.
〔3〕 史尚宽：债法总论，第十页。
〔4〕 Fikentscher, Schuldrecht, 401f.

负的给付义务，分别属于租赁、买卖、雇佣典型契约的构成部分，乙则支付一定的对价。于此种混合契约，原则上应采"结合说"，依个别给付所属契约类型的法律规定加以判断。易言之，即食物供给适用买卖的规定，房间住宿适用租赁的规定，劳务提供适用雇佣规定。其中一项给付义务不履行或具有瑕疵时，得依其规定行使权利，例如，供给的食物不洁时，得请求减少对待给付，甚至解除之（买卖的部分），但契约本身原则上并不因此而受影响（例题三）。惟倘数项给付构成经济上一体性时，则应同其命运。例如，甲向乙租用停车场（租赁的部分），并由乙维护汽车（雇佣的部分），倘乙终止租赁部分时，其汽车维护部分应随之消灭。

（3）双种典型契约（Doppeltypische Verträge，Gekoppelte Verträge），或称混血儿契约（Zwitterverträge）：即双方当事人互负的给付各属于不同的契约类型，例如，甲担任乙的大厦管理员，而由乙免费供给住屋。在此契约，甲管理大厦，其给付义务属于雇佣契约，乙供给住屋，其给付义务属于租赁，结合不同典型契约的给付义务，互为对待给付。于此种混合契约，原则上应采"结合说"，分别适用其所属契约类型的规定，即关于管理大厦适用雇佣契约（以住屋的供给为对待给付），关于供给住屋则适用租赁契约（以服劳务为对待给付）。

（4）类型融合契约（Typenverschmelzungsverträge，Verträge mit Typenvermengung），或称为狭义的混合契约：即一个契约中所含的构成部分同时属于不同的契约类型，例如，甲以半赠与的意思，将价值二万元的画以一万元出售于乙，学说上称为混合赠与（Gemischte Schenkung）。于此情形，甲之给付既然同时属于买卖及赠与，原则上应适用此两种类型的规定：关于物之瑕疵，依买卖的规定（第三五四条），关于乙不当行为则依赠与的规定（第四一六条）加以处理。[1]

三、民法债编修正：非典型契约的典型化（有名化）

由于社会经济发展，科技进步及国际间的贸易往来，产生各种所谓"现代非典型契约"。有为本土固有的，除传统的合会外，有合建、委建、旅游契约、人事保证契约等契约。有向外输入的，如融资租赁、信用卡契约、加盟店契约等。此等非典型契约多由定型化契约条款所组成，应适用消保法相关规定予以规范，尤其是由主管机关推动订定定型化契约范本。

值得注意的是，若干重要的非典型契约业已经由立法加以典型化，如消保法上的邮购或访门买卖。民法债编修正则增设了旅游（第五一四条之一以下）、合会（第七〇九条之一以下）、及人事保证（第七五六条之一以下）三种典型契约。

关于旅游契约，民法债编修正条文未设定义性规定，指旅游营业人提供旅客旅游服务而收取旅游费用之契约，

---

[1] 史尚宽：债法各编，第一三〇页；Larenz, Schuldrecht II, Halbband I, S. 198.

其内容多参照德国民法第六五一条规定。

合会契约，指由会首邀集二人以上为会员，互约交付会款及标取合会金之契约，具有融通资金的功能的传统契约，其内容系将民间习惯加以明文化。

人事保证者，指当事人约定，一方于他方之受雇人将来因职务上之行为而应对他方为损害赔偿时，由其代负赔偿责任之契约。此种契约使用甚广，将之典型化之目的在于合理规范保证人的责任，查其内容多参考日本"关于身份保证之法律"。第七五六条之九规定："人事保证，除本节有规定者外，准用关于保证之规定。"由此"准用"可知，人事保证具有不同于"一般保证"的特色。

综合观之，民法债编修正将攸关人民生活的"旅游"、"合会"及"人事保证"三种契约类型使其典型化，增设必要的任意规定及强行规定，有助于因应社会经济环境的变迁，而达保障私权，维护交易公平及安全之目的。

第三款 要式契约与不要式契约

——增订第一六六条之一规定——

一、下列契约，何者属于要式契约，何者属于不要式契约：❶租赁。❷旅游契约。❸合会。❹保证。❺赠与。❻劳动契约。❼团体协约；并说明要式强制的理由。

二、甲向乙租屋，订立书面，约定："本契约书须经公证。"试问在办理公证前，甲得否向乙请求交付房屋？

一、法定方式及约定方式

（一）法定方式

契约依其是否须践行一定的方式为区别标准，可分为要式契约及不要式契约。现行民法采契约自由，契约以不作成方式为原则（方式自由）。民法上的有名契约，属于要式契约的，原仅有两种（债编修正参阅下文）：❶期限逾一年之不动产租赁契约，第四二四条规定："不动产之租赁契约，其期限逾一年者，应以字据订立之，未以字据订立者，视为不定期限之租赁。"❷终身定期金契约，第七三〇条规定："终身定期金契约之订立，应以书面为之。"未依法定方式者，其契约无效，但法律另有规定者，不在此限（第七十三条）。特别法上的有名契约中，保险契约为要式契约（保险第四十三条）。以船舶之全部或一部供运送为目的之运送契约，应以书面为之（海商第三十九条），亦属要式契约。劳动契约为不要式契约，但团体协约则为要式契约。[1]

（二）约定方式：第一六六条规定

方式自由有两种意义：❶契约（或其他法律行为）的作成，法律原则上不设法定方式；❷当事人得自由约定契约的方式（约定方式）。当事人约定的方式不限于书面，亦得为公证等。

当事人未践行约定方式时，其法律效果如何，第一六六条规定："契约当事人约定其契约须用一定方式者，在该方式未完成前，推定其契约不成立。"由是可知，法律系以践行一定方式为契约的成立要件，惟仅属"推定"，而非"视为"，故当事人之一方得提出反证，证明其践行一定的方式仅在于作为保全契约的证据方法，或强化契约强制执行的效力（参阅公证第十一条、新修正公证第十三条、[2] 强执第四条第一项第四款），虽未践行，其契约亦非不成立。在上开例题二，甲得否向乙请求交付房屋，端视租赁契约是否成立，而租赁契约是否成立，又须视当事人所约定的"公证"是否为成立要件，此为法律所推定，

---

〔1〕团体协约形成劳资关系上势将扮演日益重要之角色，实值注意。"团体协约法"第一条规定："称团体协约者，谓雇主或有法人资格之雇主团体，与有法人资格之工人团体，以规定劳动关系为目的所缔结之书面契约。"

〔2〕"公证法"于一九四三年三月三十一日日公布，翌年一月一日施行，最近修正于一九九九年四月二日通过，四月二十一日公布，并自公布生效后二年施行。

故甲非反证加以推翻，不得请求乙履行契约。[1]

二、债编修正：第一六六条之一规定

（一）规范目的及分析检讨

（1）在现行法上，不动产的买卖应否订立书面？债编修正第一六六条之一规定此种契约须经公证人公证，试说明其立法理由，并分析检讨此项重大变革的利弊得失及解释适用的基本问题。

（2）甲向乙购某地，约定价金一千万元，其经公证人作成的公证书记载价金五百万元，试问其法律效果如何？设当事人办妥所有权移转登记时，其效果如何？

债编修正增设三种要式行为：一为合会契约（增订第七〇九条之三）；一为人事保证契约（增订第七五六条之一第二项）；一为以负担不动产物权之移转、设定或变更

---

[1] "司法官训练所公证实务研究会"第二期曾提出如下之问题：甲、乙二人于二月一日同意订立房屋租赁契约书，订明租赁期间自二月一日起至十二月三十一日止，契约内并未约定：本契约自法院公证之日生效。双方因故迟至二月五日始相偕至法院请求公证，是否准许。研究结论采甲说认为："本件租赁契约虽于二月一日订立，但其有效成立则自公证之日起发生（第一六六条：契约当事人约定其契约须用一定方式者，在该方式未完成前，推定其契约不成立），应解为约定的要式契约，可以公证。"第一厅研究意见认为："如约定房屋租赁行为，经法院公证之日成立，自以采甲说为宜。"

之义务为标的之契约。[1] 关于前二者暂置不论，以下专就后者加以说明。

（1）规范目的。第一六六条之一规定："契约以负担不动产物权之移转、设定或变更之义务为标的者，应由公证人作成公证书。未依前项规定公证之契约，如当事人已合意为不动产物权之移转、设定或变更而完成登记者，仍为有效。"此项修正条文影响不动产交易甚巨，首应究明的是本条的规范目的，而此与第七六〇条规定具有密切关系，先行说明之。

第七六〇条规定："不动产物权之移转或设定，应以书面为之。"此项规定系针对物权行为（物权契约）言，而不及于"债权契约"。一九六八年台上字第一四三六号判例谓："不动产物权之移转，应以书面为之，其移转不动产物权书面未合法成立，固不能生移转之效力。惟关于买卖不动产之债权契约，乃非要式行为，若双方就其移转之不动产及价金业已互相同意，则其买卖契约即为成立。出卖不动产之一方，自应负交付该不动产并使他方取得该不动产所有权之义务，买受人若取得出卖人协同办理所有权移转登记之确定判决，则得单独声请登记取得所有权，移转不动产物权书面之欠缺，即因之而补正。"一九八一年台上字第四五三号判例谓："不动产抵押权之设定，固应以书面为之。但当事人约定设定不动产抵押权之债权契

---

[1] 新修正第五一四条之二规定："旅游营业人因旅客之请求，应以书面记载下列事项交付旅客……"为使旅客明悉与旅游有关之事项，明定旅游营业人于旅客请求时，应以书面记载旅游相关资料，交付旅客。惟该书面并非旅游契约之要式文件。

约，并非要式行为，若双方就其设定已互相同意，则同意设定抵押权之一方，自应负使他方取得该抵押权之义务。"[1]

由上述可知，关于以不动产物权移转、设定负担为内容的债权契约，原属不要式行为，修正第一六六条之一作了一项重大变革，规定应由公证人作成公证书。立法说明书谓："不动产物权具有高度经济价值，订立契约约定负担移转、设定或变更不动产物权之义务者，不宜轻率。为求当事人缔约时能审慎衡酌，辨明权义关系，其契约应由公证人作成公证书，以杜事后之争议，而达成保障私权及预防诉讼之目的；爰参考德国民法第三一三条第一项及瑞士债务法第二一六条第一项之立法例，增订第一项规定。当事人间合意订立以负担不动产物权之移转、设定或变更之义务为标的之契约（债权契约），虽未经公证，惟当事人间如已有变动物权之合意，并已向地政机关完成物权变动之登记者，则已生物权变动之效力，自不宜因其债权契约未具备第一项规定之公证要件，而否认该项债权契约之效力，俾免理论上滋生不当得利之疑义；爰参考前开德国民法第二项，增订第二项规定。此际，地政机关不得以当事人间之债权契约未依前项规定公证，而拒绝受理登记之申请。至对此项申请应如何办理登记，宜由地政机关本其职权处理，并此叙明。"

为使读者认识第一六六条之一规定的适用，兹以不动

---

[1] 拙著："论移转不动产物权之书面契约"，民法学说与判例研究（七），第一九七页。

产买卖及设定抵押权为例，图示如下：

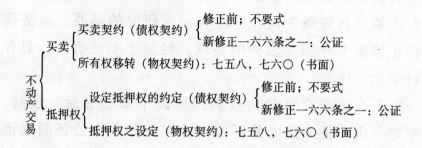

（2）分析检讨。方式自由是契约自由的重要内容，构成私法自治的部分，债编修正就合会、人事保证，尤其是关于不动产物权得丧变更的债权契约，采方式强制，可谓是一项重大变革。著名民法学家 v. Tuhr 教授于论及法律行为的方式时，曾谓此属法律秩序上最为恣意的部分。[1] 此项见解具有某种程度的启示性，就民法债编言，为何书面强制仅限于人事保证，而不包括其他保证？为何对合会加以要式化，而不及于旅游契约？最值关切的是，关于不动产交易的债权契约，为何要舍弃"不要式性"，而改采"公证强制"？

在台湾，关于不动产买卖契约等向采方式自由原则，无方式的强制，乃民众法律生活的一部分，债编修正所以改采公证强制，立法说明书认系因不动产具有高度经济价值，为求当事人缔约时能审慎衡酌辨明权利义务关系，以

---

〔1〕 v. Tuhr, Der Allgemeiner Teil des Deutschen Bürgerlichen Rechts, Bd. I, S. 496: "Die For-mvorschriften stellen sich als der willkurlichste Teil der Rechtsordnung dar". 关于法律行为方式的专书，参阅 Hasemyer, Die gesetzliche Form der Rechtsgeschäfte, 1971.

杜事后之争议。以此概括笼统的论点变更数百年来的不动产交易制度，似不具说服力。现行制度缺点何在？有无弊端？改革的利弊得失何在？应有深入研究的必要。民法债编修正偏重于外国立法例的整理，轻忽于实证研究，似有检讨余地。[1]

关于不动产交易的债权契约所以不采"书面"强制，而明定须由公证人作成公证书，旨在充分发挥公证制度预防诉讼的功能。新修正的"公证法"第七十一条规定："公证人于作成公证书时，应探求请求人之真意事实真相，并对请求人说明其行为之法律效果，对于请求公证之内容认有不明确、不完全或依当时情形显失公平者，应向请求人发问或晓谕，使其叙明、补充或修正之。"[2] 由是可知，公证功能能否发挥将系于公证人的法律地位、遴任资格、训练研习、监督、惩戒，以及赔偿责任等（参照公证法相关规定），及如何使公证人的职务获得尊重，其专业及公正性能获信赖。

新增设第一六六条之一采公证强制制度，必会增加交易成本，影响交易的安全性，尤其是处于优势，有法律智识和资讯的人难免利用此项规定操纵不动产交易，使相对

---

〔1〕黄立："民法第一六六条之一的法律形式问题"，民法研究会第十五次学术研讨会（一九九九年八月二十一日）。

〔2〕"公证法"第七十二条规定："公证人对于请求公证之内容是否符合法令或对请求人之真意有疑义时，应就其疑虑向请求人说明；如请求人仍坚持该项内容时，公证人应依其请求作成公证书，但应于公证书上记载其说明及请求人就此所为之表示。"参阅郑云鹏："再谈公证书之实质证据力兼论公证人之审查权"（上、中、下），载司法周刊第九四二期、第九四三期及第九四四期。

人遭受不利益，如何适用诚实信用原则为必要的规范，实值重视。[1]

（二）解释适用

（1）公证强制的要件与范围。其应由公证人作成公证书的是以"负担不动产物权之移转、设定或变更之义务为标的"的债权契约，如关于不动产买卖、互易或赠与、设定抵押权、典权的约定或地上权期间的变更等。合伙人以不动产为出资（参阅第六六八条）亦包括在内。[2] 所谓不动产包括应有部分在内。所谓债权契约包括预约。[3] 出卖不动产物权的代理权授予，是否亦须作成公证书，不无疑问，对不可撤回的代理权授权，为贯彻立法意旨，应肯定之。[4] 其应作成公证书者，乃债权契约的全部，包括所有权利义务的约定。又此项债权契约的变更，亦须公证。关于公证书的作成，请参阅公证法相关规定，兹不详述。

（2）方式瑕疵的法律效果。以负担不动产物权之移转、设定或变更之义务为标的之债权契约，未依第一六六条之一第一项规定，经公证人作成公证书者，其契约为无效（第七十三条）。[5] 例如，甲向乙购买 A 笔土地，纵订立买卖契约的书面，但未作成公证书时，其买卖契约仍属无

---

[1] Gernhuber, Formnichtigkeit und Treu und Glauber, Festschrift für Schmid Rimpler, 1957, 151f.; Singer, Formnichtigkeit und Treu und Glauben, WM 1983, 254.

[2] 德国通说，BHG NJW 84, 95; BGH BB 55, 203.

[3] 德国通说，BGHZ 82, 398.

[4] 德国通说，RGZ 108, 126.

[5] Fikentscher, Schuldrecht, S. 89.

效，甲对乙无请求办理所有权移转登记的权利，乙就其先为交付的土地，得依第七六七条规定请求返还之。

其因方式不备而无效的，为该债权契约的全部。例如，甲向乙购买 A 地，价金一千万元，为期节税，买卖契约记载价金五百万元，而作成公证书时，其经公证的买卖契约因通谋虚伪意思表示而无效（第八十七条），其所隐藏的部分因未作成公证而无效。

（3）方式瑕疵的治疗。第一六六条之一第一项规定的方式瑕疵，属于所谓可得治疗的方式瑕疵（heilbarer Form-mangel）。依同条第二项规定："未依前项规定公证之契约，如当事人已合意为不动产物权之移转、设定或变更而完成登记者，仍为有效。"应注意者有四：

（1）就原则言，欲使用不合法定方式而无效的法律行为有效，应再作成符合方式的行为，本项规定之系属例外，其主要目的系为维护法律状态的安定和透明。

（2）其仍为有效者，系该债权契约的全部，包括与该契约有关的书面及口头约定。[1] 准此以言，甲向乙购地，价金一千万元，而公证书记载五百万元时，其关于一千万元价金的约定，因完成所有权移转登记仍为有效。

（3）其仍为有效的债权契约，自完成登记时起发生效力。此项治疗不具溯及力。[2]

（4）契约上请求权的消灭时效，自契约因完成不动产

---

[1] 德国实务见解，BGH NJW, 74, 136; 78, 1577.
[2] 德国通说，BGH 54, 63; 82, 406; Fikentscher, Schuldrecht, S. 89.

登记而获治疗（仍为有效）时起算。[1]

第四款 诺成契约与要物契约

何谓要物契约？下列何种契约属于要物契约：❶赠与。❷租赁。❸使用借贷。❹消费借贷。❺寄托。❻押租金契约。法律为何设要物契约？要物契约有无存在之必要？

一、区别标准及实益

契约以于意思表示外，是否尚需要其他现实成分为标准，可分为诺成契约（不要物契约）及要物契约。契约，因意思表示合致即可成立的，为诺成契约（Konsensualverträge）。契约于意思表示外，尚需其他现实成分（尤其是物之交付）始能成立的，为要物契约（Realverträge）。在典型契约中，属于要物契约的，有使用借贷（修正前第四六四条、第四六五条）、消费借贷（修正前第四七四条、第四七五条）、寄托（第五八九条）。[2]而买卖、租赁、赠与等则均属诺成契约。在现物买卖或赠

---

[1] 德国通说，RG 134, 87.
[2] 押租金契约，乃租赁契约成立时，以担保承租人之租金债务，由承租人交付金钱或其他代替物于出租人之契约，性质上乃从属于租赁契约之之从契约，且必须现实交付始生效力，故为要物契约（参阅一九四四年上字第六三七号判例）。

与，契约成立之际同时为物之交付，以移转标的物所有权者，应认为同时作成债权契约及物权契约。

诺成契约与要物契约的区别，在于要物契约系以标的物之交付为要件。此项要件究为成立要件抑或为生效要件，尚有争论。修正前第四六四条及第四七四条均明定，使用借贷及消费借贷以物之交付为生效要件。自理论以言，物之交付应属成立要件，法律明定为生效要件，或可认为在于缓和其要物性。[1] 惟就法律效果言，则无不同，盖无论其为不成立或不生效力，于物之交付前，当事人均不能主张契约上的权利。

二、债编修正：要物契约的存留及其"预约"化

（一）债编修正

（1）使用借贷。债编修正将第四六四条："称使用借贷者，谓当事人约定，一方以物，无偿贷与他方使用，他方于使用后，返还其物之契约。"之规定，修正为："称使用借贷者，谓当事人一方以物交付他方，而约定他方于无偿使用后返还其物之契约。"并删除第四六五条："使用借贷，因借用物之交付，而生效力。"[2] 另增订第四六五条之一规定："使用借贷预约成立后，预约贷与人得撤销其

---

[1] 郑玉波：民法债编各论，第三〇三页（注45）。
[2] 立法说明书谓："本条之规定，易使人误为借用物之交付为使用借贷之生效要件。为配合前条之修正，爰将本条删除。"

约定。但预约借用人已请求履行预约而预约贷与人未即时撤销者，不在此限。"[1]

（2）消费借贷契约。债编修正将第四七四条："称消费借贷者，谓当事人约定，一方移转金钱或其他代替物之所有权于他方，而他方以种类、品质、数量相同之物返还之契约"之规定，修正为第四七四条第一项："称消费借贷者，谓当事人一方移转金钱或其他代替物之所有权于他方，而约定他方以种类、品质、数量相同之物返还之契约。"[2]此外尚删除第四七五条："消费借贷因金钱或其他代替物之交付，而生效力。"[3]另增订第四七五条之一规定："消费借贷之预约，其约定之消费借贷有利息或其他报偿，当事人之一方于预约成立后，成为无支付能力者，预约贷与人得撤销其预约。消费借贷之预约，其约定之消

---

[1] 立法说明书谓："预约为约定负担订立本约之义务之契约。通常在要式或要物契约始有其存在价值。使用借贷为要物契约，常先有预约之订立，惟其亦为无偿契约，故于预约成立后，预约贷与人如不欲受预约之拘束，法律应许其撤销预约，始为合理。但预约借用人已请求履行预约而预约贷与人未即时撤销者，应限制其复任意撤销其预约。爰参照第四〇八条第一项、第二六九条第二项规定，增订本条。"

[2] 立法说明书谓："民法规定之消费借贷，通说认系要物契约，于当事人合意外，更须交付金钱或其他代替物，以移转其所有权于他方，始能成立。惟依现行法本条及次条（第四七五条）合并观察，易使人误为消费借贷为诺成契约，而以物之交付为其生效要件。为免疑义，爰修正如上，并移列为第一项。"

[3] 立法说明书谓："本条之规定，易使人误会金钱或其他代替物之交付为消费借贷之生效要件。为配合前条之修正，爰将本条删除。"

费借贷为无报偿者，准用第四六五条之一之规定。"[1]

(二) 分析检讨[2]

现行民法上使用借贷、消费借贷及寄托三个要物契约均源自罗马法，主要理由在于此等契约系属无偿，[3]特以"物之交付"作为成立要件，使贷与人或受寄人能于物之交付前有考虑斟酌的机会，具有警告的功能。[4]直至十九世纪，仍多认为罗马法上的要物契约（尤其是消费借贷），有其逻辑上的必要性及概念上的说服力，而保存于德国民法（第六〇七条）、奥国民法（第九八三条），以及法国民法（第一三八二条）。近年来则多强调要物契约为法制史上的残留物，不具实质意义，[5]应有检讨的余地，此在消费借贷，尤有必要，因金钱借贷在现代社会经济活动，殊为重要，于标的物交付前，多订有保证契约或设定担保物权，要物性的要求，有碍交易安全，应经由解释或立法缓和其要物性。德国民法第六〇七条第一项规定："自他人

---

〔1〕 立法说明书谓："消费借贷为要物契约，常先有预约之订立。消费借贷如为有偿契约，预约借用人于预约成立后，成为无支付能力者，为免危及预约贷与人日后之返还请求权，自宜赋予预约贷与人撤销预约之权。而在预约贷与人于预约成立后成为无支付能力者，预约贷与人亦应有撤销预约之权，方符消费借贷预约之旨趣，以及诚信之原则。爰参考德国民法第六一〇条、日本民法第五八九条、瑞士债务法第三一六条第一项规定与本法第四一八条之法意，增订本条第一项。"

〔2〕 较详细深入的论述，邱聪智：债法各论（上），第四五七页、第四八六页。参阅史尚宽：债法各论，第二四七页、第二六二页。

〔3〕 罗马法上三种要物契约为 mutum（消费借贷）、commdatum（使用借贷）及 depositium（寄托）。消费借贷系属无偿，其约定利息者，须另依 Stipulation（口头要式）契约为之，参阅 Kunkel/mayer-maly/Honsell, Recht, 4. Aufl. 1987, S. 297.

〔4〕 参阅 Zimmermann, Law of Obligations, Roman Foundations of the Civilian Tradition, 1996. p. 163.

〔5〕 Mayer-Maly, SZ 92 (1975), 346ff.

受金钱或其他物之交付者，对贷与人负有以种类、品质、数量相同之物返还之义务。"就其立法背景言，系采要物说，然通说则将之解释为诺成契约。[1]

债编修正一方面明定使用借贷及消费借贷为要物契约，他方面又增订使用借贷预约及消费借贷预约的规定，以缓和其要物性。此项修正仍有商榷余地。财产性的契约均应予以"诺成化"，保留要物契约此种法制史上的残留物，实无必要。

第五款　要因契约与不要因契约[2]

（1）甲向乙借款一百万元，订立如下书面交付于乙："余谨此承认欠乙一百万元，定于×年×月×日返还，绝不食言"。设乙以当事人资格错误撤销其消费借贷契约，当事人间之法律关系如何？

（2）甲向乙购买 Acer 新开发三二位元电脑，价金十万元，乙依让与合意交付电脑后，甲发行支票于乙，乙背书转让于丙：试问何者为要因行为（有因契约），何者为不要因行为（无因契约）？设甲、乙的买卖契约不成立、无效或被撤销时，

---

〔1〕 BGH NJW 83, 1543.

〔2〕 关于要因行为及无因行为在德国法、瑞士法、奥国法、法国法及英美法上的比较研究，参阅 Stadler, Gestaltungsfreiheit und Verkehrsschutz durch Abstraktion, 1996.

当事人间的法律关系如何？

一、意义与体系

法律行为以得否与其原因相分离，亦即是否以其原因为要件，可分为要因行为（有因行为）及不要因行为（无因行为）。要因行为，指法律行为与其原因不相分离，以其原因为要件的法律行为，如买卖、消费借贷等债权契约。不要因行为，指法律行为与其原因分离，不以其原因为要件的法律行为而言，如处分行为（尤其是处分契约）、债务拘束、债务承认、票据行为等。兹先图示如下，再行说明：

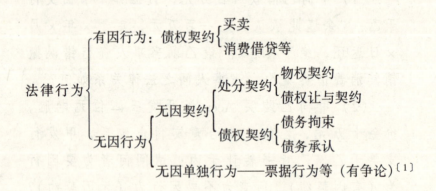

法律行为
- 有因行为：债权契约
  - 买卖
  - 消费借贷等
- 无因行为
  - 无因契约
    - 处分契约
      - 物权契约
      - 债权让与契约
    - 债权契约
      - 债务拘束
      - 债务承认
  - 无因单独行为——票据行为等（有争论）[1]

---

[1] 票据行为究为单独行为抑为契约，向有争论。台湾通说系采单独行为说，参阅郑玉波：票据法，第三十八页；林咏荣：商事法新诠（下），第三十六页；梁宇贤：票据法新论，第三十六页，关于票据行为理论的检讨，郑洋一：票据法之理论与实务，第二十三页以下。

二、有因契约

民法上的典型债权契约均属有因行为（有因契约，Kausale Verträge）。所谓法律行为的原因，指因法律行为的作成，而欲取得财产上利益之目的而言，例如，甲以十万元向乙购买 A 画，其原因即在于使乙负担移转该画所有权的义务（负担原因）。倘乙系禁治产人，其意思表示无效时，乙不负移转 A 画所有权的义务，买卖契约即因原因欠缺而不生效力。又如甲以授信之目的，表示贷款五万元于乙，乙以为甲的给付五万元系出于赠与之目的，而为承诺时，甲与乙对法律行为的原因的意思表示既欠缺合致，无论消费借贷契约或赠与契约，均不能成立。由是观之，凡债权契约原则上均有其原因，并以该原因为其成立要件，特别称之为有因行为，并不具实质意义，其所以仍作如此称呼，乃在于要与无因行为加以区别。[1]

三、无因行为

（1）处分行为（处分契约）。民法上的处分行为均属无因行为，即原因超然屹立于处分行为之外，不以原因的欠缺，致处分行为的效力因此受到影响。例如，甲出卖 A 画

---

[1] 关于此种法律因行为原因（Causa）的意义，及其与英美法上约因（Consideration）的不同，参阅 Westermann, H. P., Die Causa im französischen und deutschen Zivilrecht, 1967; Markesinis, Cause and Consideration: A Study in Parallel, Camb. L. J. 37 (1978), 53; Fromholbzer, Consideration, 1997；杨桢：英美契约法总论，修正再版，一九九九年，第九十一页。

于乙（债权契约），并依让与合意交付该画（物权契约）后，纵买卖契约因意思表示错误而被撤销时，物权契约并不因此而受影响，乙仍取得 A 画之所有权。惟买卖契约，既经撤销，乙取得 A 画的所有权欠缺法律上原因，应依不当得利规定负返还之义务（第一七九条以下）。又如，甲出租大厦于乙，赠与其租金债权于丙（债权契约），并依合意让与之（处分行为、第二九四条）。于此情形，债权让与契约（处分行为）亦独立于赠与契约（原因行为）之外，纵赠与契约因意思表示不合意而不成立时，债权让与契约亦不因此而受影响，丙仍取得租金债权。惟赠与契约既不成立，丙取得租金债权欠缺法律上之原因，亦应依不当得利规定返还之。

（2）无因的债权行为。[1] 民法上的典型契约均属有因契约，前已论及，基于契约自由原则，当事人于不悖于法律强行规定或公序良俗的范围内，自得订定无因契约。例如，甲向乙借款一百万元，订立书面谓："余谨此表示，定于公元二〇〇〇年一月一日付与乙一百万元"（债务拘束，Schuldversprechung），或"余谨此承认，欠乙一百万元，定于一九九九年十二月三十日偿还"（债务承认，Schuldan-

---

〔1〕 陈自强："无因债权契约论"，载政大法律学系法学丛书四十四，一九九八年。本书为具有深度、精致的法学著作，颇有参考价值。

erkenntnis)。[1]此种不标明原因（清偿借款）的一方负担契约，亦属无因行为。由此可知无因及有因系相对的概念。就上例而言，消费借贷契约为无因债务拘束（或债务承认）的法律上原因。设乙付款于甲时，则该无因的债务拘束（或债务承认）又成为无因物权行为的法律上原因。易言之，即一个无因行为成为其他无因行为的原因。基于无因行为而取得者，得为不当得利请求权的客体。设甲与乙间消费借贷无效时，甲得依不当得利规定先请求返还"无因之债务拘束"，再请求返还支付之一百万元（参阅例题一）。[2]

当事人订立债务拘束（或债务承认）契约之目的，在于不受原因行为之影响，尤其是避免原因行为的抗辩，交易上自有其需要。惟当事人以无因行为掩盖不适法行为的，亦常有之。例如，甲、乙赌博，甲输一百万，立书据谓："兹表示欠乙一百万，铁定一九九九年十二月三十日清偿，绝不食言"。于此情形，为贯彻第七十一条及第七十二条之规范目的，应例外认为该无因之债务承认（或债务约束），违反强行规定或公序良俗应属无效。[3]

（3）票据行为。票据行为亦属无因行为，例如，甲向

---

〔1〕关于债务拘束及债务承认，德国民法第七八一条设有明文，早期论文，参阅 Klingmüller, Das Schuldverspechen und Schuldanerkenntnis, 1903; v. Tuhr, Zur Lehre von den abstrakten Schuldverträgen nach dem BGB, 1903. 最近著作，Bauman, Das Schulderkenntnis, 1992; Kubler, Feststellung und Garantie, 1967; Marburger, Das kausale Schuldanerkenntnis als einseitiger Feststellungsvertrag, 1971. 综合论述，Larenz/Canaris, Schuldrecht II/2, §61 (S. 24).

〔2〕Fikentscher, Schuldrecht, S. 41f.

〔3〕Esser/Weyers, Schuldrecht II, S. 317.

乙购车，发行支票，以支付价金（原因）。其后纵甲与乙间的买卖契约不成立、无效或被撤销（原因不存在），但其发行支票的行为并不因此而不成立或无效。设该支票尚在乙手，甲得依不当得利的规定向乙请求返还。如该支票辗转入于第三人之手时，甲不能以买卖契约不存在，而拒绝付款。甲于付款后，得依不当得利规定，请求乙返还其所受之利益（例题二）。由此可知，票据行为的无因性有助于促进票据之流通，及维护交易的安全。

第六款 一时的契约与继续性契约
（继续性债之关系）[1]

A 与亲友数人互约出资经营香鸡城速食店，并订立如下的契约：

（1）向 B 购家具，一次付款。

（2）向 C 购屋，价金五百万元，分十期付款。

（3）向 D 买沙拉油一百斤，每月交付十斤，

---

[1] 关于继续性债之关系，最具有创设性的文献为 Otto v. Gierke, Dauernde Schuldverhältnisse, JherJb, 65, 355。其他主要资料有 Beitzke, Nichtigkeit, Auflösung und Umgestaltung von Schuldverhältnissen, 1948; Geschnitzer, Die Kündigung nach deutschem und österreichsichem Recht, Jher Jb. 76, 317; Musilak, Rechtsnatur der Dauerschuldverhältnisse, JuS 79, 96 ff.。最近重要著作, Gernhuber, Schuldverhältnis, 1989, § 16 (S. 378); Oetker, Das Dauerschuldverhältnis und seine Beendigung, 1994。日本最近资料，参阅田中整尔：继续的法律关系とその特色，现代契约法大系，第一卷，现代契约の法理（一），有斐阁，昭和59年，第176页。台湾资料，参阅盛钰："继续性债之关系"，台大法律学研究所硕士论文（一九八八年度），甚具参考价值。

价金一次付清。

（4）由 E 供应土鸡，约定叫货即送，价金依市价。

（5）向 F 承租空地，作为停车场，为期二年。每年租金五万元，立有字据。

（6）雇 G 为店员，定有三年期限。

试问：

（1）上开契约中何者为一时契约，何者为继续性契约？

（2）设 A 等合伙人因无行为能力或因意思表示错误而撤销其意思表示时，如何处理合伙关系？

（3）设 B、C、D、E、F、G 给付不能、给付迟延、不完全给付或给付有瑕疵时，A 等之合伙人得主张何种权利？

（4）设该速食店开业后，因竞争激烈，不胜亏损，难以继续经营时，A 等合伙人如何处理其合伙关系及所订立的契约？

一、意义及区别

上开例题旨在讨论民法上一个重要的契约类型，即所谓的继续性契约（Dauerverträge），或称为继续性债之关系（Dauerschuldverhältnisse），为便于观察，先图示如下，再为说明：

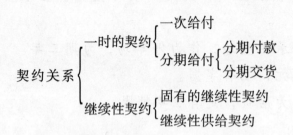

一时的契约（Vorübergehende Verträge），指契约之内容，因一次给付，即可实现，如买卖、赠与或承揽。例如，甲出售某车于乙，于依让与合意交付该车时，债之内容即为实现。学说上亦有称之为一次给付契约或单纯的契约。

债务人所负的给付，分期为之的，交易上颇为常见，就买卖契约言，有为价金分期（分期付价买卖），即将价金划分为若干部分，分月或分年定期支付。例如，甲向乙购买汽车，价金一百万元，分十期付款，民法上称为分期付价买卖（第三八九条及第三九〇条）；亦有买卖标的物分期给付的，例如，甲向乙订购大英百科全书，每月交付一册。关于此类所谓分期交付契约（Ratenlieferungvertäge, Teillieferung），应说明有三：❶当事人所订立的，是单一的契约（买卖契约）。❷该契约的总给付自始确定，采分期给付的履行方式，时间的因素对给付的内容及范围，并无影响。❸其与通常一次给付契约的主要区别，在于排除第三一八条："债务人无为一部清偿之权利"的规定。

继续性契约，指契约之内容，非一次的给付可完结，而是继续的实现，其基本特色系时间因素（Zeitmoment）在债的履行上居于重要的地位，总给付之内容系于应为给付时间的长度。[1] 例如，甲雇乙为店员，乙在雇用期间继续提供劳务，甲继续支付工资，债之内容随着时间的经过而增加。属于此类继续性契约的，除雇佣外，尚有合伙、租赁、使用借贷及寄托等。此类固有意义的继续性契约关系，具有如下四点特色：❶单一的契约。❷定有期限或不定期限。❸以继续性作为或不作为为其内容。❹随着时间的经过在契约当事人间产生新的权利义务。

继续性供给契约（Sukzessivlieferungsvertrag），指当事人约定一方于一定或不定的期限内，向他方继续供给定量或不定量的一定种类品质之物，而由他方按一定的标准支付价金的契约。[2] 此种类型契约具有四个特色：❶单一的契约。❷定期或不定期。❸给付之范围与各个供给之时间，得自始确定或依买受人的需要而决定。❹当事人自始认识非在分期履行一个数量上自始业已确定给付。属于继续性供给契约的，如瓦斯、自来水、报纸或鲜乳等的供给。

继续性供给契约亦属继续性债之关系，其与合伙、雇佣、租赁等固有继续性契约的不同，在于其系依当事人的意思于买卖契约（或制作物供给契约）加以订定。继续性供给契约与前述分期交付契约的区别，在于上述第四点特

---

[1] 参阅 Christodoulou, Vom Zeitelement im Schuldrecht, Vorstudien aus der Sicht des Dauersschuldverhältnisses, Diss. Hamburg, 1968.

[2] 关于继续性供给契约最基本的文献为 Hueck, A., Der Sukzessivlieferungsvertrag, 1918. 台湾现行法上简要之说明，参阅郑玉波：民法债编各论，第一二一页；曾隆兴，现代非典型契约，第二〇三页。

征，即在分期交付契约自始有一个确定的总给付存在，但分期履行，每一期的给付，仅系部分给付而已。反之，在继续性供给契约，其依一定时间而提出的给付，不是总给付的部分，而是具有某种程度经济上及法律上之独立性，不是第三一八条所称的"一部清偿"，而是在履行当时所负的债务。甲向乙购买牛乳十瓶，每日送一瓶，是为分期交付契约。甲与乙约定，每日由乙送牛乳一瓶，直至甲要求停送时为止，则为继续性供给契约。

二、法律的适用

（一）一时的契约

现行民法系以一时契约（尤其是一次给付的一时契约）为其规律对象。如就买卖契约言，法律规定对整个买卖契约及个别分期（给付部分），均有适用余地，例如，甲向乙等购买沙拉油，分期给付，设乙所交付的某期给付掺有异类物，不堪使用，具有瑕疵时，买受人得就该期给付，主张出卖人应负物之瑕疵担保责任（参阅第三五九条）。倘数期的给付均具有瑕疵，致有相当理由相信出卖人其后难为完全之给付时，买受人得就未给付的部分加以解除。

（二）继续性契约

关于继续性契约上法律的适用，分三点加以说明：

（1）继续性契约不成立、无效或被撤销。继续性契约因当事人一方欠缺行为能力，不生效力，或因意思表示错误、受诈欺或胁迫，而被撤销，设当事人均未为给付时，不生问题。倘已为给付（进入履行阶段）时，原则上应依不当得利规定加以处理。此在买卖、赠与或互易等一时的契约，固甚妥适；但在继续性契约（尤其是雇佣及合伙），应限制无效或撤销的溯及效力，使自当事人主张不生效力无效或撤销之时起向将来发生效力，过去的法律关系不因此而受影响。

（2）继续性契约的债务不履行。继续性契约的债务不履行（给付不能、给付迟延、不完全给付及物之瑕疵担保），原则上应区别"个别给付"及"整个契约"加以处理：❶对个别给付（或供给），可适用民法相关规定，就上开例题言，设 E 某次供给的土鸡患有疾病，造成损害时，A 等合伙人得依不完全给付及物之瑕疵担保规定，行使其权利。❷对整个契约而言，于固有继续性契约（如雇佣、合伙），当事人仅能终止契约；于继续性供给契约（例如，上开买卖土鸡的契约），倘于中途发生当事人一方给付不能、给付迟延或不完全给付时，为使过去的给付保持效力，避免法律关系趋于复杂，应类推适用法定终止的规定，终止契约。[1]

（3）继续性债之关系的终止。在继续性债之关系，当事人的给付范围，既系依时间而定，则在时间上自须有所限制，一个在时间上不可解消的继续性结合关系，将过分限制当事人的活动自由。继续性债之关系的存续期间，有自始约定的，亦有于经过一段期间后，当事人合意使之消灭的。

最值重视的，乃终止契约。诚如德国法学家 O. Gierke 所云，终止的可能性，乃继续性债之关系的标志特征。终止契约，指由当事人行使终止权，使继续性契约关系向将来消灭。此种具有形成权性质的终止权，多基于法律特别规定，如第四二四条（租赁）、第四七二条（使用借贷）、第四八四条第二项、第四八五条及第四八九条第一项（雇佣）等。[2] 劳工法规及土地法为保护经济上弱者而设的特别规定（参阅劳基第十一条以下、土地第一〇〇条，阅读之！），尤值注意。

雇佣及合伙等契约，基于其继续性的结合关系，特别重视信赖基础，要求当事人各尽其力，实现债之目的，除

[1] 郑玉波：民法债编各论，第一二三页；详细之讨论，参阅 Münch Komm/Emmerich，§275 Rdnr. 272-283，§326 Rdnr. 170. 最具实务见解，一九九九年台上字第二十八号判决（请求返还保证金等事件）："继续性供给契约，乃当事人约定一方于一定或不定之期限内，向他方继续供给定量或不定量之一定种类、品质之物，而由他方按一定之标准支付价金之契约。而继续性供给契约，若于中途当事人之一方发生给付迟延或给付不能时，民法虽无明文法定终止契约之规定，但对于不履行契约之债务人，债权人对于将来之给付必感不安，为解决此情形，得类推适用第二五四条至第二五六条之规定，许其终止将来之契约关系，依同法第二六三条准用第二五八条规定，向他方当事人以意思表示为之。"

[2] 请查出民法关于终止契约的规定，作有系统的分类整理，并区别契约终止与契约解除的不同。

给付义务外，尚发生各种附随义务，以维护当事人之利益，信赖基础一旦丧失，或因其他特殊事由难以期望当事人继续维持此种结合关系时，法律自应允许一方当事人终止契约，例如，在雇佣契约，当事人的一方遇有重大事由，其雇佣契约，纵定有期限，仍得于期限届满前终止之（第四八九条第一项）；合伙纵定有存续期间，如合伙人有非可归责于自己之重大事由，仍得声明退伙，不受前两项规定之限制（新修正第六八六条第三项），即依一方的意思表示终止合伙人与其他合伙人间之合伙契约上的法律关系。德国最高法院判例更从此类基于重大事由得终止契约的特别规定（参阅德国民法第六二六条，第六〇一条第二项及第三项及第七二三条第一项第二款、第三款），导出了一般法律原则，认为于长期继续性之法律关系，须当事人之协力及信赖者，于其具有重大事由时，得随时（不经预告）终止契约。[1]

（4）终止契约后的返还义务。契约终止后，自终止之时，嗣后消灭，并无溯及效力，终止以前已发生之损害赔偿请求权，不因终止权的行使而受影响（第二六三条准用第二六〇条）。契约终止后，当事人依各该契约负有返还的义务，如第四五五条规定："承租人于租赁关系终止后，应返还租赁物。租赁物有生产力者，并应保持其生产状态，返还出租人。"（关于使用借贷，第四七〇条）债务人

---

[1] Larenz, Schuldrecht I, S. 29f.；关于其法学方法上的推理过程，参阅拙著：法律思维与民法实例——请求权基础理论体系，第二六一页。

应为物之返还而不为返还时，得构成无权占有、不当得利或侵权行为。

值得注意的是，契约终止既未溯及效力地使契约消灭，其在终止前所为的给付，具有法律上原因，不成立不当得利。[1]

三、例题解说

关于继续性契约与一时的契约在法律上的适用，兹再以上开例题加以说明。A 等成立合伙，经营香鸡城速食店，因竞争激烈，不胜亏损，决定歇业时，其所定的契约，应依如下方法加以处理：

（1）合伙为固有的继续性契约，合伙之目的事业不能完成者，得解散之（第六九二条）。

（2）A 等合伙人向 B 购买家具的契约（买卖），系属一时的契约，A 等合伙人就其未付的价金时，仍有支付之义务。（关于合伙解散后清偿债务，收取债权，参阅第六九四条以下规定）。[2] 已付款时，债之关系消灭。

（3）A 等之合伙人向 C 以分期付款方式购买房屋，为分期付价买卖，其支付价金的义务，不因解散合伙而受影响（参阅第六九七条，第六八一条）。

（4）A 等合伙人向 D 购买高级沙拉油一百斤，每月交付十斤，乃分期交货买卖契约，合伙纵属解散，仍有受领

---

〔1〕 实务上相关争论案例，参阅拙著：不当得利，第四十八页。
〔2〕 史尚宽：债法各论，第六九九页；邱聪智：债法各论（下），第五十六页。

买卖标的物及支付价金的义务（第三六七条）。

（5）A 等合伙人与 E 约定，由 E 供应土鸡，叫货即送，价金依市价，系属继续性供给契约。依此契约的内容，A 等合伙人有"叫货"的权利，而无义务，倘不为叫货，实际上殆同于终止契约。[1]

（6）A 等合伙人向 F 租赁空地，作为停车场，为期二年，是为定有期限之租赁。依第四五〇条第一项规定，其租赁关系于期限届满时消灭，期限未届满，租赁自不消灭。若当事人约定于期限届满前，得终止契约者，A 等（合伙人）得终止之，自不待言（第四五三条）。问题在于 A 等合伙人得否以速食店歇业，合伙解散为理由，而终止租赁。租赁为继续性债之关系，情事变更原则（参阅增订第二二七条之二），亦适用之，但经营不善，财务困难乃债务人应自我承担的危险范围，A 等合伙人不得以情事变更为理由，终止契约，仍应受租赁契约的拘束，有支付租金的义务。

（7）A 等合伙人雇 G 为店员，成立雇佣契约。雇佣定有期限者，其雇佣关系于期限届满时消灭（第四八八条第一项）。雇佣契约系属继续性债之关系，第四八九条规定："当事人之一方，遇有重大事由，其雇佣契约，纵定有期限，仍得于期限届满前终止之。"雇用人经营失败而歇业，系得据以终止契约之重大事由。又 G 系基于从属地位受雇

---

[1] 德国学者亦有称此种类型之契约为 Rahmenvertrag（框架契约），而以每次叫货为个别买卖契约之订立。参阅 Fuchs/Wissemann, Die Abgrenzung des Rahmenvertrags vom Sukzessivlieferungsvertrag, Diss. Marburg, 1979.

于 A 等合伙人，其订立的契约，亦属劳动基准法所称的劳
动契约，有劳动基准法的适用（请参阅劳基第三条规定），
雇主因歇业终止契约者，应经预告，始得为之（劳基第十
一条至第十六条）。此乃出于保护劳动者之目的，尤值注
意。

第七款 有偿契约与无偿契约[1]

下列契约，何者为有偿契约，何者为无偿契
约，其区别标准何在，法律适用上有何实益：❶
赠与。❷使用借贷。❸消费借贷。❹委任。❺保
证。

一、区别标准及实益

契约以各当事人是否因给付而取得对价为标准，可分
为有偿契约及无偿契约。双方当事人各因给付而取得对待
给付的，为有偿契约。当事人一方只为给付，而未取得对
待给付者，为无偿契约。现行民法上的典型契约可分为三
类：❶恒为有偿契约，如买卖、互易、租赁、雇佣、承

---

[1] 在比较法上的研究，参阅 W. Lorenz, Entgeltliche und unentgeltliche Geschäft-eine vergleichende
Betrachtung des deutschen und des anglo–amerikanischen Rechts, FS Rheinstein, Bd. II, 1969, 547.

揽、居间、行纪等。❷恒为无偿契约，如赠与、使用借贷。❸视当事人是否约定报酬（或对价）而定，如消费借贷（是否附利息）、寄托（第五八九条第二项）、委任（第五三五条）、保证等。

有偿契约与无偿契约区别的实益有四：❶限制行为能力人为有偿契约时，非经法定代理人之允许不生效力，但对未附负担之赠与（无偿契约）之允受，因系纯获法律上之利益，得独立为之（第七十七条但书）。使用借贷虽为无偿，但借用人负有返还义务，非纯获法律上利益，仍应得法定代理人之允许。❷债权人撤销权之行使，视有偿行为与无偿行为而异其要件（第二四四条）。❸有偿契约得准用买卖之规定（第三四七条）。❹同一契约（委任或寄托）债务人的注意义务因有偿与否而异（第五三五条、第五九〇条）。

又须注意的是，无偿契约的债权人所受之保护常较有偿契约为弱。债务人所为之无偿行为有害及债权者，债权人得声请法院撤销之（第二四四条第一项）。不当得利之受领人，以其所受者，无偿让与第三人，而受领人因此免返还义务者，第三人于其所免返还义务之限度内负返还责任（第一八三条）。例如，甲售 A 车给乙，乙赠与该车于丙，并依让与合意交付之。设甲与乙之间之买卖契约不成立，而乙不知其事时，乙因所受利益不存在，免返还义务。于此情形，甲得向丙请求返还 A 车的所有权。

二、无偿契约的结构分析[1]

试研读民法关于赠与、使用借贷、消费借贷、委任、寄托及保证的规定，说明无偿契约在契约成立、债务不履行、受契约拘束等问题，分析其异同，探讨其规范意旨，并作立法政策上的检讨。

在无偿契约，仅当事人一方为给付，而未为取得对待给付，对于此种"非自利"的行为，法律视各该契约的性质，就关于其成立、债务不履行，及受契约拘束等问题，设有保护或优遇的规定，涉及民法修正问题，分述如下：

（一）赠与

赠与为无偿契约的典型，赠与人以自己的财产，无偿给与他方，关系重大，民法规定最称详细，迭生争议，民法修正特作相当幅度的变更：

（1）赠与契约的成立与生效。修正前第四〇七条规定："以非经登记不得移转之财产为赠与者，在未为移转登记前，其赠与不生效力。"民法修正将本条删除，立法说明书谓："赠与为债权契约，于依第一五三条规定成立时，即生效力。惟依现行条文规定，以非经登记不得移转之财产权为赠与者，须经移转登记始生效力，致不动产物权移转之生效要件与债权契约之生效要件相同，而使赠与契约

---

[1] Grundmann, Zur Dogmatik der unentgeltliche Rechtsgeschäfte, AcP 198 (1998), 457; Zweigert, Serioitätsindizien-rechtsvergleichende Bemerkung zur Scheidung verbindlicher Geschäfte von unverbindlichen, JZ 1964, 349.

之履行与生效混为一事。为免疑义, 爰将本条删除。"

立法说明书所称疑义, 应系指"最高法院"判例认为: "以非经登记不得移转之财产为赠与者, 在未为移转登记前, 其赠与不生效力, 固为第四〇七条所明定。惟当事人间对于无偿赠与不动产之约定, 如已互相表示意思一致, 依同法第一五三条第一项之规定, 其契约即为成立, 纵未具备赠与契约特别生效之要件, 要难谓其一般契约之效力亦未发生, 债务人自应受此契约之拘束, 负有移转登记使生赠与效力之义务"(一九五二年台上字第一七五号)。此项见解, 确有商榷余地。第四〇七条的删除, 其目的之一似在废除此项判例。

在第四〇七条规定被删除之后, 关于不动产物权的赠与, 应适用新修正第一六六条之一, 即以不动产物权为赠与之标的者, 应由公证人作成公证书。未依规定公证的"赠与契约", 如当事人已合意为不动产物权之移转而完成登记者, 其赠与仍为有效。例如, 某甲与某乙约定赠与某地, 在第四〇七条删除前, 依判例, 甲负有移转登记该地于乙, 使生赠与效力之义务。依新修正规定, 其赠与契约未经由公证人作成公证书者, 无效, 甲不负移转登记该地于乙的义务。惟甲已将该地所有权移转登记于乙时, 其赠与仍为有效。其法律关系完全不同, 应予注意。

(2)赠与的撤销。新修正第四〇八条规定: "赠与物之权利未移转前, 赠与人得撤销其赠与。其一部已移转者, 得就其未移转之部分撤销之。前项规定, 于经公证之赠与, 或为履行道德上义务而为赠与者, 不适用之。"关于赠与物之权利移转后赠与人的撤销权，第四一六条（新修正，阅读之）等设有详细规定。

修正前第四〇八条规定："赠与物未交付前，赠与人得撤销其赠与。其一部已交付者，得就其未交付之部分撤销之。前项规定，于立有字据之赠与，或为履行道德上之义务而为赠与者，不适用之。"立法说明书谓："❶赠与契约于具备成立要件时，即生效力。惟赠与为无偿行为，应许赠与人于赠与物之权利未移转前有任意撤销赠与之权。现行条文规定以赠与物未交付前，赠与人始得行使撤销权，适用范围太过狭隘，爰将第一项'交付'修正为'权利移转'，以期周延。❷立有字据之赠与，间有因一时情感因素而欠于考虑时，如不许赠与人任意撤销，有失事理之平。为避免争议并求慎重，明定凡经过公证之赠与，始不适用前项撤销之规定，爰修正第二项。"

（3）债务不履行责任、瑕疵担保责任。新修正第四一〇条规定："赠与人仅就其故意或重大过失，对于受赠人负给付不能之责任。"[1] 按债务不履行责任原包括给付不能、给付迟延及不完全给付，[2] 此项修正将赠与人的责任

---

〔1〕 修正前第四一〇条规定："赠与人仅就其故意或重大过失，对于受赠人负其责任。"立法说明书谓："赠与人仅因可归责于自己之事由致给付不能时，受赠人始得请求赔偿赠与物之价额。而赠与属无偿行为，依第二二〇条之原则，对于赠与人之责任，应从轻规定。故本条原规定之'其'字，应系指上揭修正条文'因可归责致给付不能'之情形，爰予明示，将'其'字修正为'给付不能'，以期明确。"

〔2〕 第四一〇条采自德国民法第五二一条规定："Der Schenker hat nur Vorsatz und grobe Fährlässigkeit zu vertreten"。德国判例学说一致肯定其适用于债务不履行的一切情形，包括给付不能、给付迟延及不完全给付，参阅 Palandt/Putzo, BGB § 521.

限定于"给付不能"，是否妥适，颇有商榷余地。[1]

关于瑕疵担保，第四一一条规定："赠与之物或权利如有瑕疵，赠与人不负担保责任。但赠与人故意不告知其瑕疵，或保证其无瑕疵者，对于受赠人因瑕疵所生之损害，负赔偿之义务。"

（二）使用借贷、消费借贷

使用借贷为无偿契约，消费借贷原则上为无偿契约（其附利息时，为有偿契约）。为保护贷与人，民法规定此两种契约为要物契约，在物之交付前，贷与人不受其拘束。时至今日，尤其是在金钱借贷，其要物性实已失其存在的依据，故民法修正另设使用借贷预约及消费借贷预约，以资缓和，但又以使用借贷为无偿契约，允许预约贷与人得撤销其约定（新修正第四六五条之一）。在消费借贷预约，新修正第四七五条之一，则区别其为有偿或无偿，而设撤销预约之规定（阅读之）。

关于使用借贷及消费借贷贷与人债务不履行及物之瑕疵担保责任，民法减轻其责任（第四六六条、第四七六条）。关于借用物之返还，或终止契约，亦考量其无偿性而设有规定（第四七〇条、第四七二条、第四七八条）。

---

[1] 修正前第四一〇条规定的立法理由书谓"谨按赠与者，专为受赠人之利益而设者也。受赠人虽为债权人，不得与他债权人同视，务减轻受赠人之利益，以保护赠与人之权利，以昭公允。故赠与之标的物，在未交付以前，有灭失毁损时，赠与人仅就其故意或重大过失，负其责任，盖以赠与系属无偿行为，对于赠与人之责任，自应稍从轻减。此本条所由设也。"其指给付不能，仍举例而言，非谓限于此种情形。

（三）委任

委任得为无偿或有偿。委任为无偿时，受任人应与处理自己事物为同一之注意。委任为有偿时，应以善良管理人之注意为之（第五三五条）。

（四）寄托

寄托以无偿为原则。第五八九条规定："称寄托者，谓当事人一方，以物交付他方，他方允为保管之契约。"通说认寄托为要物契约。寄托亦得为预约，惟民法未设特别规定。受寄人保管寄托物，应与处理自己事务为同一之注意。其受有报酬者（有偿寄托），应以善良管理人之注意为之（第五九〇条）。

（五）保证

保证原则为无偿契约。在民法保证契约为诺成契约，在德国民法、瑞士债务法则为要式契约（德国民法第七六六条、瑞士债务法第四九三条）。学说上有认为保证为无偿、单务契约，双方有失平衡，保证人通常预期主债务人为清偿，不免轻易承诺，故立法上有以书面订立为其成立要件。[1] 此次民法修正对保证仍维持诺成契约，但对增订的人事保证契约，则规定应以书面为之（第七五六条之一），立法说明书谓此乃"为示慎重，并期减少纠纷。"此

---

〔1〕史尚宽：债法各论，第八四四页。相关条文务必阅读之，并请分析检讨其内容及立法理由。

项要式的理由，于一般保证难谓不存在。

三、综合比较观察

兹为便于综合比较分析观察，兹将民法关于无偿契约的特别规定，图示如下：[1]

项目 无偿契约		成　立	预　约	债　务 不 履 行	瑕疵担保	受契约的拘束
赠　与		1.不动产:公证 (一六六之一) 2.其他:不要式、 不要物		给付不能:故意、 重大过失 (四一〇)	故意不告知或 保证无瑕疵	1.赠与物权利未 移转前之撤销(四 〇八) 2.撤销权(四一 六至四二〇)
使用借贷		要物契约 (四六四)	四六五 之一		故意不告知 借用物的瑕疵 (四六六)	1.借用物返还(四 七〇) 2.终止契约(四 七二)
消费借贷	无偿 (原则)	要物契约 (四七四)	四七五 之一、Ⅱ		四七六Ⅱ、Ⅲ	(四七八)
	有偿		四七五 之一、Ⅰ		四七六Ⅰ	(四七八)
委任	无偿 (原则)	诺成契约		应与处理自己 事务为同一注意 (五三五)		
	有偿			善良管理 人的注意 (五三五)		
寄托	无偿 (原则)	要物契约 (五八九)		应与处理自己 事务为同一注意 (五九〇)		
	有偿			善良管理 人的注意 (五九〇)		
保证	一般	诺成契约				保证责任的除 去(七五〇)
	人事	要式行为				终止契约 (七五六之四)

---

[1]　相关条文务必阅读之，并请分析检讨其内容及立法理由。

关于民法上无偿契约的种类及其内容结构，最值重视的是其成立或有效要件。依修正第一六六条之一规定，不动产物权赠与须经公证人公证，乃出于保护无偿赠与人，基本上可资赞同，惟关于使用借贷或消费借贷，一方面维持其要物性，一方面又藉"预约"加以缓和，以适应事实上需要，在跨世纪前的民法修正，仍保留古罗马法上残留物，应非妥适，前已论及。

民法对无偿契约上的债务不履行或瑕疵担保责任，多设有减轻债务人注意程度的规定。此项优遇无偿契约债务人的规范意旨，于侵权行为亦应加以贯彻。例如，甲赠乙某蛋糕，因含有不洁物，致乙食而中毒，乙依第一八四条第一项前段规定向甲请求损害赔偿时，亦须以甲故意不告知瑕疵要件。[1]

第八款　一方负担契约与双方负担契约

（1）下列契约，何者为一方负担契约，何者为双务契约，何者为不完全双务契约，其区别有何实益：❶保证。❷和解。❸承揽。❹无偿委任。

（2）附利息的消费借贷是否为有偿契约？是否亦为双务契约？

---

〔1〕拙著："契约责任与侵权责任之竞合"，民法学说与判例研究（一），第三九五页。

一、区别的标准及实益

契约依其作用可分为一方负担契约及双方负担契约，而后者，又可分为双务契约及不完全双务契约，分述如下。[1]

（1）一方负担契约（片务契约），指仅一方当事人负担给付义务的契约，赠与为其典型。保证契约亦属之。

（2）双方负担契约，指双方当事人互负义务之契约：❶双务契约，即双方当事人互负居于给付与对待给付关系的契约。易言之，即一方之所以负给付义务，乃在于取得对待给付，例如，在买卖契约，买受人负支付价金的义务，而出卖人负移转财产权的义务；在租赁契约，出租人负交付租赁物的义务，承租人负支付租金的义务。在典型契约中，属于双务契约的，除买卖、租赁外，尚有互易、雇佣、承揽、合伙、和解等。❷不完全双务契约，即双方虽各负有债务，但其债务并不居于给付与对待给付之关系。

不完全双务契约与双务契约的区别，可以委任为例，加以说明。甲委托乙购买土地，报酬二万元，乙允为处理，是为有偿委任，乙的给付义务（处理事务）与甲的给付义务（支付报酬），立于对待关系，故为双务契约。设甲与乙未约定报酬时，是为无偿委任，依第五四五条规定，委任人有预付必要费用的义务。于此情形，乙处理事

---

[1] 关于此项分类，参阅梅仲协：民法要义，第六十六页；郑玉波：民法债编总论，第二十八页。

务的义务与甲预付必要费用的义务，并不居于给付与对待给付的关系，故无偿委任系属于不完全双务契约。准此以言，有偿的寄托为双务契约，无偿的寄托，则为不完全的双务契约（参阅第五八九条及第五九五条）。

认定当事人所约定的契约（典型或非典型）是否为双务契约，其主要的实益在于同时履行抗辩（第二六四条），及危险负担（第二六六条、第二六七条）等规定的适用。第二六四条第一项规定："因契约互负债务者，于他方当事人未为对待给付前，得拒绝自己之给付。但自己有先为给付之义务者，不在此限。"所谓因契约互负债务者，指双务契约而言。例如，在买卖，出卖人于买受人未支付价金前，得拒绝移转财产权。在无偿委任，受任人则不得主张委任人未预付必要费用，而拒绝处理事务，因为二者并非基于双务契约所生，立于互为对待给付关系的债务，无第二六四条第一项规定的适用。

二、附利息消费借贷是否为双务契约的争论

在学说上有争论的是，附利息的消费借贷是否为双务契约。传统见解认为，贷与人的交付标的物与借用人的支付利息发生对价关系，亦即为对价关系之给付，故属于有偿契约；惟仅借用人之一方负担债务，贷与人虽亦应交付其物于他方，然而此之交付乃消费借贷契约的生效要件，并非负担债务，故属一方负担契约（片务契约），而非双

务契约。[1] 此项见解，系以第四七五条（已被删除）："消费借贷，因金钱或其他代替物之交付，而生效力"的规定为依据，认为贷与人不负有义务。

实则，在消费借贷，贷与人亦负有义务，即应将金钱或其他代替物让与相对人使用，而且为一种继续性的给付，与出租人之应将不代替物让与承租人使用，殆无不同。借用人所以支付利息，乃在获得金钱或其他借贷的使用收益，论其实质，与承租人支付租金以获得租赁物的使用收益，应属相同。准此以言，附利息的消费借贷应解为系属双务契约。[2]

一个契约的法律性质究为双务契约与否，应就其双方当事人实际上是否负有互为给付关系而定，不应因其是否为要物契约而受影响。依传统见解的思考方法，倘民法规定："租赁，因租赁物之交付，而生效力"，则租赁契约亦将成为片务契约矣！此种思考方式纯从形式立论，忽略于互为给付的实质上关系，是否妥适，不无研究余地。

第九款 预约与本约[3]

（1）预约与本约如何区别？坊间所订立的"房

---

[1] 郑玉波：民法总论，第三十页。孙森焱：民法债编总论，第二十七页。

[2] 此为德国目前通说，Larenz, Schuldrecht II, Halbband I, S. 298f.

[3] 蓝瀛芳："论预约"，载法学丛刊，第二十八卷、第一一〇期、第三十页。（本论文系以法国法为论述重点）。德国法上的主要资料有：Henrich, Vorvertrag, Optionsvertrag, Vorrechtvertrag, 1965; Wabnitz, Der Vorvertrag in rechtsgeschichtlicher und rechtsvergleichender Betrachtung, Diss. Munster, 1962. 瑞士债务法第二十二条对预约设有规定，有关论述亦为不少，参见 Roth, Der Vorvertrag: Eine zivilistische Studie unter besonderer Berücksichtigung von Art. 22 des schweizerischen Obligationsrechts, 1928. 日本法上的最近资料，参阅仓田效士，"予约"，现代契约法大系，第一卷，现代契约的法理（一），第223页。

屋预定买卖契约"或"土地预定买卖契约"是否
为预约？若属预约，是否须经公证人公证，始生
效力（参阅新增订第一六六条之一）。

（2）当事人为订立契约，得订定较长的承诺期
间，得赋予他方当事人以单方意思表示形成契约
的权利，得对契约附以条件或期限，亦得订立预
约。试从交易的观点分析其功能。

一、意义功能及区别

预约，乃约定将来订立一定契约的契约，本约则为履
行该预约而订立的契约，故预约亦系一种契约（债权契
约），而以订立本约为其债务的内容。双方当事人互负此
项债务的，称为双务预约；仅当事人一方负担此项债务
的，称为单务预约。关于预约，民法未设规定，基于契约
自由原则，当事人间自可有效约定，而且对任何债权契约
均得订立预约，不限于要物契约，在诺成契约（尤其是买
卖）实务上亦颇常见，一九七二年台上字第九六四号判例
谓："契约有预约与本约之分，两者异其性质及效力。预
约权利人仅得请求对方履行订立本约之义务，不能径依预
定之本约内容请求履行。又买卖预约，非不得就标的物及
价金之范围先为拟定，作为将来订立本约之张本，但不能

因此即认买卖本约业已成立。"可供参考。[1]

预约之目的在成立本约，当事人所以不径订立本约，其主要理由当系因法律上或事实上的事由，致订立本约，尚未臻成熟，乃先成立预约，使相对人受其拘束，以确保本约的订立。兹举数例如下：❶甲拟向乙借款，乙表示须俟一个月后始有资金，甲乃与乙订立"消费借贷"的预约，约定于一个月后再订立本约。[2] ❷甲、乙、丙等人拟合伙经营某共同事业，因尚须邀请他人加入，为确保将来合伙能够成立，乃先订立合伙的预约。

当事人的约定，究为预约抑系本约，在理论上固易区别，实际上则不易判断，应探求当事人的真意加以认定。订立预约在交易上系属例外，有疑义，宜认为系属本约。一九七六年台上字第一一七八号判决谓："当事人订立之契约，为本约？抑预约，应就当事人意思定之。当事人之意思不明或有争执时，则应通观契约全体内容定之，若契约要素业已明确合致，其他有关事项亦规定綦详，已无另行订定契约之必要时，即应认为本约。"[3] 一九七五年台上字第一五六七号判例谓："预约系约定将来订立一定契约（本约）之契约。倘将来系依所订之契约履行而无须另订本约者，纵名为预约，仍非预约"。当事人由他方受有订金，其依第二四八条规定，应视为成立之契约，究为本约抑系预约，应依其情事，解释当事人之意思定之，不得

---

〔1〕 关于本判例的检讨意见，参阅孙森焱：民法债编总论，第三十三页（注9）。
〔2〕 关于使用借贷的预约与消费借贷预约，参阅新修正第四六五条之一、第四七五条之一。
〔3〕 "司法院公报"，第二十卷第二期。

谓凡有定金之授受者，概视为已成立本约（参阅一九八一年台上字第一四七四号判例）。[1]

须注意的是，目前不动产交易上常使用的"土地买卖预约书"及"土地预定买卖契约"，系属本约，而非预约，一九七五年台上字第一五六七号判例谓："本件两造所订契约，虽名为'土地买卖预约书'，但买卖坪数、价金、缴纳价款、移转登记期限等均经明确约定，非但并无将来订立买卖本约之约定，且自第三条以下，均为双方照所订契约履行之约定，自属本约而非预约。"可资参照。[2]

当事人为订立契约，除预约外，尚有其他方式可资采取：❶确定的要约（Festofferte），即订立较长之承诺期间，使相对人得随时承诺而成立契约。❷选择权契约（Optionsvertrag），即赋予当事人得依其单方的意思表示，使一定契约发生效力的权利（形成权）。[3]❸订立附条件或期限的契约。当事人所订立的，究属何者，有疑义时，应解释当事人的意思及交易目的而为认定（参阅例题二）。

---

〔1〕 新修正第二四八条规定："订约当事人之一方，由他方受有订金时，推定其契约成立"。

〔2〕 鉴于此项契约书在实务上的重要性，兹录一九八四年台上字第二五四〇号判决之裁判要旨如下，以供参考："两造缔结之'房屋预定买卖契约书'及'土地预定买卖契约书'，核其给付之内容，系上诉人按被上诉人施工之进度，将价款逐期交付被上诉人，于房屋建成后，由被上诉人将土地及房屋分别过户与上诉人，属将来给付契约之一种，在给付期限届至前，土地所有权即令非属被上诉人所有，或设定有他项权利，于该契约之有效成立，均属无妨，上诉人对已届清偿期之价款，仍有给付之义务，此为房地预购契约之特质。"判决全文请阅民事裁判专辑"有关房屋合建契约"，第一〇三页。

〔3〕 关于 Optionsvertrag 的法律性质，参阅 v. Einem, Die Rechtnatur der Option, 1974; Georgiades, Optionsvertrag und Optionsrecht, Festschrift für Larenz, 1973, 409.

二、预约的成立与有效

预约既属债权契约，自应具备契约成立及有效的一般要件。预约的内容须可得确定，俾法院于诉讼时，得依解释而确定本约的内容。关于预约是否须从本约的方式，应分法定方式及约定方式两种情形而定：❶在法定方式，应视本约所以为要式的理由。如要式之目的在于保全证据时，预约不必与本约采取同样方式。倘要式之目的在于促使当事人慎重其事时，预约应与本约采取同样的方式，[1]以贯彻要式契约之规范目的，准此以言，关于不动产买卖的预约，亦应有第一六六条之一规定的适用。❷在约定方式，须视当事人关于方式约定是否仅限于本约，抑或及于预约而定。

三、预约的效力

预约债务人负有订立本约的义务，权利人得诉请履行，法院应命债务人为订立本约的意思表示，债务人不为意思表示者，视同自判决确定时已为意思表示（参阅强执第一三〇条）。本约成立后，债权人即有请求给付的权利，基于

---

[1] 郑玉波：民法债编总论，第三十三页。

诉讼经济原则，债权人得合并请求订立本约及履行本
约。[1]

　　最后，须再说的是，预约与本约的性质及效力均有不
同。一方不依预约订立本约时，他方仅得请求对方履行订
立本约的义务，尚不得依预定的本约内容，请求赔偿其可
预期的利益。[2]惟债务人因可归责事由对于订立本约应负
迟延责任时，债权人得依一般规定请求损害赔偿。基于预
约而生各种请求权的消灭时效，应依本约上给付履行请求
权的时效期间定之。

第十款　综合整理

　　契约的类型及其结构分析可供认识各种契约的法律性

---

　〔1〕　法律问题："甲于一九九一年一月二日预约将 A 土地以三百万元出售于乙，言明在同年一
　　　　月三十日订立书面本约时，付款二百万元。届期乙要求付款二百万元，须办抵押权登记为
　　　　保障。甲于收受价金并非借款，不同意办理抵押权登记，当日未能订立书面本约，嗣地价
　　　　上涨，乙于同年五月一日对甲起诉，请求判命甲订立书面本约，并依本约于乙给付三百万
　　　　元之同时，甲应将 A 土地所有权移转登记于乙。问法院对乙之请求应否准许？"民事厅研
　　　　究意见："民法虽未就'预约'特设其规定，惟预约系当事人约定将来订立某一契约之契
　　　　约，本质上仍不失为债权契约之一种，故由预约而生之权义关系，自应依一般债权契约之
　　　　规定断之。又预约成立后，预约债权人基于诉讼经济之原则，合并诉请债务人订立本约及
　　　　履行本约，亦非法所不许（参照一九九一年台上字第二五四一号判例意旨）。题示情形，
　　　　甲、乙于买卖预约所定'订立本约之十日期间'，既未约明两造未于期限内订立本约者，
　　　　其预约失其效力，而甲又未以乙迟延给付为由依法解除预约，则两造间买卖预约关系依然
　　　　存在，乙据以诉请申请立书面本约，并于依本约内容提出对待给付时，甲应将买卖标的土
　　　　地移转登记为其所有，揆诸首开说明，尚无不合。一九七二年台上字第九六四号判例意旨
　　　　所示：'预约权利人仅得请求对方履行订立本约之义务，不得径依预定之本约内容请求履
　　　　行'云云，似仅指未请求订立本约以前，不得径行单独请求履行本约，尚不禁止两者同时
　　　　合并请求。"（录自民事法律问题研究汇编第八辑第十四则）
　〔2〕　一九八五年台上字第一一一七号判决，载民刑事裁判选辑，第六卷，第一期，第五十页。

质及其规范内容，并有助于处理层出不穷的非典型契约。
为使读者对此有综合的理解，兹举日常生活常见的买卖、
赠与及旅游契约（民法修正增订）为例，图示如下，以便
参照：

```
                        ┌ 典型契约
                        │
                        │         ┌ 不动产物权：公证（一六六之一）
                        │ 要式性 ┤
                        │         └ 其他：不要式
                   买卖 ┤ 诺成契约
                        │ 要因契约
                        │ 有偿契约
                        └ 双务契约
                        ┌ 典型契约
                        │
                        │         ┌ 不动产物权：公证（一六六之一）
                        │ 要式性 ┤
          契约类型 ┤ 赠与 ┤         └ 其他：不要式
                        │ 诺成契约
                        │ 要因契约
                        │ 无偿契约
                        └ 单务契约
                        ┌ 典型契约：非典型契约的有名化
                        │ 不要式契约
                        │ 诺成契约
                   旅游契约 ┤ 要因契约
                        │ 继续性契约
                        │ 有偿契约
                        └ 双务契约
```

第四节　契约的缔约

第一款　请求权基础的体系构成[1]

甲于三月二日致函于乙，表示以五百万元出售某件古董，该函于三月三日下午到达。甲于三月二日下午获知有人愿以高价购买其古董，即寄发限时专送快信，表示撤回前函。邮差于三月三日上午送达时，乙适外出，邮差留下通知书载明三月四日上午九时起一周内，前往某邮局领取信件。经查乙于三月三日下午即已致函于甲，表示购买，于三月五日到达。乙于三月四日下午赴邮局取信时，始知甲撤回之事，并即发迟到之通知。试问：

（1）乙得否向甲请求交付该件古董，并移转其所有权？

（2）设甲为禁治产人或未成年人时，其法律关系如何？

（3）设甲将五百万元的价金误书为三百万元时，甲得主张何种权利？

---

[1] 参阅拙著：法律思维与民法实例——请求权基础理论体系，第七十七页以下。

（4）设该件古董于三月一日或三月六日灭失时，当事人间的法律关系有何不同？[1]

一、契约的请求权基础

上开例题涉及两个主要请求权：一为乙得否向甲请求履行契约；一为乙得否向甲请求债务不履行（给付不能）的损害赔偿（履行利益）。在解题思考上，首应检讨的是，乙的请求权基础，即寻找一个可支持乙向甲有所主张的法律规范。其应思考的过程为：

（1）所涉及的，是否为契约上的请求权？

（2）当事人所订立的，究属何种契约？

（3）该契约是否具备成立及生效要件。倘为肯定，则发生契约上的给付请求权（主给付请求权），例如，基于有效成立的买卖契约，买受人得向出卖人请求交付其物，并移转其所有权（请求权基础：第三四八条）；出卖人得向买受人请求支付价金及受领标的物（请求权基础：第三六七条）。

（4）设该契约有效成立，但因可归责于债务人之事由，致给付不能、给付迟延或不完全给付时，债权人得请求损害赔偿（请求权基础为第二二六条、第二三一条、第二二

---

[1] 请读者先研读此例，启发问题意识，在读完本节之后，再对本题作成书面解答，测试了解的程度。

七条），而发生所谓次给付请求权。

（5）设该契约不成立或不生效力时，虽不发生契约上的请求权，但仍可产生其他法律关系，如缔约上过失（新修正第二四五条之一、第二四七条等）。就已为的给付，得成立不当得利返还请求权（第一七九条）。

兹为便于观察，将契约上的主给付请求权及次给付请求权（债务不履行）的构成要件，图示如下：

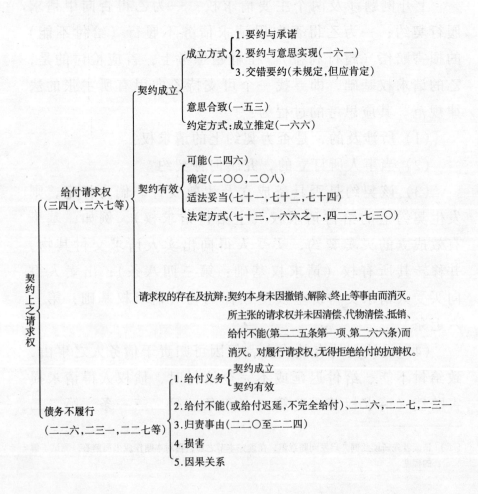

二、缔约契约的三种机制[1]

本书所要讨论不是关于契约的基本问题，仅是"缔约契约"的部分而已。在体系结构上须要了解的是，契约是法律行为的一种，关于要约与承诺所涉及的意思表示系在民法总则中设其规定。此种立法体系乃建立在法律行为理论及"由一般到特殊，从抽象到具体"的立法技术之上。其优点是逻辑一贯，体例严谨，其缺点系将契约制度的相关问题，分散于各处规定，必须前后贯穿，始能综合运用于处理关于契约的法律问题。

契约因当事人互相意思表示一致而成立，其方法有三：

（1）依要约与承诺成立契约：即先由一方对他方为订立契约的意思表示（要约），而由他方为承诺。此为最常见之契约成立方法，故民法特设详细规定（第一五四条以下）。

（2）依一方的要约与他方的意思实现而成立契约（第一六一条）。

（3）依要约交错而成立契约：即当事人互为同一内容的要约，学说上称为交错要约，此亦为意思合致之一种形

---

[1] 契约缔约（Formation of Contract, Vertragabschluss）是契约上的重要基本问题，在国际商品买卖亦属重要。比较法的巨著，Schlesinger, Formation of Contract, A Study of Common Core of Legal Systems, 2 Bände 1968. 参阅拙著"一九六四年海牙统一国际商品买卖法"，民法学说与判例研究（一），第一一一页；Schlectriem, Internationales Un-Kaufrecht, 1995, S. 45f.

态，民法虽未设明文规定，亦得成立契约。

　　于逐项说明上述三种契约成立方法之前，须提请注意的是，要约与承诺是一个讨价还价、磋商谈判的发展过程，也是交易上各种策略的运用，必须就当事人的每一个行为，审慎地作法律上的判断。

第二款　要　　约

第一项　要约的概念

　　一、甲在台大法学院图书馆设置饮料自动贩卖器。乙投入二十元，咖啡出来，乙饮毕，见机器故障，投入的二十元硬币又再跳出，乙四顾无人乃取而放入口袋，适为甲的职员发见。试问甲得向乙主张何种权利。设乙投入二十元，因机器故障，咖啡及投入的硬币均不出来时，乙得向甲主张何种权利？

　　二、试问下列情形，何者为要约，何者为要约的引诱：

　　（1）价目表的寄送。

　　（2）刊登家教广告。

　　（3）超级市场标价陈列物品。

（4）计程车排班等候顾客。

（5）标卖。

一、要约的成立

要约系以订立契约为目的之须受领的意思表示，其内容须确定或可得确定，得因相对人的承诺而使契约成立。兹分三点加以说明：

（1）要约系意思表示，且为须受领的意思表示，总则编关于意思表示的规定，均有适用余地。

（2）要约的内容须确定或可得确定，得因他方的承诺而使契约成立。因此要约必须包括各该契约必要之点（要素），如财产权及价金（买卖），一定劳务的提供与报酬（雇佣）。要约的内容可得确定的，如电视故障请电器行修理而未讲明报酬（承揽），于此情形，非受报酬，即不为完成工作，视为允与报酬，虽未定报酬，可照价目表给付（参阅第四九一条）。

（3）要约通常多向特定人为之，但向不特定人为要约的，亦属有之，如自动咖啡贩卖器的设置。[1] 于此情形，可认为设置贩卖器人，有与任何投入约定货币之人，订立买卖契约的默示意思。顾客投入货币应解为系依意思实现而成立契约。自动贩卖器输出咖啡，系给付义务的履行，

---

[1] 自动贩卖器的排设，一般多认系为要约，但尚有争论，Medius, AT. S. 136.

投入的货币亦依让与合意而交付（第七九一条），由贩卖器设置人取得其所有权，故任何人擅取因贩卖器故障而跳出的硬币，应构成侵权行为（第一八四条第一项前段）。须注意的是，依自动贩卖器而为的要约，在解释上应认系以能正常运作或有存货为条件（解除条件），故自动贩卖器故障或无存货时，要约失其效力，顾客虽投入货币，仍不能成立契约，就其投入的货币，得依不当得利规定请求返还（第一七九条）。

二、要约与要约的引诱

要约系以订立契约为目的，因此要约与要约的引诱（invitation ad offerendum），应严予区别。要约的引诱，乃在引诱他人向其为要约，其本身并不发生法律上的效果。二者的差异，在理论上虽甚清楚，但实际上颇难分辨，应依下述原则加以判断：

（1）表意人表示其为要约，或要约的引诱的，依其表示。

（2）表意人未为表示时，适用民法为典型情况而设的规定，即："货物标定卖价陈列者，视为要约。但价目表之寄送，不视为要约。"（第一五四条第二项）此为任意规定，故时装店得于其橱窗内展示的衣服上标示"样本"等文字，而排除其为要约。所谓货物标定卖价陈列者，多见于超级市场或自助商店。顾客的承诺，应向商店主人或其店员为之，在此之前，顾客虽将商品放置购物篮内，仍可随时放回。顾客将欲购买的汽水瓶放置柜台，排队等候结账，若因该汽水瓶突然爆破而受伤时，仅能依侵权行为规定，请求损害赔偿，而不能主张契约上的权利，盖买卖契约尚未因承诺到达相对人而成立（参阅例题一）。

（3）于其他情形，应解释当事人的意思而定之，其所应考虑的因素有：❶表示内容是否具体详尽。❷是否注重相对人的性质。❸要约是否向一人或多数人为之。❹当事人间的磋商过程。❺交易惯例。准此以言，登报征求家庭教师、家务管理、司机，或出售房屋的广告，[1]因系向多数人为之，而且注重当事人性质，应认系要约的引诱，而非要约。"公产机关"通知承租人办理特种房地申购手续，其性质亦为要约的引诱。计程车排班等候顾客（或在路上招揽顾客），究为要约或要约的引诱，不无疑问，衡诸目前交易实务，似应认系要约的引诱，如顾客表示黑夜前往深山某处时，计程车司机顾及安全，得拒绝载运。

关于标卖之表示，究为要约之引诱抑为要约，颇有争论，一九四四年永上字第五三一号判例认为对此法无明文

---

〔1〕一九八四年度台上字第二五四〇号判决谓："被上诉人售屋广告虽自称投资五百亿元，且有大学教授等名流参与，惟查广告文字仅为要约之引诱。"可供参考。判决全文请参阅民事裁判专辑"有关房屋合建契约"，第一〇二页。惟须注意的是，广告得为契约内容，一九九八年度台上字第一一九〇号判决："按购屋人倘系受建商所为预售屋广告之引诱后，进而以此广告之内容与建商洽谈买卖，则该广告内容之记载，显已构成双方买卖契约内容之一部。本件依被人之广告显示米兰公爵别墅之设计为欧式大门，左右有两根罗马柱，分别嵌铸主人名字之铜牌，另立一尊艺术雕像。若两造系以上开广告内容，合意订立系争买卖契约，则该广告自构成系争买卖契约内容之一部，被上诉人即应负履行该契约内容之义务。"

规定，[1]　"应解释标卖人之意思定之。依普通情形而论，标卖人无以之为要约之意思，应解为要约之引诱，但标卖之表示，如明示与出价最高之投标人订约者，除别有保留外，则应视为要约，出价最高之投标即为承诺，买卖契约因之而成立，标卖人自负有出卖人之义务"。[2]

三、现物要约："消保法"第二十条

某甲收到乙出版社寄来的"玛丽莲·梦露外传"，内附邮局划拨单及说明书，记载："一周内，未退还者，视为承诺，请即至邮局办理划拨。"试问：

（1）甲一周内未退还时，乙得否向甲请求支付价金？

（2）甲因过失致该书灭失时，乙得否向甲请求损害赔偿？

（3）阅读消保第二十条规定，分析解释其规定内容。

---

〔1〕德国民法第一五六条规定："拍卖，其契约因拍定而成立。若有较高出卖的表示或拍卖因无拍定而结束时，其标卖的意思表示消灭。"明定标卖的表示为要约，但此为任意规定，得变更之。

〔2〕一九九三年台上字第一八五〇号判决："标卖与拍卖，均属标卖人或拍卖人使竞买人各自提出条件而择其最有利者为出卖之方法。（见：一九四三年永上字第三七八号判例）标卖时，标卖人所揭示之'标售（卖）公告'，不论解为要约或要约之引诱，竞买人苟未依其标售公告内容为承诺或要约，或径将'标售公告'内容为扩张、限制或变更而为承诺或要约，既不符标卖人原要约或要约引诱之意旨，标卖人似非不得拒绝竞买人之承诺或就其变更后之新要约不为承诺。"民事裁判书汇编，第十三期，第八十七页。

　　未经订购而邮寄或投递商品，称为现物要约，相对人不因此而负有承诺的义务。要约人表示，于某期间内未退还，或未为拒绝的表示时，视为承诺时，此项表示不具法律上的效力，因任何人不得片面课以相对人作为或不作为的义务。相对人虽不负退还商品的义务，但应如何处理，甚滋疑义。消保第二十条规定："未经消费者要约而对之邮寄或投递之商品，消费者不负保管义务。前项物品之寄送人，经消费者定相当期限通知取回而逾期未取回或无法通知者，视为抛弃其寄投之商品。虽未经通知，但在寄送后逾一个月未经消费者表示承诺，而仍不取回其商品者，亦同。消费者得请求偿还因寄送物所受之损害，及处理寄送物所支出之必要费用。"关于本条的解释适用，应说明的有五点：[1]

　　（1）消费者对寄投的商品虽不负保管义务，但对他人所有权应予尊重，乃民法基本原则，故意或重大过失丢弃毁损时，仍应负侵权行为责任。[2]

　　（2）所谓视为抛弃其寄投之商品，指抛弃其所有权而言。该投寄之商品既因法律规定视为抛弃而成为无主物，消费者得依先占而取得其所有权（第八〇二条）。寄送物非属寄送人所有，例如，甲偷窃乙的物品，对丙为现物要约时，无论类推"消保法"第二十条规定或善意取得规定

---

[1] 詹森林："消费者保护法上特种之买卖之实务与立法问题"，载消费者保护研究，第三辑，消费者保护委员会发行，一九九七年，第一二六页。

[2] 消费者对未经要约而投寄的商品，就其重大过失应否负责，德国通说采肯定见解，Weimar, Zweifelfragen zur unbestellten Ansichtsendung, JR 1967, 417；Wessel, Die Zusendung unbestellten Waren, BB 1966, 432.

（第八〇一条、第九四八条），均有疑问，[1] 应有明确规定的必要。[2]

（3）消费者的承诺，得以意思表示为之，亦有第一六一条规定的适用，例如，消费者使用寄投之商品，有可认为承诺之事实时，其契约为成立。

（4）消费者就其所受的损害，及处理寄送物支出的必要费用，就寄投之商品得主张留置权（第九二八条）。

（5）消费者对寄投之商品虽不负保管义务，但得为保管而成立无因管理。

第二项　要约的成立、生效与撤回

甲欲出售某车于乙，草成一函，放置桌上。试问于下列情形，买卖契约得否因乙的承诺而成立：

（1）甲寄信与否，其意未定，外出观光时，其菲律宾女佣径为寄出。

（2）甲于三月一日寄信，三月三日下午到达乙。甲于三月二日以限时挂号信表示撤回，邮差于三月三日上午送达时，乙适外出，留下领取通知书。乙于三月三日下午发出承诺函件，并于三

---

[1] 詹森林，前揭文（一七七页），第一二六页以下。

[2] 对相对人径行发送标的物而为要约，英国一九七一年制定 Unsolicited Goods and Services Act，规定于此种情形，相对人不愿购买者，要约人得于六个月内取回其物，超过六个月者，该未经订购之物，即视为无条件的赠与，由相对人取得其所有权。此种立法例具启发性，参阅 Gordon Borrie and Aubrey L. Diamond, The Consumer, Society and the Law, 1983, p. 65.

月五日前往邮局取信时，始知甲撤回之事，并即发迟到之通知。

一、要约的成立

要约系属意思表示，须具备意思表示的要件，始能成立，如甲欲出售某车予乙，草成乙函，寄出与否，其意未定，而他人径为寄出时，对甲而言，欠缺行为意思（Handlungswille），[1] 无要约可言，乙不能对之为承诺而成立契约。于此情形，甲对其行为意思的欠缺，应负举证责任。

二、要约的生效

（一）要约的生效时期

要约成立后，应再检讨的是，要约是否发生效力。要约生效时期因对话与否而不同。向对话人为要约时（如面谈或打电话），于相对人了解时，发生效力（第九十四条）。向非对话人为要约时（如写信、打电报、发送 Telefax），[2] 于通知到达相对人时发生效力（第九十五条）。要

---

〔1〕 拙著：民法总则，第二四七页以下。

〔2〕 关于 Telefax 等现代传讯工具对契约成立所生影响，是一个值得研究的问题，在此难以详论，参阅 Burgard, Das Wirksamwerden empfangsbedürftiger Willenserklärungen im Zeitalter moderner Telekommunikation, AcP 195（1995）74f.; Donaueschingen, Rechtsprobleme bei Verwendung von Telefax, NJW 1992, 2986; Larenz/Wolf, AT. S. 603. 参阅杨桢：英美契约法总论，第七十九页，关于电子资讯传输（EDI）的说明。

约若未生效（如信件中途遗失），相对人虽由他人获知为要约的意思表示，亦无从对之为承诺，而使契约成立。

（二）要约的撤回

1．要约的撤回性。要约发出后，要约人因另有考虑，撤回要约，以阻止要约发生效力的，亦常有之。为兼顾相对人利益，第九十五条第一项但书特规定，要约得为撤回，但其撤回之通知须同时或先时到达，其撤回始生效力。关键的问题在于"到达"与否，如何认定？

一九六五年台上字第九五二号判例谓："达到系仅使相对人已居可了解之地位即为已足，并非须使相对人取得占有，故通知已送达于相对人之居住所或营业所者，即为达到，不必交付相对人本人或其代理人，亦不问相对人之阅读与否，该通知即可发生意思表示之效力。"此项判断标准，颇为抽象，应就个案予以具体化，如撤回之信函，已投入相对人的信箱，其后其被人取走时，仍应认其已到达，而发生撤回的效力。

值得提出讨论的是，挂号信送达时，相对人不在，未能受领，其到达时间如何决定？在理论上可有三种见解：❶邮差送达时。❷领取通知书所载最早可能领取信件的时间。❸实际领取信件时间。第二说兼顾双方当事人利益，合理分配危险，较值赞同。[1]

（2）相对人的通知义务。要约虽得撤回，但后到的撤回通知，不发生撤回的效力，要约仍为有效，相对人得为承诺。第一六二条规定："撤回要约之通知，其到达在要约到达之后，而按其传达方法，通常在相当时期内应先时或同时到达，其情形为相对人可得而知者，相对人应向要约人即发迟到之通知。相对人怠于为前项通知者，其要约撤回之通知，视为未迟到"（新修正条文）。所谓视为未迟到，指仍发生撤回要约的效力，契约不能因相对人的承诺而成立。至于要约之撤回按其传达方法应先时或同时到达，应由要约人负举证责任。

第三项　要约的效力：要约拘束力

（1）甲于四月二日致函于乙，表示愿为丙的保证人，其要约于四月四日到达。甲于四月五日获知丙信用不佳，即至乙处，表示"撤回"要约。乙强调甲应受其要约之拘束，甲则认为乙既未承诺，岂有不得撤回之理。试从立法政策及现行法

---

[1] 拙著：民法总则，第一七○页。关于到达之问题，实务上有一则研究意见，具有启发性，可供参考：甲、乙系父子，乙子业已成年，其住处之门牌号码相同，但非同户居住，甲、乙对丙均负有债务。丙为催告甲、乙清偿债务，书写一份致甲、乙两人之存证信函，仅寄给甲父一人，未寄给乙子。于此情形，该存证信函，对乙不发生催告之效力，盖乙子既已成年，并与甲父分户别居，对其催告，应分别为之，方能生效（台南一九七二年九月民庭庭长法律座谈会研究意见）。

之规定，分析甲与乙间之争论，并说明第一五四条所谓契约之要约人因要约而受"拘束"，及第一五五条所谓要约经拒绝者，失其"拘束力"的意义。

（2）甲于五月二日对乙表示出卖 A 车，乙于五月五日承诺。其后发现该车于五月四日因甲之过失而灭失，或甲于该日将该车让售交付于他人时，其法律关系如何？

（3）甲于六月二日草函，对乙表示愿以每月二万元出租 A 屋，为期半年，嘱其子丙投寄。丙出门之际，甲自四楼呼叫"不要投寄"，丙误听为"不要忘记"而投寄之，于六月四日上午到达。甲知其事，于六月三日即发信限时专送于乙，表示"犬子误寄前函，因 A 屋另有用途，不便出租，敬请见谅。"迟至六月五日上午始行到达，乙不管甲的来信，仍然于六月五日下午函复表示承租，并说明甲信迟到之事，于六月七日到达。乙请求于七月一日交付该屋，甲拒绝履行，有无理由？

一、要约拘束力的意义

第一五四条规定："契约之要约人，因要约而受拘束"。第一五五条规定："要约经拒绝者，失其拘束力。"又第一五六条规定："对话为要约者，非立时承诺，即失其拘束力"（并请参阅第一五七条、第一五八条）。首须究明的是，所谓："因要约而受拘束"及"要约失其拘束力"其意义如何？此涉及实质拘束力及形式拘束力的区别。

要约生效后，发生两种拘束力，一为实质拘束力，一为形式拘束力。所谓要约实质拘束力，即要约一经相对人承诺，契约即为成立的效力，学说上称为要约的承诺能力或承诺适格。所谓要约形式拘束力，指要约生效后，在其存续期间内，要约不得撤回或变更的效力，学说上称要约不可撤回性（不可撤销性）。要约之具有实质拘束力，乃要约性质之当然。要约失其实质拘束力，不复存续，相对人即无从对要约为承诺，而成立契约。第一五五条、第一五六条、第一五七条及第一五八条所称"要约失其拘束力"，系指此种实质拘束力而言。[1]

第一五四条所谓："要约人因要约而受拘束"，则指形式拘束力而言，即要约生效后，于其存续期间内，要约人即不得将要约扩张、限制、变更或撤回而言[2]（学说上简称为要约不可撤回性）。[3] 以下专就此加以说明。

---

[1] 第一五五条规定："要约经拒绝者，失其拘束力"，立法理由书谓："谨按要约既经拒绝，则要约不得存续，此时要约人即可不受要约之拘束。盖法律为保护他方之利益，所以使要约人受要约之拘束，他方既经拒绝，自无使要约效力继续存在之必要也。"
[2] 一九九二年度台上字第五六五号判决，参阅民事裁判书汇编，第七期，第五五六页。
[3] 第一五四条采自德国民法第一四五条："Wer einem anderen die Schliessung eines Vertrags anträgt, ist an den Antrag gebunden, es sei den, dass er die Gebundenheit ausgeschlossen hat". 学说上称之为要约不可撤回性（Unwiderruflichkeit）。此之所谓"撤回"与第九十五条所谓要约的"撤回"，意义不同。要约的意思表示未经依第九十五条后段规定"撤回"，而发生效力后，要约人始受其拘束而"不得撤回"。为避免对此两种"撤回"发生误会，或可称之为"要约不得撤销性"，但此又发生"撤回"与撤销两个概念如何区别的问题。由此可知法律概念形成及统一的不易。

二、比较法与现行民法规定

（一）比较法上的观察

要约的形式拘束力（不可撤回性、撤销性）非要约本质上所必具备，各国规定不同，为契约上最基本的问题之一。比较法上的观察有助于认识问题的争点，及各种规范可能性。[1]

罗马法不承认要约拘束力，德国普通法亦然。德国民法制定时争论甚烈，最后认为要保护相对人的信赖及促进交易便捷，要约应具拘束力，乃于德国民法第一四五条规定："对他人为缔结契约之要约者，因其要约而受拘束；但预先排除其拘束力者，不在此限。"[2]瑞士债务法（第三条及第五条）亦采此原则。[3]

在法国民法，要约是否有拘束力，由要约人决定。要约人未表示要约有拘束力时，于相对人承诺前，对要约得否撤回或变更，法国民法虽无明文，但判例学说肯定之，认为要约本身不拘束要约人，于承诺前，得为撤回。惟要约人撤回要约具有过失时，则应负侵权行为损害赔偿责

---

〔1〕 参阅拙著："一九六四年海牙统一国际商品买卖法"，民法学说与判例研究（一），第一一一页。

〔2〕 关于德国民法第一四五条解释适用，参阅 Palant/Heinrichs, § 145.

〔3〕 关于瑞士债务法参阅 von Tuhr/Peter, Allgemeiner Teil des schweizerischen Obligationsrecht, 1979, S. 186f.

任。[1]

在英美法，要约原则上不具拘束力，于承诺前，得随时撤回，要约人纵有不为撤回的表示，亦然。盖要约人既未受有对价（约因，consideration），不应单方面受其拘束。相对人欲使要约具有拘束力，须向对方支付对价，取得所谓的选择权（option），使要约人在约定期限内不得撤回其要约。[2]

（二）现行民法规定在立法政策上的检讨

综据上述，可知关于要约是否具有拘束力，各国制度不同，英美法原则上否定之，德国民法及瑞士债务法原则上承认之。法国民法则介乎二者之间。第一五四条第一项规定："契约之要约人，因要约而受拘束。但要约当时预先声明不受拘束，或依其情形或事件之性质可认当事人无受其拘束之意思者，不在此限。"系采德、瑞立法例，肯定要约拘束力的基本原则。就立法论而言，台湾现行民法采此制度，实属妥适。法国民法不赋予要约以拘束力，仅于其撤回有过失时，藉损害赔偿以资救济，不若径认要约具有拘束力较切合实际。在德国民法制定之际，反对要约

---

[1] 关于法国民法，参阅 Schlesinger (ed.), Formation of Contracts: A Study of the Common Core of Legal Systems, Vol. 1. 1968, p. 769 – 780; Nicholas, French Law of Contract, 2nd. ed. 1991, p. 63f.

[2] 关于英美法，杨桢：英美法总论，修订再版，一九九九年，第四十六页谓："英美法国家崇尚契约自由（freedom of contract）原则，当事人间可自由提出其意思表示或收回其意思表示。要约人撤回要约（Revocation）乃理所当然。但要约之撤回有二原则：(1) 要约须在相对人承诺前撤回；(2) 要约之撤回须通知相对人。"参阅 Corbin, Contracts I, 1963, § 38. 关于 Consideration，杨桢，前揭书第九十一页。关于英美法与德国法比较的最近著作，Fromholzer, Consideration, 1997.

有拘束力的学者，再三强调要约受领人将可利用机会，静观市场风色，从事投机，有害要约人利益。实则，纵有此事，亦属无妨，盖要约人可预先声明不受拘束也。

三、要约拘束力的内容

（一）相对人的地位

要约的拘束力，指要约生效后不可撤回（或撤销、变更），在使要约人不能妨碍相对人依其承诺而使契约成立。此种相对人得对要约为承诺的地位（承诺能力、Annahmefähigkeit），学说上有认为系属期待权（Anwartschaft），[1]有认为系属形成权（Gestaltungsrecht）。[2]此纯属理论上的争论，不具实益。[3]无论采取何种见解，此项承诺地位非属第二四二条所称的权利，不成为债权人代位权的客体。[4]

（二）要约的继承性[5]

要约受领人（相对人）死亡时，其继承人得否对要约

---

〔1〕 RGZ 51, 72. 关于期待权之一般问题，参阅拙著："附条件买卖买受人之期待权"，民法学说与判例研究（一），第一六五页。

〔2〕 此为德国目前通说，Palandt/Heinrichs，§145 Rdnr. 3；RGZ 132, 6；Celle NJW 62, 74.

〔3〕 Larenz/Wolf, AT. S. 581.

〔4〕 王伯琦：民法债编总论，第一八二页。

〔5〕 严格言之，所谓"要约继承性"（Vererblichkeit des Antrags）未臻精确，因为于要约发出后，到达相对人前，相对人已死亡的，亦属有之，于此情形，仍发生相对人的继承人得否为承诺的问题（Medicus, AT. S. 140）。

为承诺，而成立契约？关于此点，有两种不同见解：❶承诺的地位，得为继承，但要约人有反对之意思或契约注重相对人其人的性质时，则不得继承。[1] ❷承诺地位本身非属财产上的权利，不得为继承之标的，故要约受领人如果死亡，其继承人不得主张继承关系而为承诺。如要约并非注重个人因素，则应认为要约系对不特定人为之，要约受领人的继承人即得以自己为要约受领人而为承诺。[2]

此项争议具理论上的趣味，实际上多无不同，如甲致函于名画家某乙，请乙为其绘像，无论乙于要约发出后未达到前死亡，或要约达到后未承诺前死亡，因其要约注重相对人其人的性质，无论采取何说，乙之继承人均不得对要约承诺而成立契约。实则，其所涉及的，乃要约的解释问题，应就个案，视要约人有无与继承人订立契约的意思而定。若有此意思，则要约对继承人发生效力。

（三）要约（承诺地位）的让与性

要约受领人得否将其因要约而生的法律地位让与于第三人，使第三人得为承诺，而与要约人成立契约？对此，原则上应采肯定说，然此涉及契约当事人（尤其是要约人）的权利义务，非经要约人同意，不得为之。[3]

---

〔1〕 郑玉波：民法债编总论，第五十一页。德国通说采此见解，并以承诺的地位为形成权为其理论依据，参阅 Schluter, Erbrecht, 12. Aufl. 1986, S. 36.

〔2〕 孙森焱：民法债编总论，第四十页。

〔3〕 Medicus, AT. S. 141.

（四）要约人的责任

在相对人承诺前，标的物灭失或被处分者，时常有之，关于要约人的责任，分两种情形加以说明（参阅例题二）：

（1）甲于五月二日对乙为出售 A 车的要约，乙于五月五日为承诺，设该车于五月一日（要约前）灭失时，买卖契约系以不能之给付为标的（自始客观不能），其买卖契约无效（第二四六条第一项），甲应依第二四七条规定，对乙负信赖利益的损害赔偿责任。设该车于五月四日（要约后，承诺前）灭失时，亦同。

（2）设甲于五月四日（要约后，承诺前），将 A 车的所有权移转于第三人，致其给付成为主观不能时，乙为承诺后，其契约有效成立，乙得依关于债务不履行规定，请求履行利益的损害赔偿。

四、要约拘束力的排除

第一五四条规定："契约之要约人，因要约而受拘束。但要约当时预先声明不受拘束，或依其情形，或依事件之性质，可认当事人无受其拘束之意思者，不在此限。"此为排除要约拘束力的特别规定，使要约人得斟酌各种情形，尤其是市场情况，而控制其缔约行为。[1]

第一五四条但书所谓"不受拘束"，其意义如何，学者

---

[1] 刘锦隆："论要约之拘束力及拘束力除外之要约"，载法律评论，第五十二卷第九期（一九八六年九月）。

见解颇不一致：

（1）有认为不受拘束系指要约人得随时撤回、变更、扩张或限制要约而言，如相对人已为承诺，则已成立契约，再不发生不受拘束的问题。[1]

（2）有认为预先声明不受拘束之要约，系指纵使相对人表示其承诺之意思，要约人亦不受其拘束而言，故此项要约，仅具要约诱引之性质，而非真正之要约。惟在相对人表示承诺后，要约人不即为拒绝者，则应视为默示的接受，契约从而成立。[2]

（3）有认为拘束力除外之要约对于要约人固无拘束力，但与要约之引诱不可混为一谈。要约之引诱，相对人根本无法承诺，亦即不具有要约之效力（形式的及实质的效力），而此种拘束力除外之要约，则相对人仍有承诺之可能（仅有实质的效力，而无形式的效力），故仍不失为一种要约。与一般之要约不同者，一般之要约，相对人已为承诺，即须成立契约，要约人再无回旋之余地，而此种拘束力除外之要约，相对人纵为承诺，是否即可成立契约，要约人乃有斟酌之自由，要约人倘不再斟酌，亦可成立契约。[3]

（4）有认为所谓不受拘束，不但指在相对人为承诺以前得扩张、限制、变更或撤回其要约，相对人纵为承诺，亦可主张契约不成立。例如，向数人表明与最初之承诺者

〔1〕 胡长清：中国民法债编总论，第三十七页；王伯琦：民法债编总论，第十八页。
〔2〕 梅仲协：民法要义，第八十九页；史尚宽：债法总论，第二十二页。
〔3〕 郑玉波：民法债编总论，第四十七页。

成立契约，则对后之承诺，要约人不受拘束，如电影院挂出"客满"牌子而拒绝售票。[1]

关于第一五四条但书所谓"不受拘束"，就其文义及体系（第一五四条本文及但书规定）而言，于通常情形应认系指要约人为"撤回的保留"，即相对人承诺前得随时撤回要约或变更之。例如，要约人声明承诺前得撤回，或于承诺前得将标的物让与于第三人等。此项声明须包含于要约之内，或与要约同时到达相对人。所谓依其情形或事件之性质，可认当事人无受其拘束之意思者，例如，出卖某物要约中表明已另同时对他人为要约。

至于当事人"不受拘束"的声明，除"保留撤回"外，是否尚有他意义，如认其所为缔约的表示非属要约，而为要约的引诱，甚至为解除契约权的保留等，应探求当事人真意，就个案认定之。

五、例题解说

在例题三，乙得向甲请求交付 A 屋，系以租赁契约有效成立为前提。甲于六月二日致函对乙表示出租 A 屋，是为要约。丙投寄该函，于六月四日上午到达相对人乙，发生效力。甲于六月三日发出撤回的通知，于六月五日始行到达，不生撤回的效力（第九十五条第一项）。契约的要约人，因要约而受拘束，要约具有不可撤回性（第一五四

---

[1] 孙森焱：民法债编总论，第三十六页。

条第一项），故甲出租 A 屋的要约仍然存在，因乙的承诺而成立租赁契约。又甲之子丙因误听"不要投寄"为"不要忘记"而发出甲之要约，不构成意思表示错误，甲无撤销租赁契约的权利。据上所述，甲与乙间的租赁契约有效成立，乙得向甲请求交付 A 屋。[1]

为便于了解，简示其解题思考结构如下：

一、乙可得向甲请求交付 A 屋之请求权基础：四二一。

（一）甲之要约：

（1）甲为要约：六月二日发出，六月四日上午到达（九十五 I）。

（2）要约之撤回（九十五 I 但书）？

❶要约撤回迟到；六月五日上午始到达。❷乙为迟到之通知（一六二）。❸要约未撤回。

（3）要约之不可撤回性（一五四）。

❶要约人因要约而受拘束（形式拘束力）。❷要约拘束力未经除外。❸要约仍为存在。

（4）要约之撤销（八十八，八十九）？

❶甲之意思表示并无错误。❷不成立丙之传达错误。❸要约仍为存在，具有实质拘束力。

（二）乙之承诺：六月五日下午发出，六月七日到达（九十五 I）。

---

〔1〕 详细解说参阅拙著：法律思维与民法实例——请求权基础理论体系，第三三〇页。

（三）租赁契约成立：一五三。

二、乙得向甲请求交付 A 屋。

第四项 要约的消灭

要约的消灭，民法称为要约失其拘束力，即要约人不再受其实质的拘束，相对人无从对之为承诺而成立契约。要约的消灭，系以要约曾经生效为前提，故要约的撤回（第九十五条第一项但书），非属要约的消灭原因。要约的撤回在使要约"不生效力"，而要约之消灭，在使要约"失其拘束力"，不使要约效力继续存在，在概念上应有区别的必要。

要约的拘束力，不能永久存续，要约终必消灭，其主要事由有三：❶要约的拒绝。❷要约存续期间的经过。❸当事人一方死亡或丧失行为能力。分述如下：

一、要约的拒绝

甲有宏基电脑，对十七岁工专学生乙为出售的要约，于一周内答复。乙即为拒绝。其父丙于第二日知之，认为物美价廉，即为承诺。买卖契约是否成立？

第一五五条规定："要约经拒绝者，失其拘束力。"对限制行为能力人言，要约系纯获法律上之利益，得有效受领之。拒绝要约，系有相对人，须受领的意思表示（单独行为），非属纯获法律上之利益，未得法定代理人允许时，其拒绝要约之意思表示无效（第七十八条），要约既不因此而失其拘束力，法定代理人仍得为承诺，而使契约成立。

二、要约的存续期间及其经过

一、甲于四月一日致函于乙，表示雇用其为法务秘书，应于一周内承诺，该函于四月三日到达。设乙于四月六日为承诺的表示，其通知于四月八日到达时，其契约是否成立？

二、花莲某甲，拥有大批土地，与乙建筑公司商谈合建房屋。甲以快递信件，表示愿以某种条件订立契约，漏未载明乙应于何时为承诺，试问：❶乙应于何时为承诺？❷乙之承诺是否亦须以快递信件为之？

（一）约定期间

要约人既因要约而受拘束，不得撤回，故相对人何时得为承诺，自须有时间上的限制。基于私法自治原则，要约人得自定要约存续期间（承诺期限）。要约定有承诺期间者，非于其期限内为承诺，失其拘束力（第一五八条），要约消灭。约定承诺期限时，得于要约后延长，但不得缩短。关于要约人所定期间的计算，有两个问题，须加说明：

（1）要约人仅表明届止时限者，如"应于一九九九年六月二日前承诺"，其所谓六月二日前为承诺，究指承诺通知的发出，抑为其到达时间，应探求要约人的意思加以认定。有疑义时，应解为系指后者，较合要约人利益。[1]

（2）要约人仅定一定承诺期间（如一周内）时，应自何时起算？有认为自通知发出时起算，较合一般人意思；有认为要约既因到达而生效力，自应以到达时为准。本书认为首先应解释要约人的意思加以认定，有疑义时，应自通知发送时起算，较为合理，盖要约何时到达相对人，非要约人所能掌握也（例题一）。

（二）法定期间

要约人未订要约存续期间时，应依法律的规定，兹分别对话为要约及非对话为要约两种情形说明如下：

（1）对话为要约者，须立时承诺（第一五六条）。立时者，指尽其客观上可能的迅速而言，应依交易上一般观念定之。如以电话为要约，电话突告中断，不久即为接通而为承诺时，应认仍属立时承诺。甲邀乙至西餐厅商谈合建房屋，甲于席间提出要约，乙在离席前为承诺时，亦应认

---

[1] 同说，史尚宽：债法总论，第二十一页。

系立时为承诺。

（2）非对话为要约者，其存续期间为："依通常情形可期待承诺达到之时期"（第一五七条）。此项期间包括三段期间：❶要约到达相对人的期间。❷相对人考虑承诺的期间。❸承诺到达要约人的期间。此三项期间虽应分别计算。第❶及❸之期间系在途期间，较易确定。第❷种期间应依当事人间交易惯例、契约类型、相对人之性质（个人、合伙或公司）等因素，依"通常情形"加以认定，相对人的"特殊情形"，如周末度假、生病、丧事、罢工等，为要约人所知时，亦应加以斟酌。

须注意的是，要约人表明承诺须使用某种通知工具的（如电话、电报、Telefax），时常有之。于此情形，应以通知工具计算回途期间。要约人虽未表示承诺须用快速通知工具；但依要约之通知方法可得推知者，于计算回途期间时，仍须斟酌。至于承诺是否须使用与要约相同的传达工具（如以快信通知时，以快信为承诺），应探求要约人真意加以认定，有疑义时，应解为不以使用相同传达工具为必要，故甲以快信对乙为合建房屋的要约时，乙得以电报或 Telefax 为承诺。

三、当事人死亡或丧失行为能力

法学教授某甲于九月五日致函于某乙，表示愿以二百万元购买其父遗留之法律图书，于九月七日到达。乙于九月九日函复承诺，于九月十一到达甲宅。不料甲于九月六日上课时心脏病突发死亡，而乙于九月九日受禁治产宣告。试问乙向甲的继承人医师某丙请求付款取书，有无理由？

（一）要约人死亡或丧失行为能力

第九十五条第二项规定："表意人于发出通知后死亡或丧失行为能力，或其行为能力受限制者，其意思表示，不因之失其效力。"此对要约亦有适用余地，故甲向乙为出卖某屋的要约后，死亡或受禁治产宣告时，其要约的效力不因此而受影响，乙仍得对之为承诺，而使契约成立。此系就原则而言，若该契约仅为要约人本身而订立时，如画像（承揽），病中看护（雇佣），委办外出观光（委任），应解为其要约因要约人死亡而消灭，失其承诺能力。

（二）相对人死亡或丧失行为能力

要约的效力，是否因相对人死亡或丧失行为能力而受影响，分述如下：

（1）相对人死亡。相对人于要约发出后，未到达前死亡时，原则上应认要约不生效力，盖自逻辑以言，相对人既已死亡，无法受领，自难认为要约尚能发生效力。惟设要约人对相对人的继承人，亦有为要约的意思时，则对继承人发生效力（解释问题）。相对人于要约达到后死亡时，其继承人得为承诺而使契约成立，涉及要约继承性问题，前已论及，敬请参阅。

相对人于发出承诺通知后死亡时，依第九十五条第二项规定，承诺不因之其失效力。

（2）相对人丧失行为能力。要约的效力原则上不因相对人丧失行为能力而受影响。其通知达到法定代理人时发生效力，得由其法定代理人代为承诺。惟依当事人所欲订立的契约，须相对人具有行为能力时，不在此限（此亦为解释问题）。如对于出售电脑的要约，法定代理人得代为承诺。反之，对于聘为公司董事的要约，则不能对之为承诺，盖董事对外代表法人，须有行为能力也（参阅公司第一九二条）。

（三）例题解说

在前开例题，甲于九月五日发出购书的通知后死亡，依第九十五条第二项规定，要约不因此失其效力。乙发出售书的通知后，虽因受禁治产宣告，丧失行为能力，其承诺亦不因此而失其效力。要约人甲系法学教授，其子丙为医生，甲向乙购买法律图书显系为个人使用之目的，解释上应认要约因其死亡而消灭，不具承诺能力，乙不能对之为承诺而成立买卖契约，故丙不负支付价金及受领标的物之义务（第三六七条）。

值得提出的是，相对人不知要约因要约人死亡失其效力，而为承诺时，就其因信契约为有效而受的损害（如为准备契约而支出费用、丧失有利订约的机会等），得否向要约人的继承人请求损害赔偿？德国学者有认为应类推适用德国民法第一二二条规定（相当于我第九十一条）而为肯定;[1]亦有认为要约人之死亡，系一项应由相对人承担的危险，不发生损害赔偿问题。[2]比较言之，以后说较为可采。故在上开例题，设乙为承诺，邮寄书籍时，就其支出的费用，不能向甲的继承人丙请求损害赔偿。

第三款　承　诺

一、甲于九月五日向乙为出租某屋之要约，表示应于九月十五日前承诺。乙于九月十二日以限时专送为承诺，因邮差误投，于九月十七日始送达甲处，甲于九月十八日亦以限时专送发迟到之通知，因邮差遗失而未达。试问：

（1）甲与乙间之租赁契约是否成立？

（2）设甲于发出迟到通知后，于九月十九日再以限时专送表示愿成立租赁契约时，其效力如何？

二、试问于下列情形，买卖契约是否成立：

（1）甲对乙表示出售《金庸武侠小说神雕侠侣全集》，乙答以购买第四册。

（2）甲对乙表示出售《民法总则》一百部，乙答以购买二百部。

---

[1] Enneccerus/Nipperdey, § 161 III 2.

[2] Flume, AT. II, Rechtsgeschäft, S. 647; MünchKomm/Kramer, § 153 Rdnr. 4.

一、承诺的意义、生效及撤回

承诺,指要约的受领人,向要约人表示其欲使契约成立的意思表示。承诺系有相对人,须受领的意思表示;对话人为承诺时,其意思表示以相对人了解时发生效力(第九十四条),非对话而为承诺者,其意思表示,于通知达到相对人时,发生效力,但撤回之通知同时或先时到达者,不在此限(第九十五条第一项)。承诺人撤回承诺时,其撤回通知之到达,在承诺到达之后,而按其传达方法,通常在相当时期内,应先时或同时到达,其情形为相对人可得而知者,要约人非向承诺人即发迟到之通知,其撤回仍生效力,其契约不成立(第一六三条及新修正第一六二条第一项)。又承诺人于发出通知后死亡或丧失行为能力,或其行为能力受限制者,其意思表示,不因之失其效力(第九十五条第二项),前已论及,兹不赘。

承诺得为明示或默示。其为明示的,如"愿以新台币一万元承租汝屋";其为默示的,如搭乘捷运交通工具。单纯沉默(Schweigen)原则上不具表示价值,惟在特殊情况,亦得因当事人的约定或交易惯例而成立默示的承诺。[1]

要约使用一定方式时,除要约人另有不同意思外(如使

---

[1] 参阅拙著:民法总则,第二五二页,一九四〇年上字第七六二号判例谓:"所谓默示之意思表示,系指依表意人之举动或其他情事,足以间接推知其效果意思者而言,若单纯之沉默,除别有特别情事,依社会观念可认为一定意思表示者外,不得谓为默示之意思表示。"参阅一九九二年台上字第五七一号判决(民事裁判书汇编,第七期,第一七一页)。

用密码,此为解释问题),相对人的承诺原则上不必以同一方式为之。例如,以书面为租屋的要约时,得以口头为承诺。要约使用某种传达工具时(如限时专送、电报)等,通常非在表示承诺须以该特定传达工具为之,而在表明承诺的速度,并以此计算要约存续期间。因此以限时专送信件为要约时,除要约人有特别表示(如表明应以限时专送为承诺)外,相对人仍得以 Telefax 电报、电话为承诺。关于此点,前已论及,兹再补充加以说明。

二、迟到之承诺

(一)通常之迟到(因相对人迟误而迟到)

相对人应于承诺期间(要约存续期间)内为承诺,契约始能成立。承诺逾承诺期间到达要约人时,为承诺之迟到,例如,承诺期间至六月十日止,相对人于六月九日发出承诺之通知,而其通知于六月十一日到达。第一六〇条第一项规定:"迟到之承诺,除前条情形外,视为新要约。"一方面规定承诺迟到时,不能成立契约;一方面规定要约人仍得对之为承诺,而使契约成立,以谋交易上的方便。

(二)特殊之迟到

承诺之通知,按其传达方法,依通常情形在相当时间内可达到而迟到的,时常有之,电报故障,信件误投,均属其例。在此种特殊迟到的情形,相对人原可期待契约因适时承诺而成立,依诚信原则,要约人应有通知义务。为此,修正第一五九条乃明定:"其情形为要约人可得而知者,要约人应向相对人即发迟到之通知。要约人怠于为此项通知,其承诺视为未迟到。"承诺既被拟制为未迟到,契约因而成立。关于第一五九条的适用,应说明者有六:

(1)承诺之通知,按其传达方法依通常情形在相当时间内可达到而迟到,须为要约人明知或可得而知。

(2)承诺迟到之通知,乃事实通知的一种,属于所谓的准法律行为,故以要约人将迟到的事实通知承诺人即为已足,且此通知依发送而生效力,无待到达,其不到达的危险性,应由相对人承担。

(3)所谓"即发"(unverzüglich),与立时(sofort)不同,指依善良管理人的注意,于情事所许范围内,不迟延而为发送而言。承诺使用快速的传达工具时,承诺迟到之通知,原则上亦须使用相当的通知方法。

(4)契约于承诺到达时成立,不溯及至依通常情形应到达之时。

(5)要约人的通知义务,不是法律上的义务,而是一种Obliegenheit(非真正义务),其违反不生损害赔偿责任。

(6)有争议时,为承诺之人应证明其承诺按其传达方法依通常情形在相当时期内可达到;要约人则应证明其已即发迟到之通知(请读者参照上述各点分析例题一)。

(三)第一五九条与第一六〇条的适用关系

要约人于依第一五九条规定发出迟到之通知后,是否得再依第一六〇条第一项规定对"迟到之承诺,除前条情形外,视为新要约",而为承诺(参阅例题一)?有学者认为第一六〇条第一项规定,对于因途中障碍而迟到之承诺(第一五九条),似无适用之必要,因该迟到之承诺,倘要约人不即发迟到之通知者,即视为未迟到,仍可发生承诺之效力,无须再视为新要约,而由要约人承诺,始成立契约。亦有主张在解释上应认为要约人对于因途中障碍而迟到之承诺,发迟到之通知,系兼有拒绝新要约之表示。

关于此项争议,本书认为要约人未依第一五九条规定为承诺迟到通知,其承诺视为未迟到,契约成立。要约人为承诺迟到之通知,其目的仅在使相对人了解其承诺并未适时到达而使契约成立,第一六〇条第一项规定的适用并不因此而受影响,故此项迟到之承诺,仍应视为新要约,要约人仍得对之为承诺。在解释上难认要约人所发迟到之通知本身即有拒绝新要约的表示。要约人欲拒绝新要约或对新要约为承诺,应有特别的意思表示。

三、将要约扩张、限制或变更而为承诺

承诺须与要约的内容一致,始能成立契约。要约的内容系由要约人所提出,相对人常变更要约而为承诺,而进入"讨价还价"的缔约过程。所谓变更,其主要情形有扩张要约内容,或对要约内容加以限制,如附加条件、期限,变更付款方式,排除瑕疵担保责任等。于此等情形,民法为便于契约之订立,避免再为要约的重复,乃于修正第一六〇条第二

项规定："将要约扩张、限制或为其他变更而为承诺者，视为拒绝原要约而为新要约。"由要约人决定是否对之为承诺，而使契约成立。须注意的是，此项新要约的承诺期间及其拘束力，应适用第一五七条规定。〔1〕

　　承诺是否变更要约，不能单就形式论断，应探究其实质内容而为判断，倘仅属表面上的差异，则无害于契约之成立。在交易上，对出卖一定数量物品的要约，为增、减的承诺时，颇为常见，如甲对乙为出售神雕侠侣全集的要约，乙仅对第四册为承诺时，应解为系对要约的限制，盖出售全集时，其要约通常为不可分。如甲为出卖《民法总则》一百部的要约，乙答以要买二百部时其承诺是否变更要约，系属解释问题，应探求当事人意思决定之，若乙有一百部亦愿购买的意思，应认于原要约的范围内为承诺，其扩张部分则视为

〔1〕　关于此项问题，一九九五年台上字第二六一七号判决（民事裁判书汇编，第二十二期，第七十一页），足供参照，摘录如下："上诉人于一九九〇年十一月二十八日函被上诉人提出变更为自动排挡车，并延长交车期限之新要约，核其性质，乃就原约定关于买卖标的物之规格及交车期限为更新之新要约。上开关于变更规格部分之新要约并未定有承诺期限，系属非定有承诺期限之要约，故该要约之效力，应依第一五七条之规定。至判断'依通常情形可期待承诺之达到时期内'一节，应斟酌要约到达相对人之期间，相对人考虑承诺之期间及承诺到达要约人之期间等因素；而其中'相对人考虑承诺之期间'更应斟酌相对人之属性。本件被上诉人为'政府机关'为一公法人，依'审计法施行细则'第六十一条规定，变更车辆规格必须通知审计机关查核同意后始得办理。此为上诉人所明知，故被上诉人于收受上诉人变更规格之要求，经内部有关单位会签意见后，于一九九〇年十二月二十一日函'审计部'征求同意，并副知上诉人。虽'审计部'于处理本件时，延至一九九一年五月三日始函复同意变更，究其原因，乃上诉人所提资料不足，'审计部'要求补提佐证资料，而上诉人迟至一九九一年四月底始予补正。则'审计部'于同年五月三日函复同意变更汽车规格，被上诉人于一九九一年五月八日即函复上诉人表示同意改交自动排挡车，难谓被上诉人有何拖延；是被上诉人系于依通常情形可期待承诺之达到时期之内为承诺意思表示，应可认定，此部分上诉人之新要约并无失其拘束力之可言。此时，交付自动排挡车之契约其标的物及价金均合致，契约当然成立并有效。"

新要约。

第四款　意思实现

　　一、甲杂志社寄 A 书给乙，为现物要约，乙办公回家，以为该书系其子丙所购，拆开阅读之。试问甲与乙间是否成立买卖契约？

　　二、台东甲于十月一日打电报给商业上素有来往之莺歌瓷器制造商人乙："以十万元订购日前鉴定之 A 瓶，到外地参展，甚急，即寄高雄丙报关行。"试问：

　　（1）乙于十月二日交丙运送后，获知有人愿出高价购买该瓶，即派人途中取回之。甲查知其事时，向乙请求交付 A 瓶，有无理由？

　　（2）设 A 瓶于运送途中因意外车祸灭失时，乙得否向甲请求支付价金？

一、立法目的

承诺系须受领的意思表示，于通知到达要约人时发生效力。惟第一六一条规定："依习惯或依其事件之性质，承诺无须通知者，在相当时期内，有可认为承诺之事实时，其契约为成立。前项规定于要约人要约当时预先声明承诺无须通知者，准用之。"此为承诺须通知原则的例外，学说上称为契约因承诺意思的实现而成立，立法目的在于简化、便利契约的成立。

二、承诺无须通知之情形

契约因意思实现而成立，不必通知，关系当事人利益甚巨，故须限于特别情事，依第一六一条规定，其情形有三：

（1）依习惯，承诺无须通知：如订旅馆房间，订餐厅酒席，依价目表向旧书店购书。

（2）依事件之性质，承诺无须通知：如现物要约，自动贩卖器的设置。

（3）依要约人要约当时预先声明，承诺无须通知：此项承诺通知的放弃，亦得默示为之，如甲向乙紧急购物，嘱乙即刻发货。

三、有可认为承诺之事实

（1）承诺之事实。第一六一条所谓有可认为承诺之事实，其主要情形有二：❶履行行为，即履行因契约成立所负担的债务，如寄送邮购的物品；为履行契约而准备，如旅馆为顾客预留房间。❷受领行为，即行使因契约成立所取得的权利，如拆阅现物要约寄来的杂志。

关于承诺期间，当事人未订定者，依第一六一条规定，须在"相当时期内"有可认为承诺之事实，契约始为成立。此项所谓"相当时期"与第一五七条所谓："依通常情形可期待承诺之达到时期"不同。因承诺既无须通知，根本不生期待承诺达到的问题。至于时期是否相当，应依契约性质、当事人可推知之意思及交易惯例加以认定，自不待言。

（2）承诺意思之实现。学说上有认意思实现，须以客观上有可认为承诺之事实存在为必要，有此事实，契约即为成立。至于承诺人是否认识该事实为承诺的意思表示，主观上是否有承诺之意思，在所不问，例如，使用要约人送到之物品，虽主观上无为承诺而成立契约之意思，仍应认为契约成立（参阅例题一）。[1] 此项见解，尚有研究余地。

所谓有可认为承诺之事实，究为意思表示（Willenserklärung）抑为意思实现（Willensbetätigung），系民法上有名的争议问题，然无论采取何说，均应以有承诺意思（Annahmewille）为必要，[2] 此就"承诺"的本质而言，应属当然，就第一五三条第一项言，亦应肯定。倘相对人主观上无承诺意思，仅依客观上可认为承诺之事实，即可成立契约，使其负担契约上的义务，不但与私法自治原则有违，抑且不足保护相对人利益，此在现物要约最为显然。

---

〔1〕 王伯琦：民法债编总论，第二十九页。

〔2〕 第一五三条规定系采自德国民法第一五一条，关于德国的判例学说，见 Medicus, AT. S. 142. 并参阅 Brehmer, Die Annahme nach § 151 BGB, JuS 1994, 386ff.；P. Bydlinski, Problem des Vertragsabschlusses ohne Annahmeerklärung, JuS 1988, 36ff.

再者，一方面认为第一六一条所规定的，为契约因"承诺意思"之实现而成立。一方面又认为有无承诺之意思，在所不问，前后似有难以自圆其说之处。盖既曰承诺，自不能排除其主观的意思，否则意思实现将成为事实行为矣！倘排除"承诺意思"的因素于承诺之外，则相对人为限制行为能力人，无行为能力人或无意思能力人时，是否能仅依客观上可认为承诺之事实，即可成立契约，亦有疑问。

所谓可认为承诺之事实，应解为系承诺之意思依一定的事实而实现（Annahme durch Willensbetätigung），不必通知要约人，乃承诺意思表示须经受领，始生效力的例外，故学说上称为无须受领的意思表示（Nichtempfangsbedürftige Willenserklärung）。[1] 因此真正的问题，不是"承诺意思"是否必要，而是承诺意思有瑕疵或欠缺承诺意思时，究应如何处理。

第一六一条规定"无须通知之承诺"，究为意思表示或意思实现，仅为用语的问题，不具实质意义。通说认系意思实现，已如上述，民法关于意思表示的一般规定，应类推适用之。易言之，即意思实现应如同意思表示加以处理，[2] 如要约受领人对要约人其人（误甲为乙），或关于其人之资格发生错误者，得类推适用第八十八条规定加以撤销；误现物要约出售的杂志为赠与而拆阅时，亦得以法律行为错误而撤销之。或有认为意思实现不以主观上有承

---

〔1〕 MünchKomm/Kramer, §151 Rdnr. 48ff; Staudinger/Dilcher, §151 Rdnr. 9.

〔2〕 此为德国之通说，参阅 Larenz/Wolf, AT. S. 592.

诺的认识为要件，故于此类情形，不得以错误为理由撤销其意思表示。此项见解，尚值研究。甲向乙为现物的要约，乙得以意思表示为承诺，亦得依意思实现承诺之，在前者若有错误，相对人得撤销之，应无疑问，为何于后者反而不能撤销？就法律概念言，意思实现亦具法律行为的性质（rechtsgeschäftliche Willensbetätigung），[1] 就利益状态言，二者并无不同，应做相同的处理。

外部虽有可认为承诺之事实，但欠缺承诺意思时，例如，甲寄某书给乙，为现物出售要约，乙误为其子所购而拆开阅读（例题一），学说上有认为因欠缺表示意识（Erklärungsbewusstsein），根本无承诺的存在，[2] 亦有认为得依意思表示错误规定加以撤销。[3] 此项争论，涉及法律行为的核心问题，在此不拟详论。[4] 所应强调的是，要约受领人主张承诺不存在或撤销其承诺时，对承诺意思的欠缺须负举证责任，并对相对人依侵权行为，或不当得利的规定负其责任。

四、例题解说

前开例题二可供说明依意思实现成立契约的若干基本问题：

---

〔1〕Larenz/Wolf, AT. S. 592.

〔2〕Köhler, AT. S. 242. 269.

〔3〕Larenz/Wolf, AT. S. 592.

〔4〕参阅拙著：民法总则，第二五〇页。

（一）甲得向乙主张交付 A 瓶之请求权基础为第三四八条第一项规定，此须以买卖契约成立为前提

甲打电报给乙表示购买 A 瓶，系属要约。乙发送 A 瓶系属承诺，问题在于此项承诺是否必须通知要约人。依一般原则，承诺系须受领的意思表示，发送订购的物品乃默示承诺，须于该物品寄达要约人时始生效力。惟在本题，甲在要约中表示："到外地参展、甚急、即寄"，可认系要约时预先声明承诺无须通知（第一六一条第二项）。乙将 A 瓶交丙运送，有可认为承诺之事实。此项承诺之事实，纵在要约人知悉前，亦不得撤回之，故买卖契约有效成立，甲得依第三四八条第一项规定向乙请求交付 A 瓶。[1]

（二）设 A 瓶于运送途中因意外发生车祸灭失时，乙可得向甲主张支付价金的请求权基础为第三六七条

甲乙间的买卖契约因乙发送 A 瓶而成立，乙的价金请求权因而发生，已详上述。A 瓶于交付于甲前因意外事故灭失，系不可归责于双方当事人之事由致给付不能。第二六六条第一项规定，因不可归责于双方当事人之事由，致

---

〔1〕 为便于观察，将解题之思考过程表列如下：

　　一、甲可得对乙主张交付 A 瓶之请求权基础：三四八。

　　1. 甲之要约：十月一日之电报。

　　2. 乙之承诺。

　　　　(1) 甲要约当时声明承诺无须通知：一六一Ⅱ。

　　　　(2) 有可认为承诺之事实：一六一Ⅰ。

　　　　❶乙发送 A 瓶。

　　　　❷不得撤回。

　　3. 买卖契约成立：三四五，一五三。

　　二、甲得依第三四八Ⅰ规定向乙请求交付 A 瓶。

一方之给付全部不能者，他方免为对待给付之义务。依此规定，甲给付价金之义务原应消灭。惟第三七四条规定："买受人请求将标的物送交清偿地以外之处所者，自出卖人交付其标的物于运送之人或运送承揽人时起，标的物之危险，由买受人负担。"所谓标的物之危险，系指标的物因不可归责于双方当事人事由灭失时，价金应否支付之问题。此为第二六六条之例外规定。故乙仍得依第三六七条规定向甲请求给付价金。[1]

第五款　交错要约

　　甲于十一月一日在报上刊登广告出售某件佛像石雕，价金五百万元。乙于十一月三日致函于甲，表示愿以三百七十万元购买。甲于十一月六日函复愿降价十万元，但应于一周内答复，乙未为任何表示。迄至十一月二十六日，甲再致函于乙，愿以四百万元出售。乙不知甲之来信，于十一月二十七日致函于甲，愿以四百万元购买。甲之信

---

〔1〕 为便于观察，将解题的思考过程表列如下：
　　一、乙可得对甲请求支付价金之请求权基础：三六七。
　　　1. 价金请求权之发生：
　　　　甲乙间成立买卖契约（参阅前页注1）。
　　　2. 价金请求权消灭？
　　　　（1）二六六条：原则。
　　　　（2）三七四条：例外。
　　二、乙得依第三六七条规定向甲请求价金。

于十一月二十八日上午到达，乙之信于十一月二
十九日下午到达。甲于发信后，获知有人愿以高
价购买，即于十一月二十七日下午以限时专送发
撤回之通知，因邮差误投，于十一月三十日下午
始行到达。乙即发迟到之通知，并请求交付该件
石雕，并移转其所有权，有无理由？

契约因双方当事人互相表示意思一致而成立，在一般
情形，此两个意思表示，一个在先，一个在后，而有因果
关系。在先者为要约，在后者为承诺。但二人互为要约之
表示，而其内容相互一致者，亦偶有之，学说上称为交错
要约。

关于交错要约能否成立契约，德国民法制定之际，甚
有争论，有采实质说，认为两个意思表示之内容既属一
致，自得成立契约。有采形式说，认为契约仅能依要约及
承诺之方式成立，故在交错要约的情形，须其中之一系对
要约为承诺，契约始能成立。亦有主张此项承诺，得因要
约人的沉默而推知。此两种对立的见解，势均力敌，难获
协议，致德国民法未设规定。德国民法制定后，学者见解
仍呈分歧，但以实质合致说较占优势。[1]

台湾对交错要约是否成立契约，亦未设规定，但通说
肯定之，实值赞同。[2] 盖在交错要约，自主观言，双方皆

---

〔1〕 Flume, AT II, Rechtsgeschäft, S. 650f. 关于英美法上的交错要约（Cross-offers），参阅杨桢：
英美契约法总论，修订再版，一九九九年，第四十一页。
〔2〕 郑玉波：民法债编总论，第五十七页；孙森焱：民法债编总论，第十五页。

有缔约的意思，自客观言，内容又属一致，衡诸第一五三条第一项所宣示的原则，殊无否认契约成立的理由。关于契约成立时期，应以在后的要约到达相对人时为准。

缔结契约，并非单纯一次的要约，一次的承诺，即可完成，常须多次讨价还价，经过一段磋商过程始能获致合意，因此当事人间往还的每一个行为，在法律上究具何种意义，应有彻底掌握的必要。为此特设计上开例题（实际上可能不会发生，但教学上具有启示性），录其纲要如下，请读者参考自行补充，以增进了解：

一、乙得向甲主张交付石雕，并移转其所有权的请求权基础：[1]

（一）买卖契约成立？

1．甲十一月一日广告：要约之引诱。

2．乙十一月三日之信：要约。

3．甲十一月六日之信：变更要约。

（1）视为拒绝原要约而为新要约（一六〇Ⅱ）。

（2）新要约因承诺期间经过而消灭（一五八）。

4．甲十一月二十六日之信：要约。

（1）要约于十一月二十八日上午到达而生效（九十五Ⅰ）。

（2）于十一月二十七日发出撤回要约限时专送通知，于三十日到达，因迟到不生撤回要约之效力（九十五Ⅰ但书）。

---

[1] 关于请求权基础思考方法，参阅拙著：法律思维与民法实例，一九九九年。

（3）乙即发撤回要约迟到通知（一六二）。

（4）甲因要约而受拘束（一五四Ⅰ）。

5．乙十一月二十七日之信：要约。

于十一月二十九日下午到达生效。

（二）甲与乙间买卖契约于十一月二十九日下午成立。

二、乙得依第三四八条第一项规定，向甲请求交付石雕，并移转其所有权。

第六款 合意与不合意

花莲某甲于五月九日，致函台北建筑商某乙，表示："愿以五十万元出租太鲁阁近处的 A 地"。乙经于谈判过程知甲误书 B 地为 A 地，复函中表示"愿依所提出条件，承租 B 地"。于五月十三日到达。试问：

（1）甲与乙间租赁契约是否成立，于何时成立，何地成立，何时履行，何地履行？

（2）设乙不知甲误书"B 地为 A 地"，而函复"愿以所提条件，承租 A 地"时，租赁契约是否成立？

（3）设甲在要约函中表示："该地是否适于建筑，概不负责"。乙于复函中未对此表示意见，其后乙发现该地不适于建筑，而主张租赁契约不成立，有无理由？

（4）甲或乙对契约是否成立有争论时，由谁负举证责任？

一、概说

契约的缔结，有要约与承诺、要约与意思实现或交错要约三种方式，已如上述。无论采取何种方式，其内容必须完全一致，契约始能成立。第一五三条第一项规定："当事人互相表示意思一致者，无论其为明示或默示，契约即为成立"，即在表示此项基本原则。又依本条第二项规定："当事人对于必要之点，意思一致，而对于非必要之点，未经表示意思者，推定其契约为成立，关于该非必要之点，当事人意思不一致时，法院应依其事件之性质定之。"由此可知，关于契约之成立与不成立，其情形有三：

（1）当事人对契约必要之点及非必要之点皆为合意时，契约成立。

（2）当事人对必要之点合意，而对于非必要之点，未经表示者，推定其契约成立。

（3）当事人对必要之点合意，但对业经表示之非必要之点未为合意时，契约不成立。

二、契约成立

（1）意思表示一致（合意）的必要性及其范围。契约因互相表示意思一致（简称合意）而成立。[1]此项合意必须包括必要之点及经意思表示的非必要之点。所谓必要之点，指某种契约所不可缺的原素（要素），如在买卖，为标的物及其价金；在雇佣，为劳务之提供及报酬。所谓非必要之点，包括常素（即某种原素常构成某种契约的内容，如出卖人之瑕疵担保）及偶素（即某种法律事实，因当事人特别表示，而成为契约之内容，如附条件及期限）。交易上常见的契约（如保险契约、委建合建契约、信用卡契约），其内容甚为复杂，当事人对每一个条款均须合意，契约始能成立。

何谓"合意"，究系指"内心的意思"抑指"意思表示的意义"（Sinn der Willenserklärung）？兹举一例加以说明：甲欲出租 A 地（地号为三〇九三）给乙，讨价还价良久，某日乙接获甲的来信，表示愿出租 B 地（地号为三〇三九），租金五十万元。乙由长期的磋商明知甲误写地号，于回信承诺时，表示"愿以出价承租 A 地"。于此情形，双方当事人的真意在于租赁 A 地，彼此均了解之，其互相意思表示仍属一致，契约成立。法谚上所谓："错误的表示，无害真意"（falsa demonstratio non nocet），[2]即指此而言。上举之例，设甲内心的意思，在出租 A 地，误书为 B 地，乙不知其事而函复，表示"愿依出价承租"时，甲之"内心的

---

〔1〕 Balis, Das Problem der Vertragsschliessung und der Vertragsbegründende Akt, 1962; Mayer – Maly, Der Konsens als Grundlage des Vertrags, Festschrift für Seidl, 1975, 118f.

〔2〕 Wieling, Die Bedeutung der Regel "falsa demonstratio non nocet im Vertragsrecht", AcP 172 (1972), 297.

意思"与"外部之表示"虽不一致，但从乙（受领人）的立场而言，应以其所能认识的作为准据，即甲系在出租 B 地，故双方当事人的意思表示客观上趋于一致，契约成立。惟甲的表示行为发生错误，得依第八十八条第一项撤销之。由此可知，所谓合意，终究言之，系指经由解释所认定的"表示内容的一致"，而非指内心意思的一致而言。

（2）契约成立的时间及地点。契约成立的时间，因其成立方式而异。契约依要约及承诺的方式而成立的，以承诺发生效力时，为契约成立时间。在第一六一条所定情形，以承诺意思实现（有可认为承诺之事实）时，为契约成立时间。在交错要约的情形，以第二个要约到达时，为契约成立时间。基于契约自由原则，当事人得约定契约溯及承诺发出时发生效力。契约一旦有效成立，除附停止条件或始期外，原则上债权人即得随时请求清偿，债务人亦得随时为清偿（参阅第三一五条、第三一六条）。

至于契约成立的地点，应依承诺生效或承诺意思实现的处所定之。须注意的是，契约成立地与清偿地并非相同。依第三一四条规定，清偿地，除法律另有规定或契约另有订定，或另有习惯，或得依债之性质或其他情形决定者外，应依下列各款之规定：❶以给付特定物为标的者，于订约时，其物所在地为之。❷其他之债，于债权人之住所地为之。如台北某甲出租花莲某地于乙，不论契约在何处成立，原则上均以该地所在地（花莲）为清偿地。

三、契约成立之推定

第一五三条第二项规定，当事人对于必要之点，意思一致，而对于非必要之点，未经表示意思者，推定其契约为成立。例如，甲向乙购买钻戒，约定价金由专家鉴定决定之，但关于履行期则未约定。于此情形，双方同意价金由第三人决定，亦属于对买卖契约要素之合意。至于履行期，系属"非必要之点"，既未经表示，应推定契约成立。当事人得证明对于此等非必要之点，亦须有合意时，契约始能成立，而推翻之。此种反证，事实上殆不可能，实务上罕见其例。当事人关于非必要之点意思不一致时，由法院依其事件之性质定之。此涉及契约解释及"契约漏洞"（Vertragslücke）填补的问题，俟后再行详论。

四、契约不成立

（一）公然不合意与隐藏不合意

当事人对于契约必要之点，未经合意者，契约固不成立，对业经表示之非必要之点不合意时，契约亦不成立。非必要之点，纵属细微，若经表示，亦须合意，以贯彻当事人自主原则。所谓不合意（Dissens），有公然不合意及隐

藏不合意两种情形，分述如下：[1]

（1）公然不合意（Offener Dissens），亦称意识的不合意，即当事人明知欠缺意思之一致，例如，甲请乙为家庭管理，每月报酬一万五千元，每月休假二天，乙则表示每月报酬二万元，每周休假一次，关于必要之点及非必要之点，彼此意见分歧，雇佣契约不成立。在意思实现的情形，顾客来函订双人套房，旅馆则保留单人房时，亦属对契约必要之点不合意。

（2）隐藏不合意（Versteckter Dissens），亦称无意识不一致，即当事人不知其不一致。其主要情形有二：❶当事人长期谈判，信其契约之成立，不知关于某项业经提出的问题，实际上并无合意。❷当事人的意思表示客观上具有多义性，不能经由解释排除其歧异。梅仲协先生曾举如下之例，可供参考："白头翁"一词，各地方言，向有两种物类可指，一为飞禽类有名"白头翁"者，一为昆虫类蟋蟀之一种。今有某甲，欲以"白头翁"卖与于乙，在甲系指白头翁之鸟，而乙则以为蟋蟀中之白头翁，而承诺之。于此情形双方之意思表示，并不一致，当事人不自知，为隐藏之不合意，其买卖契约不成立。[2]

意思表示不合意（隐藏不合意），与一方当事人关于其所为意思表示内容的错误，应严予区别，例如，甲致函于

---

[1] Leenen, Abschluss, Zustandekommen und Wirksamkeit des Vertrags: zugleich ein Beitrag zur Lehre vom Dissens, AcP 188 (1988), 381.

[2] 梅仲协：民法要义，第九十二页。在德国教科书常举之例，系瑞士及法国商人在第三国订立契约，以法郎计算，不能认定其究为瑞士的法郎或法国的法郎，参阅 Brox, AT. S. 401.

乙，表示出卖 A 画，乙函复愿买 B 画，当事人关于标的物意思不一致，其买卖契约不成立。设乙误读甲函，以为系出卖 B 画，而函复"愿依所提条件购买之"，则双方意思表示的客观意义，趋于一致，买卖契约成立，惟乙得依第八十八条第一项规定撤销其错误的意思表示。由此例可知，不合意指两个意思表示内容不一致，而错误则指一方的意思表示，其意思与表示不一致。不合意与错误的法律效果不同，应慎思明辨之！

（二）契约不成立与缔约上过失责任

契约不成立时，得发生缔约上过失责任问题，俟于相关部分，再行详论。

五、举证责任

契约是否成立，关系当事人利益至巨，为避免争议，民法特设有"推定"的规定，即订约当事人之一方，由他方受有订金时，其契约推定成立（修正第二四八条及第一五三条第二项、第一六六条规定）。此外，举证责任的分配，亦值重视。[1] 兹依一般举证原则，分五点说明如下：

（1）主张要约存在者，应负举证责任。反之，主张要约拘束力除外者，对拘束力的不存在，应负举证责任。

（2）主张要约定有承诺期间者，应对此负举证责任。

---

[1] 关于举证责任的一般理论，参阅骆永家：民事举证责任论，一九七六年，商务印书馆；陈荣宗：举证责任分配与民事程序法，台大法学丛书（十七），一九七八年。

（3）于修正第一五九条规定承诺迟到的情形，为承诺之人应证明承诺之通知，按其传达之方法，依通常情形在相当时期内可达到而迟到，其情形为要约人可得而知者。要约人对即已发迟到通知，应负举证责任。

（4）于第一六一条规定的情形，主张契约依意思实现而成立者，对承诺无须通知及有可认为承诺之事实，应负举证责任。

（5）主张契约成立者，就意思表示的合意，应负举证责任。

第五节　契约的效力、好意施惠关系与事实上的契约关系

第一款　契约之拘束力与契约之效力

一九三一年上字第一九四一号判例谓："当事人缔结之契约一经合法成立，其在私法上之权利义务，即应受契约之拘束，不能由一造任意撤销"，试就此判例说明"契约之拘束力"与"契约之效力"。

一、契约之拘束力与契约效力的区别

契约经意思合致而成立时，当事人因而受契约之拘束（Vertrag als Bindung der Vertragspartner）。一九二九年上字第四八四号判例谓："当事人缔结之契约一经合法成立，双方均应受其拘束。"又一九二九年上字第一四九五号判例亦谓："当事人缔结契约一经合意成立，即应受其拘束。"然则，何谓契约之拘束力？关于此点，亦著有判例：❶当事人间合法缔结之契约，双方均应受其拘束，除两造同意或有解除原因发生外，不容一造任意反悔请求解约（一九三〇年上字第九八五号判例）。❷契约当事人一经意思表示一致，其契约即属合法成立，不容一造无故撤销（一九三一年上字第六三二号判例）；❸一族族众同意订立之规约，在未经同意修改以前应有拘束全族人之效力。（一九四一年上字第四五五号及一九五一年台上字第一七四六号判例）。综据上述，可知所谓契约之拘束力（受契约之拘束），系指除当事人同意或有解除原因外，不容一造任意反悔请求解约，无故撤销。易言之，即当事人之一方不能片面废止契约。

与上述所谓"契约拘束力"，应严于区别的是契约之效力（Geltung des Vertrags），即基于契约而生的权利义务。一九三一年上字第一九四一号判例谓："当事人缔结之契约一经合法成立，其在私法上之权利义务，即应受契约之拘束，不能由一造任意撤销。"其所谓"其在私法上之权利义务，即应受契约之拘束"，系指"契约之效力"，其所谓："不能由一造任意撤销"，则指"契约之拘束力"而言。

契约效力的发生，以契约有效成立为前提。契约通常于其成立时，即具有拘束力。限制行为能力人所订立的契约，未经承认前，相对人得撤回之。但订立契约时，知其未得有允许者，不在此限（第八十二条）。在此情形，法定代理人有承认与否的自由，但相对人则应受契约的拘束，不得撤回。又无权代理人所为之契约，其相对人于本人未承认前，得撤回之。但为法律行为时，明知其无代理权者，不在此限（第一七一条）。于此等情形，本人有承认与否的自由，但相对人仍应受契约的拘束。最后须注意的是，契约附停止条件时，其契约亦因成立而具有拘束力，但契约的效力，则自条件成就时，始行发生。

二、合意废止契约

具有拘束力的契约，得依双方当事人的合意废止之。此种以第二次契约废止第一次契约，罗马法上称为 contraius consensus，德国法上称为 Aufhebungsvertrag。台湾通说称为合意解除，民法虽未设规定，但依契约自由原则，自得为之。一九六八年台上字第三二一一号判例谓："契约除当事人约定保留之解除权外，固以有第二五四条至第二五六条或其他法定之情形为限，有解除权人始得向他方当事人为解除之意思表示。但契约既因当事人双方意思表示一致而成立，自亦可因互相表示意思一致而解除，所谓意思表示一致，无论其为明示或默示，均包含在内。"

　　废止契约（或合意解除），系以其他契约的消灭为其直接目的，具有处分的性质，故属于处分契约（Verfügungsvertrag）的一种。契约经合意废止时，向将来（ex nunc）发生效力，但当事人约定其具有溯及力时，依其约定。关于当事人所为的给付，应如何处理，一九七四年台上字第一九八九号判例谓："契约之合意解除与法定解除权之行使性质不同，效果亦异。前者为契约行为，即以第二次契约解除第一次契约，其契约已全部或一部履行者，除有特别约定外，并不当然适用第二五九条关于回复原状之规定。后者为单独行为，其发生效力与否，端视有无法定解除原因之存在，既无待他方当事人之承诺，更不因他方当事人之不反对而成为合意解除。"倘不当然适用第二五九条关于回复原状之规定，究应如何处理？一九六九年度台上字第四二九七号判例谓："契约之解除，出于双方当事人之合意时，无论有无可归责于一方之事由，除经约定应依民法关于契约解除之规定外，并无当然适用第二五九条之规定，倘契约已为全部或一部之履行者，仅得依不当得利之规定请求返还其利益。"[1]

---

[1] 德国通说认为有疑问时，应适用解除契约回复原状的规定 MünchKomm／Kramer，§305 Rdnr. 29；BGH NJW–RR 1996, 336.

第二款　"最高法院"所创设
"一般契约之效力"的存废

（1）修正前第四〇七条规定："以非经登记不得移转之财产为赠与者，在未为移转登记前，其赠与不生效力。"设甲赠与乙某地，经乙允受而成立赠与契约。试问乙得否向甲请求办理所有权移转登记。

（2）第一〇五〇条规定："两愿离婚，应以书面为之，有两人以上证人之签名，并应向户政机关为离婚之登记。"设有甲男与乙女离婚，订有两人证人签名的书面后，乙拒不向户政机关为离婚之登记时，甲诉请法院判决时，应如何处理？

一、所谓"一般契约之效力"

修正前第四〇七条规定："以非经登记不得移转之财产为赠与者，在未为移转登记前，其赠与不生效力。"关于本条的适用，"最高法院"曾作有二则重要判例：

（1）一九五二年台上字第一七五号判例谓："以非经登

记不得移转之财产为赠与者，在未为移转登记前，其赠与不生效力，固为第四○七条所明定。惟当事人间对于无偿给与不动产之约定，如已互相表示意思一致，依第一五三条第一项之规定，其契约即为成立，纵未具备赠与契约特别生效之要件，要难谓其一般契约之效力亦未发生，债务人自应受此契约之拘束，负有移转登记使生赠与效力之义务。"

（2）一九五五年台上字第一二八七号判例："上诉人所称被继承人某甲之分产行为，如系赠与性质，虽不动产之赠与非经登记不生效力，但某甲以讼争不动产无偿给与其四子，双方意思表示既经互相一致，依第一五三条第一项之规定，其一般契约之效力究已发生，某甲即应受其拘束，负有依约履行使生赠与效力之义务。此项义务因某甲之死亡，应由其继承人包括继承，被上诉人为继承人之一，自不能违反此契约，而请求确认其就讼争不动产仍有应继分，并命上诉人协同办理继承登记。"[1]

二、第一○五○条的适用：两愿离婚

"最高法院"所谓"一般契约之效力"，系于一九五一年代针对不动产赠与而创设，此项理论是否具有"一般效力"，可适用于两愿离婚，实务上发生争论。查修正前第一○五○条规定："两愿离婚，应以书面为之，并应有两

---

[1] 参阅拙著："不动产赠与契约特别生效要件之补正义务"，民法学说与判例研究（一），第四三三页。

人以上证人之签名。"一九八五年六月三日修正为："两愿离婚，应以书面为之，有两人以上证人之签名并应向户政机关为离婚之登记。"此项修正产生如下的疑问：当事人两愿离婚，已订立书面，并有两人以上证人之签名者，其一方如拒不向户政机关为离婚登记之申请时，他方得否提起离婚户籍登记之诉？[1]

一九八六年台上字第三八二号判决采肯定说认为："查两愿离婚，应以书面为之，有两人以上证人之签名，并应向户政机关为离婚之登记，为第一〇五〇条所明定。从而两愿离婚双方当事人应向户政机关申请为离婚之登记，如一方拒不为申请，他方自得向法院提起离婚户籍登记之诉求命其履行。"两愿离婚关系当事人利益至巨，系当前社会重大问题，"最高法院"未提出实质的理由，仅以"从而"及"自得"为推理的依据，初视之，不免令人诧异，实则，此乃基于三十年来对所谓"一般契约之效力"的确信，认为应受其此项理论拘束，而产生的理由构成。须注意的是，一九八六年台上字第八九四号裁定，采不同的见解，强调："两愿离婚须具备书面、两人以上证人之签名及办理离婚户籍登记三项要件，始生效力，此为一九八五年六月三日修正第一〇五〇条所为特别规定。当事人两愿离婚，只订立离婚书面及有两人以上证人之签名，而因一方拒不向户政机关为离婚之登记，其离婚契约尚未有效成

---

[1] 参阅拙著："离婚契约之拘束力与特别生效要件之履行"及"两愿离婚登记法律性质之争议在法学方法论上之检讨"，民法学说与判例研究（五），第三一七页、第三三一页。

立，他方自无提起离婚户籍登记之诉之法律依据。"一九八六年度民庭庭推会议决议亦采此见解。

三、"一般契约之效力"的存废

（一）理论上的检讨

在两愿离婚，"最高法院"已摆脱了"一般契约之效力"的束缚。关于不动产的赠与则仍坚守此项适用数十年的理论，某种程度已成为一种思考方法。"最高法院"所创设的"一般契约之效力"，认为契约具备成立要件者，当事人自应受此契约之拘束，负有履行该契约特别生效要件之义务，而使该契约发生效力。此项理论，系属虚构，难以赞同，应说明的有三点：

（1）"一般契约之效力"究指何而言，殊不明确，是否尚有所谓的"特别契约之效力"，其内容如何？

（2）"最高法院"认为"双方意思表示既经互相一致，依第一五三条第一项之规定，其一般契约之效力究已发生。"此项论点殊嫌无据，第一五三条仅在宣示契约因合意而成立不能由之而导出所谓"一般契约之效力"。

（3）法律对某种法律行为所以于一般生效要件外，另设特别生效要件，均有其规范目的，第四〇七条所以规定："以非经登记不得移转之财产为赠与者，在未为移转登记前，其赠与不生效力"，乃在保护不动产的赠与人。依上开判例，本条规定将成为具文，殆可删除。上开判例或在衡平地处理个案，但与第四〇七条的法律目的，终属有违，纵出于贯彻重然诺的思想，亦不免于混淆法律与道德的分际。

（二）债编修正与"一般契约之效力"

"最高法院"适用"一般契约之效力"的理论，长达四十余年，[1] 已成为实务上根深蒂固的思考方法，虽属契约法的"异体物"，期待"最高法院"自己变更见解，殆属不可能，仅能藉助立法修正加以废止。一九九九年四月二日通过的债编修正条文删除第四〇七条，并随着第一六六条之一的适用，就不动产赠与言，所谓"一般契约之效力"已无存在余地，既属契约法的异体物，自应随之俱逝，不应再予爱用。此项理论的发生与废弃，使吾人对契约的成立和生效，有更深刻的体会和认识。

第三款　契约与"好意施惠关系"

（1）甲知乙某日将赴高雄开会，向乙表示其亦有事到高雄，乙可搭便车。试问乙对甲有无搭便车的请求权？设甲于该日未通知乙搭便车，致乙支出额外费用到高雄时，乙得否向甲请求损害赔偿？设甲让乙搭便车，途中发生车祸，致乙受伤，

---

[1] 一九九五年台上字第二七八八号判决仍采所谓："一般契约之效力"的见解，载民事裁判书汇编，第二十二期，第二八〇页。

乙得否对甲请求损害赔偿？

（2）甲、乙、丙、丁共同出资，每月购买特定号码的彩券，推定由丁负责为之。某月因丁的过失，未购买彩券，错失中百万大奖。试问甲、乙、丙诉请丁支付奖金的分配部分（二十五万元）时，法院应为如何的判决？

（3）甲男与乙女同居，约定乙女必须服避孕药，乙违反此项约定，怀孕生育丙子，诉请甲认领。试问甲就其支出的扶养费得向乙请求损害赔偿？

一、问题的提出

在日常生活上常见下列的约定：搭便车到某地；火车到某站时，请叫醒下车；代为投寄信件；参加友人郊游或宴会。于此等情形，当事人一方得否向他方请求履行？一方当事人不为履行或为不完全履行时，他方当事人得否请求损害赔偿？此涉及到所谓"好意施惠关系"（Gefälligkeitsverhältnis）与契约的区别，及其法律效果。[1]

---

〔1〕德国判例学说上的 Gefälligkeitsverhältnis，如何迳译成中文，尚待斟酌，暂译为"好意施惠关系"（参阅黄立：民法债编总论，第十七页）。德文资料参阅，Gernhuber, Schuldverhältnis, 1989. Medicus, AT. S. 78. 德国实务上判决的综合分析，Willoweit, Die Rechtssprechung zum Gefälligkeitshandln, JuS 1986, 96.

二、判断标准

好意施惠关系与契约的区别，在于当事人间就其约定，欠缺法律上行为上的法律效果意思，无受其拘束的意思。关于此点，当事人得明示为之，如表示其所约定的乃属"君子协定"（Gentleman Agreement）。[1] 在有偿的情形，当事人的约定通常构成契约，如支付一定报酬，请邻居于外出期间定时浇花；共同分担油费，搭乘汽车环岛旅行；邻居数人约定轮流开车上班等。其约定系无偿时，是否成立契约，抑仅为好意施惠关系，应解释当事人的意思表示，斟酌交易惯例与诚实信用原则及当事人的利益，从相对人的观点加以认定。此在理论上，固甚明白，实际上难免争议。就搭乘便车，火车过站叫醒，顺路投寄信件，邀请参加宴会、郊游或舞会而言，均应认系属所谓的好意施惠关系。

三、履行请求权

好意施惠关系既非属契约，无法律上的拘束力，自不发生给付请求权，例如，甲与乙约定，于某日赴高雄时允乙搭便车，乙不得向甲主张有搭便车的权利。惟此种好意施惠关系仍得作为受有利益的法律上原因，就搭便车之例

---

〔1〕 Reuss, Intensitätsstufen der Abreden und die Gentleman Agreements, AcP 154 (1954), 485f.

言，甲让乙搭便车后，不得主张乙受有利益，无法律上原因，而成立不当得利。

四、损害赔偿

在好意施惠关系上，好意施惠的一方不为履行，或不为完全履行，对他方当事人所受损害，应否负损害赔偿责任，甚有争议，兹以好意让人搭便车之例，加以说明：

（1）请求权基础。好意让人搭便车既不成立契约，被害人无契约上的请求权，就其因车祸所受的损害，自不得依不完全给付规定请求损害赔偿（新修正第二二七条）。其得为请求权基础的是，民法关于侵权行为的规定，尤其是第一八四条的适用。例如，甲对乙允诺于火车经过台南时，叫醒下车，因过失未叫醒乙，致乙到达高雄后，须再回到台南。乙就其所支出的费用，不得依第一八四条第一项前段规定向甲请求损害赔偿，盖其所受侵害的，不是权利，而是纯粹经济上损失。[1] 若甲作此允诺，却不叫醒乙下车，系出于故意以悖于善良风俗方法加损害于乙时，则应依第一八四条第一项后段规定负损害赔偿责任。此属罕见，不必详论。

（2）侵权责任的排除。在好意施惠关系，当事人得明示排除其侵权责任，惟故意或重大过失之责任不得预先排除（第二二二条）。关于默示排除责任，应从严认定，避

---

[1] 关于纯粹经济上损失，参阅拙著：侵权行为法（一），第九十八页。

免拟制当事人的意思。

（3）侵权行为过失责任的缓和。让人搭便车既属好意施惠，如何减轻或缓和其侵权责任，实值重视。[1]

有认为好意施惠既属"无偿"，应使其仅就故意或重大过失负责。惟于"无偿契约"，债务人并非均仅就故意或重大过失负责，应尽与自己处理事务为同一注意的，亦属有之（第五三五条），尚难由现行规定导出无偿好意施惠者，仅就故意或重大过失负责的一般原则。

有认为于无偿契约，民法关于减轻债务人责任的优遇，既应适用于侵权行为，例如，甲无偿借乙某车，成立使用借贷，就该车瑕疵而生的损害，贷与人仅就故意不告知借用物瑕疵时，始负赔偿责任，此项减轻责任的优遇，于"相类似的好意施惠关系"亦应有适用余地。[2] 此项见解颇值参考。惟如何就好意施惠关系认定其"相类似的无偿契约"，时有困难，例如，甲与乙约定，乙可搭便车到高雄，究相类似于委任、承揽或运送契约，实难断言。

本书认为在好意施惠关系，尤其是在搭便车的情形，好意施惠之人原则上仍应就其"过失"不法侵害他人权利，负损害赔偿责任，惟过失应就个案合理认定之。对他人生命身体健康的注意义务，不能因其为好意施惠而为减轻，将其限于故意或重大过失。[3] 车祸涉及第三人责任保险，不应因限制加害人责任，致影响被害人得获赔偿的机

---

[1] Hoffmann, Der Einfluss der Gefälligkeitsmoment auf das Haftungsmass, AcP 167 (1967), 394f.

[2] Medicus, AT. S. 81f.

[3] Larenz, Schuldrecht 1, S. 292, 554f.; RGZ 145, 394; BGHZ 30, 46.

会。

（4）被害人与有过失。被害人明知好意让其搭车之人，酒醉或无驾照而仍愿搭其便车，发生车祸，身受伤害时，应认其对损害的发生与有过失，而有第二一七条规定的适用。

五、案例分析

关于"好意施惠关系"，我实务上尚无相关案例，特介绍德国联邦法院两则判决，以供参考：

（1）BGH NJW 一九七四，一七〇五：[1]错失彩券中奖案件。在本件，A、B、C、D 及 E 五人组成彩券投资会（Lottospielgemeinschaft），每周每人出资十马克，由 E 负责购买彩券，填写固定号码。某周，因 E 的过失未及购买彩券，填写号码，错失中奖十万马克的机会。A、B、C、D 乃起诉请求 E 赔偿中奖时应分配的部分。本件历经三审，原告败诉。

德国联邦法院认为彩券是由政府核准发行，不具违法性，参与彩券的赌博仍属有效，于中奖时，应依约定分配奖金。惟最高法院强调于本件情形，要使 E 承担此种可能危及其生存的责任（可能错失几百万或千万马克中奖的机

---

〔1〕 BGHZ 系 Bundesgerichtshof in Zivilsachen（德国联邦法院民事裁判），刊登于法学杂志（Neue Juristische Wochenschrift）一九七四年，第一七〇五页。比较法上的分析，参阅 Markesinis/Lorenz/Danneman, The German Law of Obligations, Vol. 1. The Law of Contracts and Restitution, 1997, p. 82, 196.

会！），实不符合此种共同投资彩券关系。若事先虑及此项问题，没有任何成员愿意承担此种危险，或对任何成员作此期待。基此认识，德国联邦法院乃认为约定某人负责购买彩券不具法律上拘束力，不因之成立合伙契约，E 就其过失，不负不完全给付的损害赔偿责任。

德国联邦法院的见解，基本上应值赞同。另一种思考方法是肯定当事人间成立合伙，E 系执行职务，惟不可责望 E 承担可危及其生存的重大危险，而认当事人默示排除其责任。[1]

（2）BGHZ 九七，三七二：[2] 同居之妇女未依约定服用避孕药。在本件，甲男与乙女未结婚而同居，约定乙女应使用避孕药。乙女故意不为服用，意图生育子女，藉此"抓住"甲男，与其结婚。乙女生育后，甲与乙女分手，乙强制甲为认领，并支付扶养费（德国民法第一六〇六条第三项）。甲以乙女违反约定为理由，诉请乙赔偿支付扶养费所受的损害。

德国联邦法院否定甲的请求权，其主要理由系认为婚外同居者，关于使用避孕药的约定触及个人私密自由的范围，非法律行为所得规范。一方同居者不遵守此项约定，且未通知他方同居者，并不因此而应负契约上的损害赔偿责任。两个成年人同居，于其自愿的性行为上不仅要满足性的需要，亦须对其所生育的生命负责。关于子女的生

---

〔1〕 Kornblum, Das verpasste Lottoglück, JuS 1976, 571; Plander, AcP 176 (1976), 424.

〔2〕 本件判决的英文翻译及评论，Markesinis/Lorenz/Dannemanu, German Law of Obligations, Vol. I. The Law of Contracts and Restitution, 1997, p. 218.

育，基本上不受侵权行为法的规范，纵使一方同居者就使用避孕药对他方施以诈欺，亦不因此应负侵权责任。就本案言，此乃出于为子女的利益的必要，盖当事人业既已结束同居关系，子女由生母监护及扶育，自然地亦同享其母的生活条件、生活情状及生活水准。若肯定生父对其生母有损害赔偿请求权，尤其于为强制执行时，其生母必将蒙受精神及财务上重大妨害，该子女亦将经历相同的困难，而使其认识到其自身的存在导致生母对生父负须此种责任，影响所及，实涉及子女的人的尊严。[1]

同居者使用避孕药的约定，涉及个人生育自由，得认定当事人无受其法律力拘束之意，而非契约。纵认定其为契约，亦因限制个人生育自由，悖于公序良俗而无效，德国联邦法院的见解，可资赞同。

问题在于同居的女方故意违背服避孕药的约定，怀孕生子，致使同居的男方负扶养子女的费用，是否构成"故意以悖于善良风俗方法加损害于他人"，应负赔偿责任（德国民法第八二六条，我民第一八四条第一项后段）。德国联邦法院采否定说，系以子女利益为主要理由。然男女同居，约定一方须服避孕药，不生育子女，攸关他方当事人利益甚巨，构成一种特殊信赖关系，一方故意违反此项约定，破坏此项信赖关系，难认符合社会生活的伦理观念，似应受侵权行为法的规范。又此所涉及的，乃生父对

---

〔1〕 关于本件判决的评论，Dunz, VersR. 1986, 816；T. Ramm, JZ 1986, 1011；Schlund JR 1986, 455；Fehn, JuS 1988, 602.

生母关于扶养费用损害赔偿请求权，并不影响生父对子女的扶养义务。该子女可能与其生母同受精神或财务的困难，得否因此而认为侵害子女的尊严，而以此作为否认生母对生父应负侵权责任的理由，尚有推究余地。[1]

第四款　"事实上契约关系"的兴衰[2]

（1）甲在乙经营的停车场停车，对丙管理员表示："此地一向免费停车，我不必付费，请勿看管。"试问乙得否向甲请求支付停车费？

（2）学童某甲，年十三，家住台北，偷乘乙经营之国光号客运赴高雄游玩，下车时被发觉。试问乙得向甲主张何种权利？

（3）甲雇乙为司机。三个月后甲发现乙受禁治产宣告，即以雇佣契约无效为理由，即令乙离职，并拒绝支付报酬，有无理由？

（4）甲、乙、丙、丁四人合伙在台大附近公馆摆设地摊，其中丁甫高中毕业，未满十九岁。半

---

[1] T. Ramm, JZ 1986, 1011 (1013); Fehn, JuS 1988, 602 (603).

[2] 此项标题参考 Lambrecht, Die Lehre vom faktischen Vertragsverhältnis: Entstehung, Rezeption und Niedergang, 1994（本书从理论发展史（Dogmengeschichte）的观点，综合论述事实上契约关系的产生、继受及没落。事实上契约关系（Faktische Vertragsverhältnisse），系近数十年来德国民法学上讨论最多的问题之一，参阅拙著："事实上之契约关系"，民法学说与判例研究（一），第九十三页（附有德文资料文献）。日本最近资料，参阅森孝三："事实的契约关系"，现代契约法大系，第一卷，现代契约的法理（一），有斐阁，昭和58年，第216页。

年后，丁父知悉其事，命其参加补习，准备升学，不同意其参加摆地摊的合伙。试问：丁与其他合伙人的法律关系，应如何处理？丁以合伙名义与他人订立的契约是否有效？

一、问题的说明

在阅读以下说明之前，请读者思考上开四则例题，究应如何处理！

依传统的民法理论，契约仅能依当事人的意思合致而缔结。当事人的意思表示不生效力、无效或被撤销时，其所订立的契约亦无其效力，不复存在，其法律关系应依不当得利规定加以处理。德国学者 Haupt 氏对此批评甚烈，认系泥守既有观念，固步自封，不能合理解决问题，乃于一九四一年提出一项新的理论，[1] 主张在若干情形，契约关系得因一定的事实过程（Tatsachliche Vorgänge）而成立，当事人的意思如何，在所不问。此种因一定的事实过程而成立的契约，Haupt 氏称为事实上契约关系（Faktische Vtrtragsverthältnisse），并强调此种事实上契约关系不是类似契约的法律关系，而是确具契约内容的实质，其与传统契约观念不同的，仅其成立方式而已，从而关于其内容，契约法的规定得全部适用。Haupt 氏此项革命性的理论，具有启

---

[1] Haupt, Über faktische Vertragsverhältnisse, 1941.

示性，特就"典型社会行为"及"事实上劳动关系或合伙关系"两个基本问题加以说明。

二、因典型的社会行为而成立契约

电气、电信、瓦斯、自来水、公车等，系现代经济生活所不可欠缺，通常是由大企业经营，就使用的条件及权利义务，订有详密的规定，相对人既少选择自由，对企业所订的条款，亦难变更。依传统的观念，利用此等给付系基于对企业者要约的默示承诺。Haupt 教授认为，如此的意思合致，乃毫无血肉的形体（Blutleeres Gebild），与契约的本质并未符合。前述的各项给付具有社会义务，提供者非有正当理由不得拒绝，利用者对使用条件既无讨价还价的余地，不必假藉当事人意思，拟制法律行为的要件，应毅然地承认利用此等给付的事实行为，即足成立契约，而发生契约上的权利义务关系，当事人的内心意思如何，可不必问。[1]

Larenz 教授曾以 Haupt 氏上开观点为基础建立了所谓"社会典型行为理论"（Die Lehre vom sozialtypischen Verhalten），[2]其说略谓:现代大量交易产生了一种特殊现象,即在

---

〔1〕 为使无行为能力人或限制行为能力人得使用电信、邮政等，法律常拟制其为有行为能力人，参照"电信法"第九条规定："无行为能力人或限制行为能力人使用电信之行为对于电信事业视为有行为能力人。但因使用电信发生之其他行为，不在此限。""邮政法"第三十五条规定："无行为能力者或限制行为能力者，关于邮政事务对邮政机关所为之行为，视为有能力者之行为。"（另参阅"简易人寿保险法"第三十一条）

〔2〕 Larenz,Schuldrecht I, 6. Aufl. S. 490.；Larenz/Wolf, AT. S. 597.

甚多情形，当事人无须为真正的意思表示，依交易观念仅因事实行为，即能创设契约关系，任何人均得支付一定的费用而为利用。在此情形，事实上的提供给付及事实上的利用行为，取代了意思表示。此种事实行为并非以发生特定法律效果为目的的意思表示，而是一种事实上合致的行为，依其社会典型意义，产生了与法律行为相同的法律效果。乘坐电车或公共汽车，使用人未先购票，径行登车，即其著例，在此情形，乘客的通常意思，系被运送至目的地，并未想到应先缔结运送契约，同时亦未有此表示。一般言之，使用者多意欲承担其行为的结果，并愿支付车费，然而，其是否有此意思，他人是否认识，对成立契约，依契约原则处理运送关系，不生任何影响。Larenz 教授特别指出：因社会典型行为而成立契约，与依德国民法第一五一条规定（相当我民第一六一条）意思实现而成立契约不同，因其不以法律效果意思为必要，从而亦不发生意思表示错误撤销的问题。为保护思虑不周之人，德国民法关于无行为能力人及限制行为能力人的规定仍有适用余地。德国联邦法院在有名的 BGHZ 一，三一九判决（其案例事实相当于例题二），[1] 曾采 Larenz 教授的理论，作为判决理由，广受重视。

社会典型行为说的最大贡献，在于指出在现代消费社会大量交易行为的事实规范性，但此亦为弱点的所在。社

---

〔1〕 较详细的讨论，参阅拙著："事实上之契约关系"，民法学说与判例研究（一），第九十三页。

会的典型行为虽可作为认定意思表示的标准，但其本身并不具法源性。[1] 实际上，民法上古典的"要约及承诺"缔约方式，尚足以应付社会典型行为说所欲克服的问题。例如，搭乘公车，可解释为系默示订立有偿运送契约的意思表示；当事人一方面利用他人提供的给付（如在停车场停车），一方面却表示不欲支付对价时，得认此项口头表示与实际行为矛盾，不生效力（protestatio facto contraria），[2] 其契约仍可成立，或依不当得利规定加以处理。

三、事实上劳动关系与合伙关系

劳动契约或合伙在进入履行阶段后，始发现其无效、不生效力或被撤销时，依民法一般原则，当事人所受领的给付，失其法律上的依据，应依不当得利规定负返还义务。然此势必导致复杂繁难的结果。为此，Haupt 教授乃认为劳务若已为一部或全部的给付，合伙的共同事业若已实施，无论在内部或外部，既均已发生一定的法律关系，则此种法律关系业已存在的事实，即不容任意否认，而置之不理。企业或合伙乃具有团体性的组织，当事人既已纳入其内，则基此事实即应成立契约，并依此事实上劳动关系（Faktische Arbeitsverhältnis）或事实上合伙（Faktische

---

[1] Fikentscher, Schuldrecht, S. 52.

[2] 关于此项法律谚语，参阅 Riezler, Venire contra factum proprium, 1912; Teichmann, Die protestatio facto contraria, Festschrift für Michaelis, 1972, S. 294. 最近著作, Singer, Das Verbot widersprüchlichen Verhaltens, 1993.

Gesellschaft）处理彼此间所发生的权利义务。

Haupt 氏所提出的"事实上劳动关系"说，已被"有瑕疵的劳动关系"（Fehlerhaftes Arbeitsverhältnis）理论所取代。此项学说的重点在于强调纳入企业组织此项事实本身，尚不足作为契约成立的规范基础，原则上仍应回到民法上法律行为的理论体系，但为保护劳动者，应加以适当的修正，即在劳动关系业已进入履行阶段，尤其是在受雇人为劳务给付之后，当事人主张意思表示无效，不生效力或撤销具有瑕疵的意思表示时，应限制其溯及力（参阅德国民法第一四二条第一项，我民第一一四条），使其向后（ex nunc）发生效力，使劳工仍能取得约定的报酬。[1]

又 Haupt 氏所提出的"事实上合伙"说，亦逐渐被"有瑕疵的合伙"（Fehlerhafte Gesellschaft）的理论所取代。[2] 此说认为 Haupt 氏过分高估事实的规范力（Normative Kraft des Faktischen），在法无明文的情形，仍应回到民法传统理论，求其解决之道。合伙在性质上既系一个具有继续性的契约，带有团体的色彩，共同事业既已实施，在内外均已发生一定的法律关系，则为该合伙人、其他合伙人或第三人的利益，应限制其无效或撤销的效力，使发生类如终止（Kündigung）、解散（Auflösung），或退伙的法律效果，只能

---

〔1〕 参阅 Hanau/Adomit, Arbeitsrecht, 7. Aufl. 1983, S. 151f.; Zöllner, Arbeitsrecht, 3. Aufl. 1983, S. 125. 专论有 Krässer, Der fehlerhafte Arbeitsvertrag; Picker, Die Anfechtung von Arbeitsverträgen, 1981, 1. 学者采见解者，史尚宽：劳动法原论，第四十一页；陈继盛：劳资关系，第二十七页以下；参阅黄剑青：劳动基准法详解，一九八五年，第一三八页以下。

〔2〕 参阅 Wiesner, Die Lehre von der fehlerhaften Gesellschaft, 1980.

向后发生效力（ex nunc Wirkung）（参阅例题四）。[1]

四、事实上契约关系理论的兴衰与启示

事实上契约关系理论的提出，对传统民法法律行为的价值体系，带来了重大的冲击，其企图以"客观的一定事实过程"，取代主观的"法律效果意思"，而创设新的契约概念的构想，曾备受重视，其后则广受批评，在 Larenz 教授扬弃其典型社会行为理论之后，事实上契约关系说终告没落，但其兴起的背景及发展的过程，确实有助于吾人对传统的个人主义的法律观，从事深刻的检讨与反省。事实上契约关系说虽未如 Lehmann 教授所忧虑的，将以原子弹的威力爆破传统的契约概念，但在许多重要观点上，使现代民法法律行为的理论更为充实，更为丰富，[2] 更能作合理客观的解释，以适应社会的发展与需要。[3]

第六节　契约的解释及契约漏洞的填补
兼论契约法律人的教育

第一款　契约的解释[4]

（1）试说明法律解释及契约解释之目的及方

---

〔1〕　Larenz/Canaris, Schuldrecht II/2, S. 159；史尚宽：债法各论，第六十五页。

〔2〕　Larenz, AT. 7. Aufl. 1989, Vorwort.

〔3〕　Lehmann, Faktische Schuldverhältnis, JheröJb 90, 131.

〔4〕　关于契约解释的基本问题，参阅黄茂荣：民法总则，第八〇四页以下；邱聪智："契约社会化对契约解释理论之影响"，民法研究（一），辅仁大学法学丛书（五），一九八六年，第四十五页；朱柏松，"现代契约法解释问题之研究"，载法学丛刊，第一〇八期；第四十五页。Larenz, Die Methode der Auslegung des Rechtsgeschäfts, 1930, Neudruck, 1966.

法。试阅读"最高法院"关于契约解释的判例及判决，阐释第九十八条规范意义，并分析讨论契约解释上主观说（意思说）及客观说（表示说）的基本问题。

（2）甲出租渔船给乙，其契约书约定：❶承租人应负违法使用所生损害赔偿责任。❷合法使用因不可抗力所生损害，免负赔偿责任。设乙利用该渔船从事走私，遭遇台风毁损时，应否负损害赔偿责任。

一、解释的必要性

契约系由当事人互相意思表示一致而成立，由多数条款组合而成，旨在规律彼此的权利义务，乃当事人自创的规范（lex contracius）。此项契约规范源自当事人意思，在于满足不同的利益，分配各种可能危险，其藉以表达的，则为难臻精确的语言文字，故其意义、内容或适用范围，难免发生疑义，自有解释的必要。

契约的解释包括以下三个层次的问题：

（1）当事人所订立的，究属何种契约：有名契约抑为无名契约？倘为有名契约，究为何种契约（买卖、互易或承揽？）；本约或预约？

（2）契约是否成立：❶要约：其所表示的，究为要约抑为要约之引诱；要约当时预先声明"不受拘束"，其意义如何？要约定有承诺期间，其始期或终期如何计算？要约人是否预先声明承诺无须通知？❷承诺：其承诺是否扩张、限制、或变更要约？沉默是否构成默示承诺？❸互相意思表示一致：契约是否因合意而成立，抑因不合意而不成立？

（3）契约条款的解释：例如，委建契约书所定的一百八十个工作天，是否指能实际施工的天数，因雨或其他不可抗力的事故而不能施工的天数是否包括在内？

由上述可知，契约解释涉及甚广，任何契约均须解释，所谓"契约条款文义明确，无待解释"，乃解释的结果。契约解释在实务上居于重要的地位，是一种技术，也是一种艺术，应与法律解释受到同样的重视。[1]

二、表示说（客观解释）与意思说（主观解释）的争论

法律行为是由两个要件所构成：一为主观的、内在的意思；一为客观的、外在表示。当事人的内心意思既无法清楚明确完全地表现于外部，有解释的必要，已如上述。依其解释的重点究在于外部的表示或内心的意思，产生了客观解释（表示说）及主观解释（意思说）的争论，从罗马法延续到今日，就整个发展趋势而言，系由客观说转向主观说。[2]

---

〔1〕 关于法律解释，参阅拙著：法律思维与民法实例——请求权基础理论体系，第一八四页（第二一二页）。

〔2〕 关于此种法制史上发展过程，参阅 Zimmermann, the Law of Obligations: Roman Foundations of the Civilian Tradition, 1996. pp. 621 - 650.

古罗马法重视法律行为的方式，尤其是在所谓的答问契约（Stipulatio），当事人须依法定言语及法定动作而陈述其主张，倘稍有错误，即遭败诉，例如，葡萄被伐，诉讼时未言"树木"，而直言葡萄，即遭败诉，盖十二表法仅有砍伐树木的规定，并无砍伐葡萄的规定。[1] 在此种方式严格的制度下，关于法律行为的解释，偏重于文字，而采表示说，乃属当然。[2] 其后由于方式主义的式微，万民法（ius gentium）的兴起，并受希腊辩论学的影响，法律行为的解释较为自由，逐渐注重当事人的意思。[3] 随着法律文化的日益精进，当事人自主决定原则的肯定，主观因素更受重视，使现代民法典偏向于采取意思说。[4]

三、第九十八条的解释适用

（一）第九十八条的规范意义

我民第九十八条规定："解释意思表示，应探求当事人之真意，不得拘泥于所用之辞句。"此乃德国民法第一三三条规定的迻译，基本上系采所谓的主观说。值得注意的是，德国民法另设有第一五七条规定："契约应依诚实

---

〔1〕 郑玉波：罗马法要义，第一三六页。

〔2〕 Kunkel/may-maly/Honsell, Römisches Recht, 4. Aufl. 1987, S. 88f.

〔3〕 Hübner, "Subjektivismus in der Entwicklung des Privatrechts," in: Festschrift für Max Kaser, 1976, S. 715f.

〔4〕 关于法国法、德国法及英美法的比较研究, Zweigert/Kötz, Einführung in die Rechtsvergleichung, 3. Aufl. 1996, S. 395f.; Kötz, Europäisches Vertragsrecht, 1996.

信用，并顾及交易惯例的要求而解释。"台湾未采此规定，从而关于意思表示或契约的解释，均须适用第九十八条规定。所谓当事人的真意，若系指当事人经验的意思，则此项意思诚难认定。意思表示或契约乃社会性的行为，涉及他方当事人的理解及信赖，严格采取主观的判断标准，势必严重妨害法律的安定及交易秩序，从而必须调和兼顾"意思"与"表示"此两项构成契约的要素。此为德国民法于第一三三条外，尚规定第一五七条的主要理由。

（二）"最高法院"解释契约的方法

我们关于意思表示的解释仅设第九十八条规定，难谓周全。为强化契约解释的合理性，"最高法院"乃致力于依客观的事实，去探求当事人的真意，提出如下的解释方法：

（1）解释契约，固须探求当事人立约时之真意，不能拘泥于契约之文字。但契约文字业已表示当事人真意，无须别事探求者，即不得反舍契约文字而更为曲解（一九二八年上字第一一一八号判例）。

（2）解释当事人所立书据之真意，以当时之事实及其他一切证据资料为其判断之标准，不能拘泥字面或截取书据中一二语，任意推解致失真意（一九三〇年上字第二十八号判例）。

（3）解释契约，应探求当事人立约时之真意，而于文义上及论理上详为探求。当时之真意如何，又应斟酌订立契约当时及过去之事实，其经济目的及交易上之习惯，而本于经验法则，基于诚实信用原则而为判断（一九七六年台上字第二一三五号判决）。

（4）探求契约当事人之真意，本应通观契约全文，依诚信原则，从契约之主要目的及经济价值等作全般之观察（一九八五年台上字三五五号判决）。

综上所述，关于如何探求当事人的真意，以确定契约内容，"最高法院"采用如下的方法：❶以契约文义为出发点（文义解释）。❷通观契约全文（体系解释）。❸斟酌订约时事实及资料，如磋商过程，往来文件及契约草案等（历史解释）。❹考量契约目的及经济价值（目的解释）。❺参酌交易惯例。❻以诚实信用为指导原则，有疑义时，应兼顾双方当事人利益，并使其符合诚信的法律交易。

（三）契约解释的原则：falsa demonstrio non nocet

关于契约解释，自罗马法以来有三种主要的解释原则，流传至今，一为 falsa demonstrio non nocet（误载不害真意），一为 protestatio declarationi（矛盾行为，不予尊重），一为 intepretatio contra moferentem（有疑义时，应作不利条款制定人之解释），甚受各国实务重视。兹就 falso demonstrio non nocet 加以说明。

如前所述，契约解释之目的，在于探求当事人之真意。所谓当事人之真意，不是指当事人内心主观之意思，而是从意思表示受领人立场去认定的"客观表示价值"。例如，甲内心的意思在于出卖 A 车，而误书为 B 车时，就相对人乙的立场加以理解，甲的意思表示乃在出售 B 车，关于 B

车的买卖契约因意思合意而成立。惟甲的内心意思与外部表示不一致，得依第八十八条规定撤销之。此项解释原则旨在保护相对人的信赖，维护交易安全，倘相对人明知要约人内心的意思时，因不发生信赖问题，应以表意人所意欲的为准。例如，甲与乙曾数度商量购买 A 车之事，而乙明知甲将 A 车误书为 B 车，而表示愿意购车，其关于 A 车的买卖契约因当事人意思合致而成立。又例如，甲与乙磋商承租乙的房屋，甲愿支付租金五千元，乙要求六千元，未达协议。某日甲接获乙的来信："愿如来信所示，以五百元出租。"甲由磋商过程，明知五百元系五千元的误书，而函复"愿照所提条件承租"，依所谓"falsa demonstratio non nocet"（误载不害真意）的原则，亦应以双方实际上所意欲的（租金五千元），成立契约，构成契约内容。

（四）实务案例

关于契约解释，"最高法院"作有若干判例及判决，可供参考，摘录三则，分析如下：

（1）承租渔船走私遭遇意外。在一九六〇年台上字第一五三七号判例一案，上诉人向被上诉人承租渔船一艘，依其契约书第八条所载，承租人为有关违法使用所生损害，应负赔偿责任；第九条则为合法使用，因不可抗力所生损害得免赔偿之规定。上诉人将系争渔船转租与人从事走私，潜驶香港，回航途中因台风漂流至大陆被扣拆毁。究应适用第八条或第九条规定，发生争议。"最高法院"谓："上诉人既系将系争渔船转租与人，从事走私潜驶香港，不能谓非违法，从而纵使回航途中，系因台风所致被扣拆毁，亦与第八条规定相当，而无依第九条免除赔偿责任之余地。"

在本件所谓有关违法使用渔船所生损害，如从事走私被海上警察追缉而撞毁。所谓合法使用因不可抗力所生损害，如出海作业遭台风毁损。从事走私系违法使用，因台风所致，被扣拆毁，非因承租人将渔船转租于人走私，仍属不可抗力。此种因走私而遭遇不可抗力而生的损害，究竟归谁负担，应依契约目的，探求当事人真意而为的合理危险分配。准此以言，认其与契约书第八条规定相当，不能依第九条规定免除损害赔偿责任，应值赞同。[1]

(2)"双方解除买卖契约"：约定解除权？买卖附解除条件？在一九八三年台上字第二九四〇号判决一案，[2]系争的契约条款为："本件买卖土地现为工业区内土地，双方声明于一九八一年底前如未变更为住宅区用地，则双方解除买卖行为及契约，甲方（即上诉人）对原买卖总金额交还乙方（即被上诉人），并同意依照银行利率计算之利息交付与乙方无误。""最高法院"谓："解释契约，固须探求当事人立约时之真意，不能拘泥于契约之文字，但契约文字业已表示当事人真意，无须别事探求者，即不得反舍契约文字而更为曲解……前开特约文字业已表示，当事人之真意在于：本件买卖土地于一九八一年十二月底以前

---

[1] 曾世雄：损害赔偿法原理，一九九六年，第一二八页，曾论及本件判例，可供参照。
[2] 本件判决引自梁开天等主编综合六法审判实务、民法Ⅰ、民法第九十八条，第十五页。

未变更为住宅区，双方买卖契约解除（实即因解除条件之成就而失其效力），其后段并就解除成就之效果时，约定上诉人应对所受领之买卖价金加付利息返还被上诉人。核其契约文字所表示之意义甚为明确，似无舍其文字另再别事探求之必要，原审竟据证人丁浩哲、潘水龙二人所为此约定事项仅买方有解除权，卖方无解除权与上开文字显相违背之证言，遽认本件买卖关系仍然存在，已难谓合"。

在本件由"双方解除买卖行为及契约"的用语，可知契约当事人并非熟习于法律概念，此在契约解释时，应特为注意。所谓"双方解除买卖行为"，依其文义可能有两个解释：❶约定解除权，其解除权人，或为双方当事人，或为当事人之一方。❷买卖附解除条件。"最高法院"采取后说，固可赞同，但难谓契约文义所表示的意义甚为明确，实乃通观契约条文，依诚信原则，契约目的及经济价值，作通盘观察而获得的结论。

（3）买卖一方违约不付款，契约自动解除。[1] 系争买卖契约第十三条约定："倘买方违约不依约付款，已缴款项由卖方没收抵偿损失，契约自动解除，买方不得异议；倘卖方不卖时，应将所收款项加倍退与买方，各无异议。"如何解释，发生争议。

"最高法院"谓："解释当事人之契约，应以当事人立约当时之真意为准，而真意何在，又应以过去事实及其他一切证据资料为断定之标准，不能拘泥文字致失真意。通

---

[1] 一九九七年度台上字第九十五号判决，民事裁判书汇编，第二十七期，第十七页。

观其文义，似旨在约定契约当事人任何一方违约时，他方得解除契约，并得按照上开约定数额请求对方赔偿损害，而非约定买方将所缴款项供卖方抵偿损害或卖方加倍返还所收款项，即得随时解除契约。"

本件判决使用"似旨在……"的用语，可见探求当事人的真意，实属不易。惟若未获确信，"似旨在……"的认定尚难作为判决的依据。

四、契约解释的诉讼问题

契约的解释乃法律上的判断，应由法院依职权为之，不受当事人陈述的拘束，亦不发生举证责任问题。在解释之前常须认定意思表示的构成要件，或其他与解释有关之事实（如订约前的谈判，交易惯例）。于此情形，主张此等事实之人，应负举证责任。两造对于契约约定之意思如有争执，法院自应探求当事人订约之真意，而为判断，并将如何斟酌调查证据之结果，形成自由心证之理由载明于判决，否则即有判决不备理由之违法。[1] 解释契约固属事实审法院之职权，惟既涉及法律上的判断，其解释如违背法令或有悖于论理法则及经验法则，自得以其解释为不当，援为上诉第三审之理由。[2]

---

[1] 一九九六年度台上字第二五八五号判决，民事裁判裁判书汇编，第二十六期，第七页。
[2] 一九九四年度台上字第三二三一号判决，民事裁判书，第十八期，第二十九页。

第二款　契约漏洞的填补[1]

（1）小张在桃园街口开"小张牛肉面店"，颇负盛名，因移民南非，而将该店出卖于小李，小李仍以小张名义，继续经营。半年后，小张因不适于南非生活而返台，并在桃园街口附近新开"小小张牛肉面馆"，致小李生意大受影响。试问小李得向小张主张何种权利？

（2）甲向乙租用基地建筑房屋，无禁止转让房屋之特约。设甲将房屋让与丙时，其租赁权是否随建筑而移转？

（3）甲有 A 地及 B 屋分别出卖于乙、丙。A 地的买受人乙得否请求丙 B 屋的买受人拆屋返地？抑请求支付租金？

一、契约漏洞

契约漏洞，指契约关于某事项依契约计划应有订定而未订定，此多属契约非必要之点。契约所以漏洞发生，有

---

[1] 关于补充的契约解释的基本问题，参阅 Henckel, Die ergänzende Vertragsauslegung, AcP 159 (1959), 106; Larenz, Ergänzende Vertragsauslegung und dispositives Recht, NJW 63 737; Sandrock, Zur ergänzenden Vertragsauslegung im materiellen und internationalen Schuldvertragsrecht, 1966.

由于当事人未能预见未来情事的发生；有由于当事人相信虽未约定，终可透过磋商处理，或法律必有合理解决之道；有由于当事人欠缺必要的资讯，为避免支付高的交易成本，而未订立所谓的"完全的契约"，[1] 对该当契约关可能发生争议的危险分配，作周全的约定。

关于契约漏洞的填补，第一五三条第二项规定："当事人对于必要之点，意思一致。而对于非必要之点，未经表示意思者，推定其契约为成立，关于该非必要之点，当事人意思不一致时，法院应依其事件之性质定之。"所谓法院应依其事件之性质定之，有认为系指法院应以客观标准，衡情度理，予以处断；有认为由法院解释，而以任意法规、习惯、法理为标准决定之。本书认为契约漏洞，应依任意法规、契约补充解释加以填补。

二、任意规定

契约漏洞，首先应由任意规定加以补充。法律设任意规定之目的，实际上亦着眼于契约漏洞的补充。当事人对于契约上非必要之点，所以未为约定，亦多因相信法律会设有适当合理的规定。例如，关于买卖标的物运费之负担，当事人未为约定时，应适用第三七八条规定："买卖费用之负担，除法律另有规定或契约另有订定，或另有习

---

〔1〕 关于所谓完全的契约（Vollstandiger Vertrag）与交易成本，参阅 Schäfer/Ott, Lehrbuch der ökonomische Analyse des Zivilrechts, 2. Aufl. 1995. S. 325f., 341f.; Graf, Vertrag und Vernunft, 1996.

惯外，依下列之规定："❶买卖契约之费用，由当事人双方平均负担。❷移转权利之费用、运送标的物至清偿地之费用，及交付之费用，由出卖人负担。❸受领标的物之费用，登记之费用及送交清偿地以外处所之费用，由买受人负担。"一九四〇年上字第八二六号判例谓："民法上关于出卖人应负物之瑕疵担保责任之规定，系为补充当事人之意思表示而设，除当事人有免除担保责任之特约外，出卖人当然有此责任，不得谓当事人未订有出卖人应负担保责任之特约，出卖人即无此种责任。"可供参照。

三、补充的契约解释

（一）意义及功能

契约条款的内容具有疑义时，应经由解释探求其规范意义，前已论及，学说称为阐释性的契约解释（erläuternde Vertragsauslegung）或单纯的契约解释（einfache Vertragsauslegung）。在方法论应予区别的，乃所谓"补充的契约解释"（ergänzende Vertragsauslegung），此指对契约的客观规范内容加以解释，以填补契约的漏洞而言。其所解释者，系当事人所创设的契约规范整体，其所补充者，为契约的个别事项，故学说上认其性质仍属契约的解释。易言之，即契约解释，可分为单纯的契约解释及补充的契约解释。[1] 此项

---

〔1〕 Brox, AT. S. 66.

观点乃在维护私法自治及当事人自主原则，然补充的契约解释既在补当事人意思之不备，自有其特别的功能及方法。

在补充的契约解释，其所探求的当事人真意，不是事实上经验的意思，而是"假设的当事人意思"（hypothetische Parteiwille），即双方当事人在通常交易上合理所意欲或接受的意思。[1] 假设的当事人意思，乃是一种规范性的判断标准，以当事人于契约上所作的价值判断及利益衡量为出发点，依诚实信用原则并斟酌交易惯例加以认定，期能实现契约上的平均正义。[2] 补充的契约解释，旨在补充契约的不备，而非在为当事人创造契约，故应采最少介入原则，不能变更契约内容，致侵害当事人的私法自治。[3]

（二）补充的契约解释与任意法规的关系

契约漏洞，得依任意规定或补充的契约解释，加以填补，已如上述。关于二者的关系，可分三点言之：

（1）任意规定系立法者斟酌某类型契约的典型利益状态而设，一般言之，多符合当事人的利益，当事人对于契约未详订其内容，亦多期待法律设有合理的规定，故有任意规定时，原则上应优先适用。

---

〔1〕 在英美法，契约漏洞的补助多藉助于所谓的 implied terms. 此亦基于当事人可推知的意思（presumed intention of the parties），参阅 Atiyah, An Introduction to the Law of Contract, 5th ed. 1995, p. 201.

〔2〕 Oechsler, Gerechtigkeit im modernen Austauschvertrag, 1997, S. 167f.

〔3〕 Ehricke, Zur Bedeutung der Privatautonomie bei der ergänzenden Vertragsauslegung, RabelsZ 1996, 601.

（2）无任意法规时，应依补充的契约解释方法，填补契约漏洞。

（3）在下列两种情形，补充的契约解释应优先于任意法规而适用：❶当事人所订立的契约虽具备典型契约（有名契约）的要素，但因其特殊性，适用任意法规未尽符合当事人利益，例如，出卖人对于物之瑕疵不负修缮义务（参阅第三五九条、第三六○条），其主要理由系出卖人多非商品制造人，无修缮的能力或设备，一般言之，固甚合理。惟若出卖人系自制自销时，则应依补充的契约解释，肯定买受人有瑕疵修补请求权。❷在无名契约，适用或类推适用任意法规违反契约目的时，应针对该契约的特殊利益状态，作补充的解释，以补契约的不备。[1]

（三）实务案例

关于补充的契约解释，兹举一则德国联邦法院判决，三则"最高法院"判例，加以说明：

（1）BGHZ 16, 17：医生交换业务后，在原地重新开业。在德国联邦法院 BGHZ 16, 17 一案，有甲、乙两位医生分别在 A、B 二城开业，约定互相交换业务。甲于迁往 B 城后数个月，又回到 A 城，在原诊所附近重新开业。乙提起不作为之诉。德国联邦法院判决原告胜诉，认为医院业务与往来的病患具有密切关系，当事人订立交换契约，系以他方当事人在相当期间不致回到原地近处重新开业为前

---

〔1〕林美惠："加盟店契约法律问题之研究"，台大法律学研究所硕士论文（一九九五年度）。

提。当事人对此未为约定，应依契约目的及诚信原则并参酌交易惯例加以填补，故乙的请求为有理由（例题一）。

（2）一九四一年渝上字第三一一号判例：土地租赁未约定期限时，如何定其期限？一九四一年渝上字第三一一号判例谓："土地之租赁契约，以承租人自行建筑房屋而使用之为其目的，非有相当之期限不能达其目的，故当事人虽未明定租赁之期限，依契约之目的探求当事人之真意，亦应解为定有租至房屋不堪使用时为止之期限，惟应受第四四九条第一项之限制而已。"

此项判例可资赞同。当事人未明定租赁期间，发生契约不备情事，应依补充的契约解释方法加以补填。其依契约目的所探求的，不是当事人实际经验的意思（因当事人对租赁期间并未有所表示），而是具有客观规范性意义的"假设的当事人意思"。

（3）一九六三年台上字第二〇四七号判例：转让租用基地建筑房屋时，其租赁权是否随同移转？一九六三年台上字第二〇四七号判例谓："租用基地建筑房屋，如当事人间无禁止转让房屋之特约，固应推定出租人于立约时，即已同意租赁权得随建筑物而移转于他人，但租赁权亦属债权之一种，其让与非经让与人或受让人通知出租人，对于出租人不生效力，此就第二九七条规定推之而自明。"

本件判例的结论，虽值赞同，但理由构成，有待推究。"最高法院"以"当事人间无禁止转让房屋之特约"为前提，进而认为："固应推定出租人于立约时，即已同意租赁权得随建筑物而移转于他人。"其推论过程甚属勉强。

抑有进者，以"推定"的方式，认定一方当事人的意思表示，并使其得依反证加以推翻，亦与就个案解释契约的原则不符。实则，本件所涉及的，亦属契约漏洞补充的问题，即当事人租用基地建筑房屋，未约定承租人转让房屋时，出租人同意其为租赁权的让与，是为契约漏洞，应依租用基地建筑房屋契约之目的，诚实信用原则及交易惯例加以补充。[1]

（4）一九五九年台上字第一四五七号判例：同属一人的房屋与土地售与不同之人时，房屋买受人的土地使用权。一九五九年台上字第一四五七号判例谓："土地与房屋为各别之不动产，各得单独为交易之标的，且房屋性质上不能与土地使用权分离而存在，亦即使用房屋必须使用该房屋之地基，故土地及房屋同属一人，而将土地及房屋分开同时或先后出卖，其间虽无地上权设定，然除有特别情事，可解释为当事人之真意，限于卖屋而无基地之使用外，均应推断土地承买人默许房屋承买人继续使用土地。"

此项判例在实务上甚属重要，就结论言，应值赞同，否则将会发生无权占有拆屋返地，影响房屋承买人利益甚

─────────────

〔1〕 修正第四二六条之一规定："租用基地建筑房屋，承租人房屋所有权移转时，其基地租赁契约，对于房屋受让人，仍继续存在。"立法理由谓："租用基地建筑房屋，于房屋所有权移转时，房屋受让人如无基地租赁权，基地出租人将可请求拆屋收回基地，殊有害社会之经济。为促进土地利用，并安定社会经济，实务上于此情形，认为其房屋所有权移转时，除当事人有禁止转让房屋之特约外，应推定基地出租人于立约时，即已同意租赁权得随建筑物而移转于他人；房屋受让人与基地所有人间，仍有租赁关系存在（一九五四年台上字第四七九号、一九五九年台上字第二二七号及一九六三年台上字第二〇四七号等判例参照）。爰参酌上开判例意旨，增设本条，并明定其租赁契约继续存在，无庸推定，以杜纷争。"

巨。所谓"有特殊情事，可解释为当事人之真意，限于卖屋而无基地之使用"，乃当事人事实上经验的意思。所谓"均应推断土地承买人默许房屋承买人继续土地使用。"就契约补充的解释而言，仍指"假设的当事人意思"，此应依契约目的，诚实信用原则及交易惯例而为认定。

须注意的是，在本件，认定土地承买人默许房屋承买人继续使用土地，房屋承买人自应支付相当代价，故其法律关系相当于契约。准此以言，上开判例实已脱离契约解释的范畴，而为当事人创造了契约。为此，债编修正乃增设第四二五条之一规定："土地及其土地上之房屋同属一人所有，而仅将土地或仅将房屋所有权让与他人，或将土地及房屋同时或先后让与相异之人时，土地受让人或房屋受让人与让与人间或房屋受让人与土地受让人间，推定在房屋得使用期限内，有租赁关系。其期限不受第四四九条第一项规定之限制。前项情形，其租金数额当事人不能协议时，得请求法院定之。"[1]

在上揭同属一人土地与房屋分别买卖的案例类型，为合理规范当事人间的法律关系，由"补充的契约解释"，

---

[1] 立法说明书略谓："土地及房屋为各别之不动产，各得单独为交易之标的。惟房屋性质上不能与土地分离而存在。故土地及其土地上之房屋同属一人所有，而仅将土地或仅将房屋所有权让与他人，或将土地及房屋同时或先后让与相异之人时，实务上见解（一九五九年台上字第一四五七号判例、一九八四年度第五次民事庭会议决议参照）认为除有特别约定外，应推断土地受让人默许房屋受让人继续使用土地，但应支付相当代价，故其法律关系之性质，当属租赁。为杜争议并期明确，爰将其明文化。又为兼顾房屋受让人及社会经济利益，明定当事人间在房屋得使用期限内，除有反证外，推定有租赁关系，其期限不受第四四九条第一项二十年之限制。爰增订第一项。前项情形，其租金数额本于契约自由原则，宜由当事人协议定之。如不能协议时，始得请求法院裁判之。爰增订第二项。"

移向"任意法规"的制定，有助于认识此两种填补契约漏洞方法的功能及界限。修正第四二五条之一系将"假设的当事人意思"，由法律加以推定，并容许以"经验上的真意"，反证予以推翻，旨在补充契约的不完整性，具有减轻契约磋商成本负担的功能。任意规定（如关于物之瑕疵担保责任等），不仅在于补充契约之不备，并在合理分配契约上的危险，平衡当事人利益，兼具有实践正义功能。[1]

第三款　契约法律人[2]

（1）您曾否受他人委托，参与拟订"遗失物悬赏广告"、"车祸损害赔偿和解书"、"中古汽车买卖契约"，甚至为他人书立"遗嘱"（遗嘱为单独行为）？您如何运用关于契约的法令规章，判例学说？是否考虑到税法的问题？如果您是法律系学生，学校是否开设相关课程？有无必要？

（2）甲之妻怀孕，甲病笃，书立遗嘱："吾死亡后，吾妻若生男，遗产三分之二归吾子，三分

---

〔1〕关于任意规定在重建完全契约所具减轻成本负担（Entlastungsfunktion）及实现正义内容（Gerechtigkeitsgehalt）的两种功能，参阅 Medicus, AT. S. 129（Rn. 340）; Schäfer/Ott, Lehrbuch der Ökonomischen Analyse des Zivilrechts, 2. Aufl. 1995, S. 345.

〔2〕撰写本款的灵感，来自阅读 Medicus, AT.（S. 457）相关论述的启示。所谓契约法律人，乃德文 Vertragsjurist 的迻译，指从事磋商、规划、订立契约（或遗嘱、单独行为）的法律工作者。

之一归吾妻。吾妻生女时，吾妻得三分之二，吾女得三分之一。"甲死后，其妻生双胞胎，一男一女，其遗产如何分配？

一、契约法律人的培养

契约法的教学研究或实务，多涉及法律的适用、契约的解释，乃在解决争议，如认定"房屋预定买卖契约"，究属本约抑为预约？标卖的表示，究属要约的引诱抑为要约？承租渔船走私遭遇台风漂至大陆被毁，究应涵摄于"违法使用所生应负损害赔偿"的契约条款，抑为"合法使用因不可抗力所生损害得免赔偿"？承租土地自行建筑房屋，未约定租赁期限时，如何定期期限？在此等争议的案例，契约当事人必须再行磋商，提交仲裁，或诉诸法院，不但耗费成本资源，而且造成对立，影响交易关系等。传统的法学教育偏重于训练处理此类争议案例的所谓"司法法律人"（Justizjurist）。预防争议于前，胜于处理纠纷于后，引进预防争议的法学教育，培养法律人形成契约（Vertragsgestaltung）的能力，应有重视的必要。[1]

---

〔1〕 参阅 Rehbinder, Die Rolle der Vertragsgestlatung im zivilrechtllchen Lehrsystem, AcP 174（1974）, S. 265f.; Brambring, Einführung in die Vertragsgestaltung, JuS 1985, 380; Landerberg, Methode, Verfahren und Vertragstypen, 1991. 简要说明，Larenz/Wolf, AT. S. 619.

二、两则案例

（1）优帝法学汇编上的遗嘱案件。在公元第七世纪优士丁尼大帝所编纂的法学汇编（Digest），有一则著名的案例：某人书立遗嘱："吾知行将死亡。吾妻已怀孕，不知其所生者为男或女。特就吾之财产为如下处分：若吾妻所生为男孩，则吾子得三分之二，吾妻得三分之一；若所生者为女孩，则吾妻得三分之二，吾女得三分之一。"某人死后，其妻生双胞，一男一女。如何分配遗产，发生争议。[1]

著名的罗马法学家 Julian 认为基于 1:2:4 的比例，其女得七分之一，其妻得七分之二，其子得七分之四。[2] 须特别提出的是，关于本件遗嘱的书立，若有受过训练的契约法律人参与其事，应会考虑到双胞胎的可能性，探求当事人的真意，而订立其遗产分配的比例关系。[3]

（2）希腊法学家 Protagoras 与其门生的诉讼。希腊法学

---

[1] 关于此一遗嘱案件，参见 Zawar, Neure Entwicklung zu einer Methodenlehre der Vertragsgestaltung, JuS 1992, 134（135）.

[2] 您有更公平的分配办法？有认为其比例关系应为 2:3:4 即其女九分之二，其母为九分之三，其子为九分之四？是否合理？若某氏之妻所生者为两男，或两女时，如何分配遗产？

[3] 撰写此例时，忆起前在慕尼黑大学留学时阅读 Erich Fechner 教授所著 Rechtsphilosophie（法哲学）所引述的相类似案例（第十一页）：查有三兄弟，大哥为一铁匠，颇为富裕，有羊三十只。二哥为一车夫，身体孱弱，有羊三只。三弟一无所有，因立志当牧羊人，大哥给羊五只，二哥给羊一只。数年后大哥之羊增至五十只，二哥十只，三弟有羊一百三十二只。三弟突告死亡，未立遗嘱，大哥与二哥为如何分配三弟的羊只，发生争议。Fechner 教授从资本主义、社会主义、社会公道等观点加以分析讨论，引导读者思考法的核心问题。

家 Protagoras 曾招收一贫穷，但聪慧的门徒，未收学费，约定该生学业完成后，于赢得第一个法律案件时，应支付一定金额作为报酬。该生毕业多时，未承办案件。Protagoras乃提起诉讼，请求支付一定的报酬。在法庭上，学生辩称："若我赢此案件，当然不必支付报酬。若我输此案件，则依契约不必支付。无论输赢，吾均不必付款。"Protagoras则谓："若我赢此案件，被告自应付款。反之，我若输此案例，则此为被告所赢第一个案件，应依约定支付。无论输赢，吾应获付款。"[1]

关于如何解决此一争议案件，应探求当事人真意，认定该生是否负有接有承办案件的义务。若属肯定，则 Protagoras 应获胜诉的判决。由此案件可知著名法学家 Protagoras亦未留意于订立预防争议的契约。

三、法律契约人的能力

契约是一种计划。契约形成乃在从事契约的设计和规划，运用法律所提供手段的可能性，就契约上的危险做必要合理的分配，以确保或实践契约所要达成的目的。[2]此种契约形成，小者如狼犬遗失悬赏广告，大者如参与 BOT计划，其所期待于法律人的，实不低于事后处理契约上的争议。一个契约法律人应具如下的能力：

---

[1] 关于本件案例，Zawar, Neure Entwicklungen zu einer Methodenlehre der Vertragsgestaltung, JuS 1992, 134 (135).

[2] Henssler, Risiko als Vertragsgegenstand, 1994.

（1）努力学习取得所参与设计契约的专业知识，如拟定捷运工程契约时，对捷运工程应有一定程度的了解；订立生物科技移转契约时，应有基本生物科技的常识。[1]

（2）确实掌握相关法令规章及判例学说，综合运用于拟订契约内容。如关于某一争点，判例学说见解相同，契约谈判未获协议时，可不必订入。对某一问题实务上有不同判决，而学说意见未趋一致时，应设法说服当事人于契约作明确的约定。

（3）注意于缔约磋商过程中，不违反所谓先契约义务，而发生缔约上过失责任。

（4）所订立的法律行为，须不悖于强行规定或善良风俗。拟定定型化契约条款时，须不违反诚信原则及平等互惠原则，对实务上案例、学说见解及判断基准，应有深刻的了解。

（5）能将法律的规定（如关于支付价金、交付移转标的物的义务）更进一步地加以具体化。应考虑如何排除或变更法律所设的任意规定（如关于瑕疵担保责任），增订法律未明定的事项，以适应未来可能发生的情况。

（6）税法与民法具有相互影响的密切关系，契约的订立常基于税法上的考虑，出于节税的目的。传统法学教育疏于契约形成的训练，与未重视税法具有一定的关系。一

---

〔1〕参阅由台湾大学法律系生物医学法律研究室主编的"生物科技与法律研究通讯"。

个契约法律人对税法必须要有一定程度的认识与了解。[1]

（7）在内容的形成，应注意其能获法院承认，在法律上得为实现、节省费用、切合实际，及具有适应将来发展的弹性。[2]以简洁精确通晓的文字，符合逻辑的体例结构，拟定契约条款。

四、法律教育的改革

契约法律人的养成，须有实务上的经验和历练。于大学法律系开设契约形成的课程，亦属必要。契约形成是一种向前思考，预防争议的形成性法律思考方法。处理法律上争议则为一种事后涵摄性的活动。二者均应构成法学教育的重要内容。司法法律人因解决争端，或个案获胜，而有所成就。一个契约法律人须运用法令规章及判例学说，研拟契约类型，订定条款内容，提出鉴定书，消弭纠纷于前，引导着法律交易活动的发展。二者相辅相成，将使法律人更能创设未来的职业生涯。

---

[1] 对法律行为言，私法与税法处于某种程度的紧张关系，即法律行为是租税构成要件的连接点，税法之目的应作为私法上法律行为解释的准则。私法与税法的关系，是一个重要课题，参阅 Meincke, Bürgerliches Recht und Steuerrecht, JuS 1976, 693; Martin, Rechtgeschäft im Spannungsverhältnis zwischen Zivil – und Steuerrecht, BB 1984, 1629. 中文资料，陈清秀：税法总论，1997.

[2] Lareez/Wolf, AT. S. 624.

第七节 缔约上过失[1]

甲在阳明山竹子湖有一栋高级别墅待售，台南某乙有意购买，从事缔约磋商。试问于下列情形，乙得否对甲请求损害赔偿，其法律规范基础如何：

（1）甲因病住院，以丙为代理人，出售该屋。丙因过失不知该屋业于日前遭火毁损，仍与乙订立买卖契约。

（2）乙察看甲的房屋时，因楼梯有瑕疵，甲疏于告知，致乙跌落地上受伤。

（3）甲与乙经多次谈判商议，定于某日下午在某律师事务所订立契约，并即付款办理登记。甲于该日上午电告乙，不拟出售该屋。乙为购该屋，多次支出费用，往返台北台南；为支付价金，并向银行贷款，支出利息。

（4）甲于订约时，明知或因过失不知该屋设计有重大瑕疵，而未告知乙，乙查知其事而未缔约时，就其为缔约所支出费用，得否向甲请求损害

---

[1] 较详细论述，参阅拙著"缔约上之过失"，民法学说与判例研究（一），第七十七页；刘春堂："缔约上过失之研究"，台大法律学研究所博士论文（1984年度）。Precontractual Liability (ed. Hondius)：Reports to the XIIIth Congress International Academy of Comparative Law, Montreal, Canada, 18 - 24 August 1990。本书收录了澳大利亚、奥国、比利时、加拿大、捷克、丹麦、英国、法国、德国、以色列、意大利、日本、荷兰、纽西兰、波多里各、魁北克、瑞典、瑞士、土耳其、美国及南斯拉夫诸国关于缔约上过失的报道，深具参考价值。

赔偿？若乙于订约后，始发现其事时，其法律关系如何？

第一款　问题的提出及 Jhering（耶林）的 culpa in contrahendo 理论

第一项　问题的提出

本节将讨论民法上一个重要制度，请再阅读上开例题，探寻乙对甲的请求权基础。此种请求权规范基础的探寻或创造涉及民事责任体系的结构。现行民法采罗马法以来的理论体系，将民事责任分为契约责任及侵权责任，就其成立要件、受保护的利益、法律效果、举证责任与消灭时效等设不同的规定。[1]一般言之，以契约责任较为有利，其保护客体包括纯粹财产上利益（纯粹经济上损失）；债务人应对其代理人或使用人的故意或过失负同一责任（第二二四条）；除法律有特别规定外，其消灭时效期间为十五年。反之，在侵权责任，关于纯粹财产上利益，须加害人故意以悖于善良风俗之方法加损害于他人时，始得请求赔

---

〔1〕拙著："契约责任与侵权责任之竞合"，民法学说与判例研究（一），第三九六页。

偿（第一八四条第一项后段）；[1]雇用人对其受雇人的侵权行为得证明其选任、监督并无过失而免责（第一八八条第一项）；被害人应对加害人的故意过失负举证责任。

　　契约责任系以契约有效成立为前提；于缔结契约前的准备商议阶段，一方当事人因他方当事人的故意或过失而遭受侵害时，原则上仅能依侵权行为的规定，请求损害赔偿。然侵权行为的要件较为严格，不易具备，既如上述；当事人为缔结契约而接触、磋商、谈判、甚至订立契约时，彼此间的信赖随之俱增，权利义务关系乃有强化的必要，因而产生了介于"契约责任"与"侵权责任"间的一种特殊民事责任制度：缔约上过失（culpa in contrahendo）。

第二项　Jhering（耶林）的发现

　　culpa in contrahendo（缔约上过失）是由德国伟大法学家Rudolf v. Jhering 所创设。[2]罗马法虽规定物之出卖人恶意不告知物的瑕疵时，应对善意买受人负赔偿责任，并明定以不能之物为标的者，其契约无效（impossibilium nulla obligatio），但未建立缔约上过失的一般原则。[3]耶林氏于一八

---

〔1〕 拙著："侵权行为法"（一），一九九九年，第九十八页、第二八〇页。

〔2〕 Rudolf v. Jhering 是十九世纪德国伟大的法学家，富于创造力，其主要著作包括罗马法精神
　　　（Geist des Römischen Rechts, 1852 – 1865）、法律目的论（Der Zweck im Recht, 1877）及为法律
　　　而奋斗（Der Kampf um das Recht, 1872）等。关于耶林氏的生平及贡献，参阅 Wieacker,
　　　Rudolf v. Jhering, 1968.

〔3〕 Zimmermann, the Law of Obligations: Roman Foundations of the Civilian Tradition, 1996. p. 244.

六一年在其主编的耶林法学年报第四卷发表了"缔约上过失、契约无效或未完成时的损害赔偿"论文，[1] 基于对罗马法源的重新诠释，提出了如下理论：

"从事契约缔结之人，是从契约外的消极义务范畴，进入了契约上的积极义务范畴；其因此而承担的首要义务，系于缔约时须善尽必要的注意。法律所保护的，并非仅是一个业已存在的契约关系，正在发展中契约关系亦应包括在内；否则契约交易将暴露于外，不受保护，使缔约一方当事人成为他方疏忽或不注意的牺牲品。契约的缔结产生了一种履行义务，若此种效力因法律上的障碍而被排除时，则会发生损害赔偿责任。所谓契约不成立、无效者，仅指不发生履行效力，非谓不发生任何效力。简单言之，当事人因自己过失致契约不成立或无效者，对信其契约为有效成立的相对人，应赔偿因此项信赖所生之损害。"此为耶林氏有名 culpa in contrahendo 理论的要义，被赞誉为法学上的发现。[2]

德国民法制定之际，关于应否就"缔约上过失"设一般规定，颇有争论；最后决定仅对意思表示错误之撤销（德国民法第一一二条）、给付自始客观不能（德国民法第三〇七条）及无权代理（德国民法第一七九条）设其明文。德国民法第一草案立法理由书明白表示，除上述法定

---

[1] v. Jhering, Culpa in contrahendo oder Schadensersatz bei nichtigen oder nicht zur Perfektion gelangten Verträgen, Jhering Jahrbubucher 4. 1861, S. 1–113. 参阅 Erich Schanz, "Culpa in contrahendo bei Jhering", (1978) 7 Jus Commue 326.

[2] Dölle, Juristische Entdeckungen, 1973, 中译参阅拙稿"法学上之发现"，民法学说与判例研究（四），第一页。

情形外，于缔约之际，因过失不法侵害他人权益者，究属侵权行为，抑为法律行为上义务的违反，应让诸判例学说决定。一百年来，德国法上的 culpa in contrahendo 已发展成为一个庞大复杂、适用范围广泛的制度。[1]

第三项　culpa in contrahendo 的发展

耶林氏所发现的 culpa in contrahendo 影响深远，尤其是大陆法系国家，使 culpa in contrahendo 成为众所周知的概念。其适用范围不限于契约无效或未完成的典型案例，更扩大包括违反说明义务、中断缔约，尤其是因违反保护义务而侵害相对人的身体、健康等类型。概念上与 culpa in contrahendo 并称或互用的，尚有 precontractual liability（先契约责任）。

在规范模式上，大部分国家系由判例学说承担造法的任务，少数国家则采立法的途径。综观各国规定（判例学说），其规范内容得分为三类：[2] ❶ 德国法系国家（如德国、瑞士、土耳其、希腊等），皆接受耶林缔约上过失理论，在法律上加以规定（特别规定或概括条款），并深受德国判例学说的影响；台湾地区及日本亦属之。❷ 在法国

---

〔1〕 德国法上关于 culpa in contrahendo 的资料文献及判决汗牛充栋。参阅 Emmerich, Das Recht der Leistungsstörungen, 4. Aufl. 1997, S. 47–76（附有文献资料）；Hans Stoll, Tatbestand und Funktion der Haftung fur culpa in contrahendo, in: Festschrift fur Ernst v. Caemmerer (1978). S. 345f. 简要综合论述，Horn, Culpa in contrahendo, JuS 1995, 377.

〔2〕 参阅 Hondius (ed.), Precontractual Liability, 1990.

法系国家（如比利时等）因其侵权行为法采概括原则，学
说上未接受耶林的理论，实务多以侵权行为法规范先契约
责任问题。❸在英美法系国家（英国、美国、澳大利亚、
加拿大、纽西兰等），关于先契约责任的规范，系由普通
法、衡平法及制定法所构成，适用 misrepretation，promissory
estoppel[1] 及 breach of confidence 等制度处理相关问题，并未
产生缔约上过失一般性的原则。整体言之，各国缔约上过
失（先契约责任）的发展，与两个制度具有密切关系：

（1）侵权行为法的结构：侵权行为法采概括原则，其
保护客体包括纯粹财产上利益（纯粹经济上损失），雇用
人对其受雇人的侵权行为应负无过失责任时，缔约上过失
的适用范围，相对地受到限缩。

（2）契约自由：在缔约磋商阶段，应容许当事人有何
种程度的自由空间，不受法律的规范，而由从事交易活动
者自己承担缔约上的危险。[2]

第二款　民法债编修正前的缔约上过失制度

我们系采德国立法例，亦继受了德国民法上关于缔约
上过失相关制度，分述如下：

---

〔1〕 参阅杨桢：英美契约法总论，第一二〇页。
〔2〕 Kessler/Fine, Culpa in contrahendo: Bargaining in Good Faith and Freedom of Contract: A Comparative
Study, 77 Hav. L. R 401 (1964); Cohen, Precontractual Duties and Good Faith in Contract Law, in:
Beatson/Friedmann (ed.), Good Faith and Fault in Contract Law 1995, 25.

（1）第二四七条第一项："契约因以不能之给付为标的而无效者，当事人于订约时知其不能或可得而知者，对于非因过失而信契约为有效致受损害之他方当事人，负赔偿责任。"例如，甲出售某屋于乙，甲（或其代理人）因过失不知该屋于订约时，业已遭火焚毁。此为典型的缔约上过失责任。值得注意的是，债编修正于本条增订第三项："前两项损害赔偿请求权，因二年间不行使而消灭。"

（2）第九十一条规定："依第八十八条及第八十九条之规定，撤销意思表示时，表意人对于信其意思表示为有效而受损害之相对人或第三人，应负赔偿责任。但其撤销之原因，受害人明知或可得而知者，不在此限。"例如，甲出售某屋给乙，因误书价金（若知其事情即不为表示），撤销其意思表示。此项规定亦源自缔约上过失的思想；但为加强保护相对人，民法特别规定以意思表示之内容有错误或不知事情，非由表意人自己之过失者为限，始得撤销之，更进一步采取无过失责任主义（信赖责任）。

（3）第一一〇条规定："无代理权人，以他人之代理人名义所为之法律行为，对于善意之相对人，负损害赔偿之责。"本条规定亦根源于缔约上过失的思想，但为保护相对人，现行民法特别规定，无权代理人亦应负无过失责任（法定担保责任）。

于上开三种法定情形，当事人所订立的契约为无效、被撤销，或不生效力，其契约均未有效成立；故其损害赔偿并非基于法律行为而发生，乃属法定债之关系，在体系构成上可称为"缔约上债之关系"（Schuldverhältnis der Vertragsverhandlungen）。此三种"缔约上债之关系"的构成要件及法律效果各有不同，应说明的有三：

（1）通说认第二四七条所规定的自始客观不能，系缔约上过失。就制度发展史言，第九十一条及第一一〇条规定均源自耶林所提出的理论，而在立法上（尤其是归责事由）有所修正。

（2）关于消灭时效，增订第二四七条第三项规定，将其期间由十五年缩短为二年，第九十一条及第一一〇条的消灭时效期间则仍为十五年。此项区别是否合理，价值判断上是否一贯效期，颇有研究余地。

（3）契约除无效外，尚有因意思表示不合致而不成立。就契约无效言，除第二四六条外，尚有违背法律强行规定（第七十一条）、不依法定方式（第七十三条）等。于诸此情形，有过失的一方对无过失而信该契约为有效致受损害的相对人，应否负损害赔偿责任？

第三款　债编修正增订第二四五条之一：
一个具有争议的规定

第一项　具有特色的缔约上过失制度

请阅读增订第二四五条之一规定，思考为何设此规定，其规范目的何在？法律性质如何？所谓：
"契约未成立时"究何所指？所谓"其他显然违反
诚实及信用方法"指何情形、如何解释适用？

一、债编修正增订第二四五条之一规定

关于缔约上过失，在六十年代虽有若干论文探讨其基
本问题，但实务上未见创造性突破的案例，法律状态停滞
不进。一九九九年四月二十一日公布的债编修正，特增订
第二四五条之一规定："契约未成立时，当事人为准备或
商议订立契约而有下列情形之一者，对于非因过失而信契
约能成立致受损害之他方当事人，负赔偿责任：❶就订约
有重要关系之事项，对他方之询问，恶意隐匿或为不实之
说明者。❷知悉或持有他方之秘密，经他方明示应予保
密，而因故意或重大过失泄露之者。❸其他显然违反诚实
及信用方法者。前项损害赔偿请求权，因二年间不行使而
消灭。"

立法说明略谓："❶本条新增。❷近日工商发达，交通
进步，当事人在缔约前接触或磋商之机会大增。当事人为
订立契约而进行准备或商议，即处于相互信赖之特殊关系
中如一方未诚实提供资讯、严重违反保密义务或违反进行
缔约时应遵守之诚信原则，致他方受损害，既非侵权行

为，[1] 亦非债务不履行之范畴，现行法对此未设有赔偿责任之规定，有失周延。而外国立法例，例如，希腊一九四〇年新民法第一九七条及第一九八条、意大利民法第一三三七条及第一三三八条，均有'缔约过失责任'之规定。为保障缔约前双方当事人间因准备或商议订立契约已建立之特殊信赖关系，并维护交易安全，实有规定之必要，爰增订第一项规定。❸为早日确定权利之状态，而维持社会之秩序，爰参考前述希腊新民法第一九八条规定，明定"前项损害赔偿请求权，因二年间不行使而消灭。"

二、比较法上的观察

立法说明书曾提到第二四五条之一制定时曾参考希腊民法及意大利民法。关于缔约上过失，以色列契约法及德国民法的发展动向，亦值参考。比较法上的观察可供发现不同的规范模式、更清楚认识本土法的特色，简述如下：

（1）希腊民法。希腊民法制定于一九四〇年，基本上采德国民法的体例。早在二十世纪初期，希腊于适用罗马一拜占庭法期间，即继受耶林缔约上过失的理论。一九四〇年的希腊民法于第一四五条、第一四九条就意思表示撤销之损害赔偿，第二三一条就无权代理；第三六二条、第三六三条、第三六五条就给付不能或违反法律规定，设有个别规定外，更将"缔约上过失责任"订为一般法律原

---

[1] 此所谓"既非侵权行为"，不无疑问。其所涉及的多为纯粹财产上损害，具备第一八四条第一项后段规定时，仍得成立侵权行为。

则，分设两个条文：❶第一九七条："于为缔结契约而进行磋商之际，当事人相互负有应遵循诚实信用及交易惯例所要求行为之义务。"❷第一九八条："为缔结契约而进行磋商之际，因过失致相对人遭受损害者，应负损害赔偿责任；纵契约未能成立，亦然。关于此项请求权之消灭时效，准用基于侵权行为请求权消灭时效之规定。"[1]

（2）意大利民法。意大利民法亦受耶林所提出（culpa in contrahendo）理论的影响，法律概念上，多互用先契约责任（responsabilita precontrattuale）。一九四二年意大利民法设三条规定：[2]第一三三七条："当事人于契约之商议行为及契约缔结，应依诚实信用为之。"第一三三八条："一方当事人明知或应知契约有无效原因存在，而未通知相对人者，对于无过失而信该契约为有效致受损害之他方当事人，负赔偿责任。"第一三九八条："无代理权人或越权代理人，对于无过失信其契约为有效致受损害之第三人，负赔偿责任。"实务上常见的案例类型，包括违反说明义务、非有正当理由中断缔约等。

（3）以色列契约法。增订第二四五条之一的立法说明书未提及以色列的立法例，实则以色列在法制上有许多创

---

〔1〕 详细的论述，尤其是此项概括条款的类型化，参阅 Pouliadis, Culpa in contrahendo und Schutz Drither: Betrachtung zur Rechtssprechung des BGB unter vergleichende Berücksichtigung des griechischen Rechts, 1982. 又耶林氏 culpa in contrahendo 的论文早于一九二〇年即译为希腊文，刊登于法学杂志 To Dikation, Bd. 2 (1920).

〔2〕 参阅 Hondius（ed.）, Precontractual Liability, pp. 195 – 204（Guida Alpa 教授关于意大利法的报道）; Rabeelo, culpa in contrahendo: Precontractual Liability in the Italian Legal System, in: Aeqitas and Equity: Equity in Civil Law and Mixed Jurisdictions（ed. Rabello）, 1997, pp. 463 – 509.

新。关于先契约责任，采耶林的 culpa in contrahendo 理论，
而将之一般化，于一九七三年的一般契约法（The General
Contracts Law）第十二条规定："❷当事人于契约之磋商，应
依习惯方法及诚实信用为之。❷一方当事人未依习惯方法
或诚实信用而行为时，对于因磋商或缔约而受损害之相对
人，负赔偿责任。"[1]

（4）德国民法的发展。耶林氏提出 culpa in contrahendo
之后，德国民法仅设若干规定，经判例学说近百年的运
用，已形成了精细、复杂，适用范围广泛的制度，建立了
一般化的原则，Larenz 教授曾作如下的总结："依今日之见
解，缔约的磋商或一个为其准备之'事务上接触'
（geschäftlicher Kontakt），既足在参与者间产生注意及顾虑义
务，于其违反时，参与者应如同违反契约，负其责任。"[2]

三、第二四五条之一的特色

以新增订的第二四五条之一，与上述各国立法例及德
国判例学说对照比较，可知均以诚实信用作为先契约义务

---

[1] Hondius（ed.）Precontractual Liability, 1991, pp. 179 - 194（Schalev 教授所提出关于以色列的
报道）。东吴大学法学院图书馆藏有由希伯来大学发行的 Israil Law Review，可供进一步了
解以色列法律及法学的现况及发展。

[2] Larenz, Schuldrecht I, 12. Aufl. 1979, S. 91. 值得注意的是，德国司法务部曾于八十年代设
民法债编修正委员会，委请 Medicus 教授提出鉴定报告（附有修正建议），一九九二年提出
的总结报告，认应仅规定缔约上过失得成立债之关系（§241 - BGBKE），而让由判例学说
形成其内容。参阅 Medicus,"Verschulden bei Vertragshandlungen, in: Gutachten und Vorschläge
zur Überarbeitung des Schuldrechts, Band I, 1981, p. 479f.; Abschlussbericht der Kommission zur
Überarbeitung des Schuldrechts, 1992, S. 113f.

的依据，使缔约磋商亦受诚信原则的规范。关于其内容，则有两项重大差异：

（1）各国立法例，皆未设有"契约未成立时"的要件，希腊民法第一九八条更明定，纵契约未成立，亦适用之；意大利、以色列及德国的判例学说均未将缔约过失责任限于"契约未成立时"的情形。

（2）关于缔约上过失责任，上述各国立法例及判例学说皆采概括规定，并以过失为归责原则。第二四五条之一采列举概括的立法方式，并区别说明义务、保密义务及其他情形，就其成立要件，尤其是归责事由，设不同的规定，并未采"过失责任"，称之为缔约上"过失"，乃就其制度而言，应请注意。

就各国立法例综合加以比较观察，第二四五条之一规定的内容系属独创，立法政策上采较保守的态度，立法说明书过于简略，解释适用上疑义甚多，难谓系良好的立法，确有重新检讨、诠释的必要。

第二项　第二四五条之一规定的再构成
——规范功能、法律性质及适用范围——

一、规范功能：诚实信用原则及先契约义务

增订第二四五条之一规定，在使"为准备或商议订立

契约"阶段亦受诚实信用原则的规范，其功能有二：❶扩大了诚实信用原则在时间上适用范围，延伸及于订约准备或商议阶段。❷使诚实信用原则，由行使权利及履行义务的方法（第一四八条第二项），进而作为发生先契约义务（说明、保密等）的依据，此对于建立契约关系上的附随义务，完善债务不履行制度，深具意义。

二、法律性质

缔约上过失责任究属契约或侵权责任，因各国法制而异。法国系依侵权行为法处理于缔约准备或商议阶段，因一方过失侵害他人权益的赔偿责任，故其所谓缔约上过失责任基本上属侵权行为。在台湾，应认缔约上过失系独立于契约及侵权行为外的第三种民事责任，乃属法定债之关系；因当事人从事缔约的准备或商议而发生，以基于诚实信用原则而生的先契约义务为其内容。此种"法定债之关系"内容的形成及法律的适用，除法律有规定外（如消灭时效），应依其规范功能而定之，如关于代理人或使用人从事缔约准备或商议的故意或过失，应适用第二二四条规定。

三、适用范围：何谓"契约未成立时"？

第二四五条之一规定："契约未成立时，当事人为准备或商议订立契约而有下列情形之一者，对于非因过失而信契约能成立致受损害之他方当事人，负赔偿责任……"其所谓"契约未成立时"，究指何而言？其规范旨何在？为本条解释适用上最须澄清的关键问题。

或有认为依据"契约未成立时……对于非因过失而信契约能成立……"的用语，所谓"契约未成立时"应解释为，系指"致"契约未成立时而言。立法者真意如何，难以确知，应说明者有二：

（1）依此解释，第二四五条之一将仅适用于"致"契约未成立的情形，其范围甚狭，设此规定，意义不大。

（2）本条所定："有下列情形之一者"与"契约未成立"之间，并非皆有因果关系上的关联。就订约有重要关系之事项，对他人之询问，恶意隐匿或为不实说明的情形言，相对人多未察觉而订立契约；相对人发现其事而不缔结契约，固亦有之，然将本条限缩于此种特殊例外情形，实不足保护相对人的利益，维护交易安全。在知悉或持有他人之秘密，经他方明示应予保密而因故意或重大过失泄露的情形，他方当事人知其情事而中断缔约的，应属罕见；于一般情形，相对人多未察觉泄密之事，仍为契约的订立。

为使第二四五条之一规定，得以保障双方当事人间因准备或商议订立契约而建立的特殊信赖关系，并维护交易安全，本书认为所谓"契约未成立时"，应解释为系指"当事人为准备或商议订立契约而有下列情形之一"，系发生于契约未成立之前；例如，甲与乙缔约商议，于契约成立前，甲泄露乙明示应予保密事项。此项解释并不排除契约因不合意而不成立，无效或中断缔约等情形，自不待言。

　　所谓"契约未成立时"，应解释为一方当事人违反诚实信用原则的情事系发生于契约成立前（订约准备商议阶段），既如上述；则于"契约成立时"，其法律关系应如何处理？就上举泄密的情形言，若甲与乙间的契约成立时，甲应否负损害赔偿？显然的，其答案应为肯定。泄密的损害赔偿责任，不应因契约成立而排除。一方当事人恶意隐匿或为不实说明者，亦当属如此。准此以言，第二四五条之一关于"契约未成立时"的规定，徒增困扰，应予删除。希腊民法第一九八条明定缔约上过失责任，此于契约未成立时，仍应适用，可供参照；鉴诸各国判例学说，此乃比较法上的共识。为便于观察，兹将上述见解，图解如下：

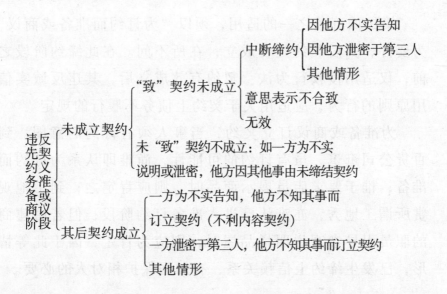

第三项　构成要件

第二四五条之一规定"缔约上过失责任"的构成要件为：

（1）准备或商议订立契约。

（2）违反诚实信用原则及有可归责事由。

（3）须加害人有行为能力。

（4）须致他方当事人受有损害。

（5）须侵害行为与损害之间具有因果关系。

分述如下：

一、准备或商议订立契约

第二四五条之一的适用，须以"为订约而准备或商议"为要件，其后契约是否成立，在所不问。在此缔约阶段之前，仅适用侵权行为法。契约有效成立后，其违反诚实信用原则的行为，应适用关于契约上债务不履行的规定。

为准备或商议订立契约，当事人须有订约的意图。到百货公司逛逛，虽有订约的可能性，尚难即认系为订约而准备；惟于要求店员展示商品时，则应肯定之；到工地观赏所谓工地秀，亦难认已进入准备订约阶段；但若由建商的职员引导参观说明样品屋时，则应为肯定，因于此等情形，已发生缔约上信赖关系，有加强保护相对人的必要。

二、诚实信用原则及归责事由

缔约上过失的成立须以违反诚实信用原则及有可归责事由为必要。前者系违反先契约义务，具违法性，后者为故意或过失问题。二者乃不同的要件。须注意的是，第二四五条之一对各种先契约义务的违反（告知说明义务，保密义务等），设不同的归责事由，在比较法上实属罕见。

（一）告知及说明义务（资讯义务）的违反

1．法律规定及其解释适用。

就订约有重要关系之事项，对他方之询问，恶意隐匿或为不实之说明者，致他方受损害者，负损害赔偿责任（第二四五条之一第一项第一款）。本款系规定告知说明义务，涉及资讯的提供（information），乃缔约上过失的核心问题，[1]分四点加以说明：

（1）本款认准备或商议订立契约的一方当事人无"主

---

[1] 缔约准备或磋商的说明义务，是一个涉及法律与道德的古老问题。常被引述的是 Cicero 所提出一则被称为"饥饿的 Rhodes 人"的案例：希腊 Rhodes 城发生饥荒，有某商人自 Alexandria 运来稻米，以高价出售，明知随后即有其他船只运米前来，是否负有告知说明的义务？（De Officis；3.13）。又在美国内战期间，新奥良港被封锁，不能运送香烟到国外，价格大降。Organ 氏获知即将解除封锁前数小时，自 Laidlaw 氏以低价购买大量香烟；其后烟价暴涨，Laidlaw 氏以受诈欺为理由，提起诉讼，要求撤销契约。在前者，Cicero 认该商人无告知及说明义务。在后者，法院判决原告败诉（Laidlaw v. Organ, Wheat（15US）178（1817）。此二例均引自 Harris/Tallon（eds.），Contract Law Today, Anglo - French Comparisons, Nicholas 教授关于 The Precontractual Obligation to Disclose Information 的"英国法报道"，1989，p. 167，183.

动"告知或说明的义务。[1] 就原则上，可资赞同，其理由有三：❶因为资讯的取得需要成本。❷各当事人应自行取得必要资讯，不能仰赖他人提供；否则双方将难获得必要资讯，使缔约失其效率。[2] ❸磋商缔约应容许当事人有所保留，不能尽泄底牌，完全透明。

（2）然而由于当事人资讯不平等（Inequality of Information），本诸诚信原则，在一定要件之下，一方当事人就订约有重要关系之事项，亦应为告知及说明；如汽车是否遭台风泡水、房屋有无辐射线、山坡地房屋的安全性等。本款设有两个要件：❶须他方询问；❷须恶意隐匿或为不实之说明。此等要件甚属严格，至少就不实说明言，以经他人询问为前提，实有疑问。甲恶意不实告知乙："山坡基地经政府检验合格，安全无虞。"有违诚信原则，不应因对方询问与否，而有不同。其未经他方询问，"主动"恶意为不实告知者，应类推适用本款或适用第三款规定。

（3）须补充说明的是，虽经他方询问，而不为告知，并不当然即有本款的适用，例如，甲欲雇用乙女，询问曾否堕胎，是否正在服用避孕药，是否为同性恋等，事涉个

---

[1] 关于本款内容，立法说明书未有阐释，美国侵权行为法汇编 Restatement Torts 2d. 第五五一节注解 K（Commentk）可供参照："To a considerable extent, sanctioned by the customs and mores of the community, superior information and better business acumen are legitimate advantages, which lead to no liability. The defendant may reasonably expect the plaintiff to make his own investigation, draw his own conclusions and protect himself; and if the plaintiff is indolent, inexperienced or ignorant, or his judgment is bad, or he does not have access to adequate information, the defendant is under no obligation to make good his deficiencies."

[2] 关于缔约上过失的经济分析，参阅 Schäfer/Ott, Lehrbuch der Ökonomischen Analyse des Zivilrechts, 2. Aufl. 1995, S. 239, 446, 448.

人隐私，可认为所询问的问题，非属订约有重要关系之事项；纵为肯定，亦应认不为告知，非属"恶意"隐匿。

（4）本款规定以经他方询问为前提，以恶意隐匿或为不实之说明为必要，查其要件，实符合第一八四条第一项后段"故意以悖于善良风俗之方法，加损害于他人"的规定（甚至更为严格）；准此以言，本款规定有无必要，实有研究余地。[1]

2．竞合关系。

（1）与侵权行为责任的竞合。本款关于恶意隐匿或为不实之说明的规定，不论契约成立与否，均得与第一八四条第一项后段规定发生竞合关系。

（2）与第九十一条关于诈欺规定的竞合。一方当事人于订约时，经他方询问而为不实说明，其后契约仍为成立者，他方当事人亦得行使第九十一条关于意思表示被诈欺的撤销权。

3．与民法关于物之瑕疵担保规定的竞合。

物之出卖人对于买受人负物之瑕疵担保责任（第三五四条以下）。依第二四五条之一规定，其说明或告知义务的违反，须以"恶意"为要件，故一方当事人对买卖标的物的价值或效用恶意隐匿或为不实说，而买卖契约其后仍为订立时，为保护相对人，应认得与物之瑕疵担保责任成

---

[1] 缔约上的告知说明义务（提供资讯义务），是一个值得在比较法上作深入研究的问题，关于德国法，参阅 Briedenbach, Die Voraussttzungen von Informationspflichte beim Vertragsschluss, 1989；Grigolet, Vorvertragliche Informationshaftung, 1997.

立竞合关系。[1]

(二) 保密义务之违反

"知悉或持有他方之秘密，经他方明示应予保密，而因故意或重大过失泄露之者"，应负损害赔偿责任（第二四五条之一第一项第二款）。此项秘密的泄露与"致契约未成立"，并无逻辑或因果上的必然关系。在准备或商议过程中泄露秘密，其后契约成立时，仍应负责，应属当然。又本款以"经他方明示应予守秘"为要件亦属严格。未经明示应予保密的"秘密"（如投资计划、新商品的制造方法），一方当事人故意泄露时，难谓不违反诚实信用原则，依其情形得适用第三款规定（显然违反诚实及信用方法），或成立第一八四条第一项后段规定的侵权行为。

须注意的是，一方当事人使用其所知悉或持有他方之秘密（如新开发的制造技术），更属常见。本款对此未设规定，解释上得适用第三款规定；又不论他方是否明示不得使用其秘密，均得成立侵权行为或不当得利。

(三) 其他显然违反诚实及信用方法

1. 概括条款的具体化。

增订第二四五条第一项第三款规定："其他显然违反诚实及信用方法"致他方当事人受损害者，负损害赔偿责

---

[1] 此为德国通说，BGH NJW 1992, 2565; 1995, 2160; Marutschke, Probleme der Konkurrenz von Sachmängelgewährleistung und culpa in contrahendo, JuS 1999, 729.

任。此为概括条款，应就个案予以具体化，并组成案例类型。[1]

本款的难题在于所谓"显然"究应如何认定。如前所述，本条所规定的，是法定债之关系，以违反基于诚信原则所生之先契约义务及有可归责事由为要件，其违反诚实信用是否"显然"，应依此二者就个案加以认定。

2. 案例类型。

所谓其他显然违反诚实及信用方法者，例如，一方当事人主动恶意为不实的说明；使用其所知悉或持有他方的秘密、自始无缔约意愿：仍为缔约的商议等。其应进一步说明的是下面三类案例：

（1）致契约不成立或无效。第二四七条就契约因标的不能而无效，设有缔约上过失规定；于其他契约无效或不成立的情形，则无明文。在采缔约上过失理论的国家皆类推适用关于标的不能等规定，肯定其有过失的一方应负损害赔偿责任。[2]我们除类推适用第二四七条规定外，得适用第二四五条之一第一项第三款规定。例如，建商某甲与乙商议出卖房屋，甲明知新修正第一六六条之一规定不动产买卖须经公证人作成公证，乃故意告知乙订立书面即可，其行为显然违反诚实信用原则。又定型化契约条款经法院宣告无效后，企业经营者仍然继续使用时，亦有本款

---

〔1〕 关于概括条款的具体化及类型化，参阅拙著：法律思维与民法实例，一九九九，第二四四页。

〔2〕 参阅 BGHZ 99, 107; NJW 1988, 198.

的适用。[1]

（2）中断缔约。[2] 当事人开始准备或商议订立契约后，于契约成立前，得随时中断缔约，此乃基于契约自由（缔约自由）原则，民法上亦定有要约或承诺得撤回的规定，否则将肇致"强制缔约"的结果。然于例外情形，中断缔约（Breaking off Negotiations、Abbruch von Vertragsverhandlungen）亦得构成显然违反诚实信用。此应就个案，斟酌契约的类型、商议进展程度、相对人的信赖及交易惯例等加以认定。例如，甲与乙为雇用之事，经长期谈判商议，预定近期签约，乙对甲表示将辞去现职，在公司附近租屋，甲同意派人协助。不料于签约前日，甲突故拒绝缔约，其行为与诚实信用原则显有违反。

（3）违反保护义务，致侵害相对人的人身或所有权。此为"缔约上过失责任"上最具争议的类型。甲到乙百货公司购物，因踏到电梯上的香蕉皮，摔倒受伤；丙店员展示电炉，不慎掉落，伤害旁观的丁；顾客试车，因公司职员的过失，发生车祸受伤。于此等情形，德国实务上一向认为应成立缔约上过失责任，其理由系以一方当事人因缔约上接触而进入他人支配范围，应受保护，避免雇用人得依德国民法第八三一条规定，对受雇人加害行为举证免责，而适用德国民法第二七八条（相当我民第二二四条）

---

[1] 参阅 BGH NJW 1996, 188.
[2] 参阅陈洸岳："中断交涉与缔约上过失责任的序论研究"，一九九九年六月五日提出于民法讨论会。本文介绍日本判例学说，尤其分析检讨实务案例，甚具参考价值，务请参阅。关于欧洲各国法制，参阅 Kötz, Europäisches Vertragsrecht, 1996, S. 50 - 61.

规定。[1]

雇用人虽亦得依第一八八条第一项后段规定，证明其对受雇人的选任、监督已尽必要注意而免责，但实务上采严格认定标准，举证免责成功的案例，甚属罕见。纵得举证免责，雇用人亦应负衡平责任（第一八八条第二项，德国民法未设此规定）。鉴于现行规定实际上足以保护被害人，此类案例与缔约准备或磋商并无直接关系，应认非属缔约上过失的范畴，无第二四五条之一第一项规定的适用。

三、须加害人有行为能力

侵权行为的成立，须加害人有识别能力（第一八七条）。于契约责任，其责任能力依第一八七条之规定定之（第二二一条）。第二四五条之一规定，其损害赔偿责任的成立，则须以加害人有行为能力为要件，[2]期能贯彻保护无行为能力人或限制行为能力人的立法意旨。例如，十八岁之某甲出卖电脑与乙，未得法定代理人同意，其买卖契约不生效力；就乙因此所生损害，甲不负赔偿责任。准此，甲与乙磋商订立买卖契约阶段纵有不告知、泄密、意思不合致或中断缔约等情事，亦不成立第二四五条之一的责任。惟于具备侵权行为的要件时，应适用第一八七条规

---

[1] BGHZ 66, 51; BGH NJW 1968, 1472. 简要论述 Larenz/Wolf, AT. S. 640.

[2] 此为德国通说，Canaris, NJW 1964, 1987; Jauring/Volkommer, § 276 Rn. 84, 希腊通说亦探此见解，Pouliadis, Culpa in contrahendo und Schutz Dritter, 1982, S. 169.

定，自不待言。

四、须致他方当事人受有损害

缔约上过失之损害赔偿请求权的成立，须以一方当事人受有损害为要件，系属当然。此项损害通常为费用的支出，丧失的订约机会。关于此等所谓纯粹财产上损害（纯粹经济上损失），须加害人出于故意以悖于善良风俗之方法加损害于他人，被害人始得依第一八四条第一项后段规定，请求损害赔偿。第二四五条之一的增订，有助于保护纯粹财产上利益。

五、须侵害行为与损害之间具有因果关系

违反诚信原则的加害行为与权益受侵害之间须有相当因果关系。[1]

第四项　法律效果

一、损害赔偿请求权

（一）信赖利益

第二四五条之一第一项之规定："契约未成立时"，当

---

[1] 关于因果关系，参阅拙著：侵权行为（一），一九九九，第一八五页。

事人为准备或商议订立契约而有下列情形之一者，"对于非因过失而信契约能成立致受损害之他方当事人，负赔偿责任。"此种信赖利益的损害赔偿，包括订约费用，准备履行所需费用（积极损害）或丧失订约机会的损害（消极损害）。[1] 至于因契约履行所得之利益，则不在得请求赔偿之列。[2] 此项信赖利益损害赔偿的范围不受履行利益的限制。

所谓"契约未成立时"，非专指"致契约未成立"情形而言，已详上述，第二四五条之一的适用范围应包括"致契约未成立"以外的情形，例如，一方当事人泄露经他方告知应予保密的秘密时，被害人得请求之赔偿，与所谓"信契约能成立，致受损害"无关。

据上所述，关于第二四五条之一所定赔偿责任，系在使赔偿请求权人，处于准备磋商中先契约义务未被违反时，所应有的状态。所谓"信契约能成立致受损害"不足包括所有情形，应请注意。

（二）相对人的"与有过失"

第二四五条之一所定损害赔偿请求权的发生，须以相对人"非因过失"而信契约能成立为要件。易言之，损害赔偿请求权因相对人的过失而排除。此项过失应就各案例类型，斟酌订约商议过程、双方的资讯、专业能力及合理

---

〔1〕 参照一九六二年台上字第二一〇一号，关于第二四七条所作的判例。
〔2〕 拙著："信赖利益之损害赔偿"，民法学说与判例研究（五），第二二九页。

期待性等因素加以认定。

在一方当事人违反保密义务的情形，不生非因过失而信契约能成立的问题，既如上述，故其损害之发生或扩大，被害人与有过失者，应适用第二一七条规定，法院得减轻赔偿金额或免除之。

二、契约成立、订立不利内容之契约

在缔约过程中，一方当事人就订约有重要关系之事项，对他方之询问恶意隐匿或为不实之说明；或因故意或重大过失泄露经他方明示应予保密的秘密，其后契约仍为成立者，亦有第二四五条之一规定的适用，前已再三提及，于此情形，被害人仍得请求损害赔偿，自不待言。

值得提出讨论的是，因一方当事人恶意隐匿或为不实之说明而订立不利内容的契约时，除适用第九十二条关于意思表示受诈欺得撤销规定或物之瑕疵担保责任规定（第三六四条以下）外，为保护相对人利益，尚应有其他救济方法。德国判例学说认为被害人得请求解除（Aufeben）不利内容的契约、请求返还不合理的超额对待给付、或请求提高报酬等，实值作进一步的研究。[1]

---

[1] 简要说明参阅 Jauernig/Volkommer，§ 276 Rn. 89f.

第五项 消灭时效与举证责任

一、消灭时效

第二四五条之一第二项规定："前项损害赔偿请求权，因二年间不行使而消灭。"若无此项明文，则其消灭时效期间应适用一般规定，为十五年（第一二五条）。关于此项短期时效期间，立法目的系为早日确定权利之状态，而维持社会之秩序，并参考前述希腊民法第一九八条规定。

按希腊民法第一九八条规定："缔约上过失损害赔偿请求权之消灭时效，准用基于侵权行为请求权消灭时效之规定。"依希腊民法第九三七条规定："因侵权行为所生之损害赔偿请求权，自请求权人知有损害及赔偿义务人时起，五年间不行使而消灭。自有侵权行为时起逾二十年者，亦同。"此项准用规定，在希腊判例学说上曾引起缔约上过失是否为侵权行为的争议；但通说认此项准用旨在便利被害人提起附带民事诉讼，不能因此而将缔约上过失定性为侵权行为。[1]

据上所述，我们系参考希腊民法而对消灭时效期间设明文规定，惟未采其准用侵权行为损害赔偿请求权消灭时

---

[1] Pouliadis, culpa in contrahendo und Schutz Dritter, 1982, S. 190. 希腊学者多数认为缔约上过失系类似契约性质的债之关系。

效的立法例。所定二年时效期间，是否合理，与民法其他
规定是否协调，前已再三论及，兹不赘。

二、举证责任

关于第二四五条之一所定损害赔偿请求权的举证责任，
就一般原则言，被害人应负举证责任的，包括：为准备或
商议订立契约、加害人违反诚实信用原则（先契约义务）、
损害及因果关系。问题在于主观的归责事由，如加害人的
"恶意"隐匿或为不实的说明（本条第一项第一款）、"故
意"或"重大过失"泄露秘密（本条第一项第二款）等应
如何定其举证责任。在侵权行为，关于加害人的故意或过
失，原则上应由被害人负举证责任。在契约债务不履行，
原则上应由债务人举证证明其无可归责之事由。[1] 缔约上
过失既属法定债之关系，而恶意、故意或重大过失等，又
属被害人难于阐释的领域，原则上应由加害人负举证责
任。

---

〔1〕 一九九三年台上字第二六七号判决："第一八四条第一项前段规定侵权行为以故意或过失
不法侵害他人之权利为成立要件，故主张对造应负侵权行为责任者，应就对造之故意或过
失负举证责任（参照一九六九年台上字第一四二一号判例）。又在债务不履行，债务人所
以应负损害赔偿责任，系以有可归责之事由存在为要件。故债权人苟证明债之关系存在，
债权人因债务不履行（给付不能、给付迟延或不完全给付）而受损害，即得请求债务人负
债务不履行责任，如债务人抗辩损害之发生为不可归责于债务人事由所致，即应由其负举
证责任，如未能举证证明，自不能免责（参照一九四〇年上字第一一三九号判例意旨）。
二者关于举证责任分配之原则有间。"

第四款　缔约上过失制度的结构分析

自耶林于一八六一年提出缔约上过失（culpa in contra-hendo），迄今已逾一个半世纪，各立法例、判例学说或思考方法皆受其影响；第二四七条系典型的规定，第九十一条及第一一〇条亦系源自此项理论。数十年来判例学说局限于既有规定的解释，未能突破，法律发展停滞不进。直至一九九九年四月二日债编修正始增订第二四五条之一规定。兹列表如下，俾作综合的结构分析。

条文／内容		规范类型	责任性质	相对人过失	损害赔偿	消灭时效
二四七 I		标的不能契约无效	过失责任	须无过失	信赖利益	十五年：修正前 二 年：修正后
九十一		错误意思表示之撤销视为自始无效	无过失责任	须无过失	信赖利益	十五年
一一〇		无权代理不生效力	无过失责任	须为善意	1. 有争论 2. 多数说：履行利益或信赖利益	十五年（通说）
二四五之一 I	第一款	违反说明义务	经他方询问恶意	须无过失	信赖利益（信赖契约能成立的损害）	二年（二四五之一 II）
	第二款	违反保密义务	经他方明示保密故意、重大过失			
	第三款	显然违背诚实信用				

（1）增订第二四五条之一规定的最大意义在于使诚实

信用原则适用于缔约准备或磋商阶段，并将之具体化于说明义务及保密义务，创设一种独立于契约与侵权行为外的法定债之关系，加强保护非财产利益（纯粹经济上损失），及适用第二二四条规定。如何重构民法责任体系，实为学说判例面临的重大课题。

（2）关于第二四五条之一的内容颇多疑义。其所参考的希腊民法及意大利民法皆采概括规定，并以"过失"为归责原则，希腊民法且明定契约不成立时亦适用之。其他国家虽不设此明文，判例学说亦同此见解。立法者明知各立法例，仍然以"契约未成立时"为要件，并区别说明义务、保密义务等就其违法性及主观归责事由设不同的规定，应有立法政策上的考量；惟立法说明未曾提及，难以查知。实则，违反诚实信用之行为，"致契约不成立者"有之；与此无关者，更属常见（包括违反说明义务及保密义务等）。于后种情形，其违反先契约义务所生损害赔偿责任，不因契约成立而受影响，乃属当然。

（3）就各种缔约上赔偿责任的规定加以比较观察，第二四五条之一的归责要件，限于"恶意"、"故意或重大过失"，较诸第二四七条的过失责任、第九十一条的无过失责任，及第一一〇条的无过失责任，显为严格；按诸各立法例或判例学说，实属罕见。然则为何"说明义务"的违反，须以"恶意"为要件，而"保密义务"的违反则以"故意重大过失"为已足？所谓"显然"如何认定其主观归责事由？

（4）关于消灭时效期间，其区别依据何在？是否合理，尚非无推究之处。第二四五条之一第二项规定为二年，第二四七条第三项亦增设相同规定。对此，应说明有二：❶就"缔约上过失"损害赔偿求权设二年时效期间，较诸侵权行为损害赔偿请求权（第一九七条）为短，似不足保护被害人，未能强化基于特殊信赖关系而生"缔约上过失责任"的制度性功能。❷若强调此项二年短期消灭时效期间，系为尽速了结法律关系，早日确定权利之状态，而维持社会之秩序，则为何第九十一条及第一一〇条的消灭时效期间仍为十五年？

（5）债编修正工作耗时多年，贡献卓著，自不待言。惟对于重大基本问题，若能事先委请专家学者提出鉴定书，对各立法例、判例学说作深入的研究；立法说明书若能就增修条文的立法政策及理由作更详尽的剖析，并对增订规定的内容作若干必要的阐释，将更可保障立法品质，俾利法律的解释适用，促进民法的进步与发展。

第八节　悬赏广告

第一款　悬赏广告的法律性质与民法修正

请先阅读修正前第一六四条及修正条文，研究二者之不同及修正理由。某甲登报声明，发现其遗失狼犬者，给付报酬十万元。某乙为禁治产人，不知甲的悬赏广告，而发现该狼犬时，得否请求报酬？对此问题，立法上应如何规定，民法修正前后的规定，应如何解释适用？

一、悬赏广告的定性

悬赏广告，指以广告声明对完成一定行为之人给与报酬。如登报悬赏寻觅遗失的汽车、寻找走失老人、车祸目击者，缉探人犯，查缉仿冒商品，或征求科技学术上的发明或发现，其种类甚多，常能表现一个社会的经济文化活动。

悬赏广告虽为日常生活所习见，其法律性质为何？有契约行为说及单独行为说两种不同的见解。契约行为说认为悬赏广告，系对不特定人为要约，经行为人完成一定行为，予以承诺，而成立契约。单独行为说认为悬赏广告，系因广告人一方的意思表示而负担债务，在行为人方面无须承诺，惟以其一定行为的完成作为停止条件。现行民法究采何种见解，系古老的问题，尚无定论，最近因民法修正再起争议。

此项争论有助法释义学（Rechtsdogmatik）的思考，具有法学方法的意义。[1] 其核心问题在于应否坚持契约原则，

---

[1] 关于法释义学，参阅拙著：法律思维与民法实例——请求权基础理论体系，一九九九，第二一〇页。

抑须顾及到悬赏广告的特色及当事人的利益而设例外，采单独行为说。其主要争点有二：❶不知广告而完成一定行为之人，得否请求报酬？❷无行为能力人完成一定行为时，有无报酬请求权？

二、民法修正前悬赏广告的法律性质

修正前第一六四条规定："以广告声明对完成一定行为之人给与报酬者，对于完成该行为之人，负给付报酬之义务。对于不知有广告而完成该行为之人，亦同。数人同时或先后完成前项行为时，如广告人对于最先通知者已为报酬之给付，其给付报酬之义务，即为消灭。"关于本条规定，有认系采契约说，其主要理由为因其规定于第一节第一款民法债编通则"契约"之内。[1] 实则，以单独行为说较为可采，[2] 其理由有五：

（1）就法律文义言：本条规定的文义与买卖、租赁等契约的规定不同（第三四五条、第四二一条），比较对照之，可知立法者非以悬赏广告为契约行为，盖不知有广告而完成该行为，在理论上不能认系承诺，难以成立契约。

（2）就体系关联言：民法于契约一款中规定悬赏广告，非可据以认定其为契约。法典编制体例上的地位，固可作

---

〔1〕 王伯琦：民法债编总论，第三十一页；郑玉波：民法债编总论，第六十一页；孙森焱：民法债编总论，第四十七页；邱聪智：民法债编通则，第四十三页。

〔2〕 同说，梅仲协：民法要义，第九十三页。史尚宽：债法总论，第三十三页。详阅拙著："悬赏广告法律性质之再检讨：为单独行为说而辩护"，民法学说与判例研究（二），第五十七页。

为法律解释的一种方法，但非属惟一标准。民法将代理权之授予列在债之发生一节之内，通说并不因此而认其为债之发生原因。查民律草案原将悬赏广告独立列为一章，规定于"各种之债"（第八七九条至第八八五条）。现行民法将之移至于债编通则契约一款之内，其理由不得而知，就体例言，实未妥适，盖契约一款所规定的，乃各种契约的"成立方式"，无论采取何说，悬赏广告均不宜在该款内设其规定。

（3）就立法理由言：原第一六四条系采自民律第一草案第八七九条，内容完全相同，其立法理由书略谓："谨按广告者，广告人对于完结其所指定行为之人，负与以报酬之义务。然其性质，学说不一。有以广告为声请订约，而以完结其指定行为默示承诺者，亦有以广告为广告人之单务约束者。本案采用后说，认广告为广告人之单务约束，故规定广告人于行为人不知广告时，亦负报酬之义务。"可供参证。

（4）就比较法而言：原第一六四条系德国民法第六五七条规定的迻译，而在德国民法悬赏广告的法律性质为单独行为，系判例与学说的一致见解。[1] 在瑞士债务法，悬赏广告亦列于契约一款内（第八条），但通说仍解为系属单独行为，[2] 尤具启示性。

（5）就立法目的言：基于法律行为而发生债之关系，

---

〔1〕 Larenz, Schuldrecht II/1, Halbband I, S. 405 f.

〔2〕 von Tuhr/Peter, Allgemeiner Teil des Schweizerischen Obligationsrechts, Band I, 1979, S. 182 N, 6, 324.

原则上应依契约为之（契约原则），对悬赏广告采单独行为说，其实质理由有二：❶使不知有广告而完成一定行为之人，亦得请求报酬。❷使无行为能力人亦得因完成一定行为而请求报酬。此二点为德国民法明定悬赏广告为单独行为的理由，亦为瑞士通说突破法律编制体例，将悬赏广告解释为单独行为的依据。

三、民法修正与悬赏广告的定性

（一）修正内容及理由

修正将第一六四条规定为："以广告声明对完成一定行为之人给与报酬者，为悬赏广告。广告人对于完成该行为之人，负给付报酬之义务。数人先后分别完成前项行为时，由最先完成该行为之人，取得报酬请求权；数人共同或同时分别完成行为时，由行为人共同取得报酬请求权。前项情形，广告人善意给付报酬于最先通知之人时，其给付报酬之义务，即为消灭。前三项规定，于不知有广告而完成广告所定行为之人，准用之。"

立法说明书略谓："❶以广告声明对完成一定行为之人给予报酬，即为学说与实务上所谓之悬赏广告。爰于第一项第一句末'者'下增列'为悬赏广告'等文字。又悬赏广告之性质如何，有单独行为与契约之不同立法例。台湾学者间亦有如是两种见解。惟为免理论争议影响法律之适用，并使本法之体例与规定之内容一致，爰将第一项末段

'对于不知有广告而完成该行为之人，亦同'移列为第四项，并将'亦同'修正为'准用之'，以明示本法采取契约说之旨。❷（略）❸（略）。❹不知有广告而完成广告所定行为之人，因不知要约之存在，原无从成立契约。惟因悬赏广告之特性，亦应使其有受领报酬之权利。且其受领报酬之权利，与知广告而完成一定行为之人，应无分别；爰将第一项后段之规定，移列于第四项，并规定前三项之规定，于不知有广告而完成广告所定行为之人，皆可准用。"

（二）分析检讨

1. 立法者的定见与民法修正。

就前述民法修正的说明言，立法者的意思显然地要将悬赏广告定性为契约行为。[1]此乃基于立法者的定见。于一九八三年七月公布民法债编通则部分条文修正草案初稿，关于第一六四条的修正说明，曾谓："依立法例，悬赏广告应属契约行为，为使法文与理论一贯，爰予修正之：（1）第一项删去末段：'对于不知有广告而完成该行为之人，亦同'。改列为第四项，并改'亦同'为'准用之'，以免误解为采单独行为说。"何以依立法例，悬赏广告"应属"契约行为，何以采单独行为说系属"误解"，立法说明书并未提出实质的论点。

---

〔1〕 孙森焱："论悬赏广告之法律上性质—兼评民法债编相关条文修正草案"，载法律评论第五十卷，第五期，第五页以下。

2．亦同与准用。

在法学方法或法律技术上最具趣味的是，立法者认为原第一六四条第一项后"亦同"的规定，为误解采"单独"行为说的根源，而于新修正条文第四项明定为"准用"，意图藉此表示悬赏广告为契约行为。兹分二点说明。

（1）原第一六四条第一项后段"亦同"的规定，可解为系采单独行为说的法律上依据，亦可认系采单独行为说的结果。瑞士债务法第八条第一项规定："以悬赏或悬赏优等当选广告约定，对于一定之行为，给与一定之报酬者，应依其广告给与报酬"。并未设相当于第一六四条第一项后段"亦同"的规定，彼邦通说仍将悬赏广告解为系属单独行为。

（2）"准用"与"亦同"均属立法技术的运用，旨在避免重复，二者之不同，在于准用系立法者基于平等原则对类似者，作相同的处理。亦同则用于案例类型差别太大，致难准用，或用于其法律意义相近、得等同待之的案例。[1]立法者欲藉此项用语的变更，肯定悬赏广告非属单独行为，而系契约行为，可谓用心良苦。[2]实则，为使悬赏广告"契约行为化"，不是将"亦同"改为"准用之"，而是明确地将第一六四条修正为："称悬赏广告者，指以广告声明对完成一定行为之人给与报酬，而经他人因完成一定行为而为承诺之契约。不知有广告而完成广告所定行

---

[1] 黄茂荣：法学方法与现代民法，（台大法学丛书三十二），一九九三年（修正版），第一三三页以下。

[2] 黄茂荣教授认为该修正是否足以表征其契约，仍非无疑问。

为之人，亦有报酬请求权。"

四、从法制史的发展看悬赏广告的定性

在十九世纪因个人主义的思想的发展，契约法成为债之关系的基石，强调契约乃源自当事人自由意思的合致。关于如何处理悬赏广告，各国多一面维持契约理论，一面试图突破。德国民法特设规定（第六七五条），将悬赏广告定性为单独行为，使不知有广告之行为人及无行为能力人亦得请求报酬，影响及于瑞士、日本等国的判例学说。[1]

我们原亦采单独行为说，民法修正意图将悬赏广告定性为契约行为说，并将其法律效果准用于"不知有广告而完成广告所定行为之人。"民法修正舍单独行为说，回归到契约原则，固有理念上的依据，虽另设准用规定，缓和契约原则的严格性，但仍不足保护无行为能力人。在悬赏广告的定性过程中，我们看到契约法的发展及各国的法律文化。[2] 将"悬赏广告"予以"契约行为化"，究为进步，抑属倒退，仍应深思余地。

第二款 悬赏广告契约的成立及法律效果

新修正第一六四条规定将悬赏广告定性为契约行为，

---

[1] 关于英美法，尤其是有名的 The Smoke Ball Case 及 Unilateral contract 的理论，参阅杨桢：英美法总论，修订版，一九九九，第五十一页。

[2] Zimmermann, The Law of Obligations: Roman Foundations Civilan Tradition, 1996, p. 574.

兹以之作为讨论的基础。关于此项契约的成立及效力，应适用民法关于法律行为及契约的一般规定。悬赏广告为不要式契约、不要物契约、有偿契约及双务契约。

一、悬赏广告契约的成立

（一）要约

悬赏广告的要约，指以广告方法声明对完成一定行为之人给与报酬的意思表示。分述如下：

（1）广告人：广告人得为自然人或法人，法人除私法人外，尚包括公法人（如警察机关悬赏追捕罪犯）。[1] 广告人死亡时，其为悬赏广告的意思表示，不因之失其效力（第九十五条第二项），由继承人承受其权利义务。

（2）以广告之方法声明：悬赏广告的要约，应以广告之方法为之，以文字或言词，或登载报章，或张贴通衢，或利用电视广播，或街头喊叫，均所不问，凡能使不特定多数人知其意思表示者，均属之。不特定人，以属于多数为已足，一定范围之人，亦无不可，例如，台北市政府（法人）向市民悬赏征求市歌。

---

〔1〕参阅一九八〇年四月二十六日法一九八〇律字第〇六〇五九号函："查一九七一年判字第七十七号判例释示：'为奖励检举漏税，所颁订之检举人分配奖金法令，固系基于公权之作用，但根据检举查获漏税之后，检举人向'行政官署'所为发给奖金之请求，则系本于私法上之权利义务关系，如有争执，应由普通司法机关受理审判，不属行政诉讼之范围。'本件依来函所叙情节，该核发奖金之行政机关，如以广告声明对举发人完成一定行为给与报酬者，其与该举发人间权利义务之法律关系，自应适用第一六四条与第一六五条悬赏广告之规定……"

（3）一定行为之完成：所谓一定行为，应从广义解释，包括作为（如查知车祸肇事者），或不作为（如假释人犯不再犯罪）。该一定行为得为公益（如缉捕逃犯），得为自己利益（如寻找遗失物），亦得为自己之不利益（如发现新发售产品的缺点）。

悬赏广告既在于对一定行为之完成给予报酬，故声明对于处于一定状态之人，给与一定利益的，例如，公开表示对司法官考试榜首给与台大法学丛书全套，非属悬赏广告，而为赠与的要约。一定行为之完成在广告之前时，是否得请求报酬，应解释广告人的真意加以认定，倘广告重在"一定行为"本身，则有报酬请求权；反之，广告之目的在促使完成一定行为时，则无报酬请求权。广告人对一定行为之完成得定期限，自不待言（参阅第一六五条第二项）。

（4）给与报酬：报酬不限于金钱，凡能为法律行为标的之任何利益均可，如奖章、公开表扬或其他荣誉等。

（二）承诺

将悬赏广告定性为单独行为时，一定行为之完成系属事实行为，不以行为人知悉悬赏广告为必要，有无行为能力，亦所不问。在将悬赏广告加以"契约行为化"后，发生三个争议问题，分述如下：

（1）承诺的成立。在悬赏广告契约，何种情形得能认为有承诺，计有五种见解：❶着手一定行为前有意思表示者，即为有承诺。❷着手一定行为即为有承诺。❸一定行为之完成为承诺。❹为一定行为后，另有意思表示者为有承诺。❺须将完成一定行为之结果交与广告人，始为有承诺。各说之中，第三说认因一定行为之完成而为承诺，较值赞同，其理由有二：❶第一六四条第一项明定广告人对完成该指定行为之人，负给付报酬之义务，乃以完成一定行为作为承诺而成立契约。❷第一六四条第二项规定数人先后分别完成一定行为时，除广告另有声明外，仅最先完成该行为之人，有受报酬之权利，但广告人善意给付报酬于最先通知之人，其给付报酬之义务，即为消灭，乃以最先完成该行为之人因成立契约而有报酬请求权为前提。

此项因完成一定行为而为承诺，系第一六一条所定的因意思实现而为承诺，以行为人知有悬赏广告为必要。

（2）对不知有广告而完成广告所定行为之人的准用。悬赏广告既定性为契约行为，不知有广告之人，纵完成广告所定行为，仍不能因承诺（意思实现）而成立契约。为使行为人得有报酬请求权，修正条文第四项特设准用的规定，此属为法律效果的准用，即虽不成立悬赏广告契约，仍得因完成广告所定行为，而有报酬请求权。

（3）无行为能力人的报酬请求权。悬赏广告既属契约行为，其因完成一定行为而为承诺，涉及行为能力的问题。悬赏广告以一定行为之完成，作为对价，非属纯获法律上利益，故限制行为能力人须得法定代理人同意，其承诺始属有效（第七十七条以下）。

值得特别提出的是，无行为能力人的意思表示无效（第七十五条），故未满七岁之未成年人或禁治产人纵明知有悬赏广告，亦不能因完成一定行为而为承诺，广告所定之行为既已完成，犹不能对广告人请求报酬，有违常理，不足保护为完成一定行为而支出时间或费用的无行为能力人。此为契约行为说面临的难题。为期解决，或可认为广告人拒绝给付报酬，有违诚实信用，但终属救急之道。或有认为可针对此种情形，再设"准用"规定，然一面采契约行为说，一面尚须创设两个"准用"规定，以济其穷，则契约行为说殆无存在价值。

二、法律效果

（一）报酬请求权

1. 报酬请求权报酬的计算。

悬赏广告因广告人的要约与完成一定行为人的承诺而成立者，广告人对于完成该行为之人，负给付报酬的义务。

报酬多于广告时既已确定（如新台币二万元）。其未确定的，如"仁人君子发现遗失之 A 狗通知者，予以重酬，绝不食言"。所谓重酬，究如何计算，不无疑问。一般言之，"仁人君子"多不计较报酬的多寡，拒受报酬者亦甚普遍，但法律上不能不有解决之道，原则上应依诚实信用及一般惯例定之，有疑义时，应解为不得低于拾得遗失物之报酬。民法关于遗失物之规定（第八〇五条）不因悬赏广告而受影响，自不待言。

2．数人完成一定行为时的报酬请求权。

数人完成悬赏广告所声明的行为时，如何定其报酬请求权。原第一六四条第二项规定："数人同时或先后完成前项行为时，如广告人对于最先通知者已为报酬之给付，其给付报酬之义务，即为消灭。"本条内容未臻明确疑义甚多，修正第一六四条特于第二项规定："数人先后分别完成前项行为时，由最先完成该行为之人，取得报酬请求权；数人共同或同时分别完成行为时，由行为人共同取得报酬请求权。"第三项规定："前项情形，广告人善意给付报酬于最先通知之人时，其给付报酬之义务，即为消灭。"应说明如下：

（1）数人完成悬赏广告所定行为，其情形应为分别两类：❶数人个别先后分别完成或同时完成一定行为。前者由最先完成该行为之人，取得报酬请求权；后者由个别行为人共同取得报酬请求权。❷数人共同分别完成或同时完成一定行为，例如，甲、乙二人共同协力缉探人犯，另有丙、丁二人亦共同为之。于此情形，应由最先完成该行为之数人（甲、乙或丙、丁）共同取得报酬请求权。同时完成时，则数共同之人（甲、乙、丙、丁）共同取得报酬请求权。[1]

所谓共同取得报酬请求权，应适用民法关于多数债权

---

[1] 第一六四条第二项规定未能清楚表现此项分类，图示如下：

行为完成 ⎰ 数人个别 ⎰ 分别完成—最先完成者取得报酬请求权
         ⎱   ⎱ 同时完成—共同取得报酬请求权
         ⎰ 数人共同 ⎰ 分别完成—最先完成者共同取得报酬请求权
         ⎱   ⎱ 同时完成—各共同之数人共同取得报酬请求权

人的规定，即数人有同一债权，而其给付可分者（如一定数额奖金），应平均分受之（第二七一条）。给付不可分者（如奖章），准用关于连带债权的规定，各债权人仅得为债权人全体请求给付，债务人亦仅得向债权人全体为给付（参阅第二七一条、第二九二条、第二九三条规定）。

（2）广告人对最先通知者，已为报酬之给付者，其给付报酬之义务消灭，对报酬请求权人不负给付义务，但须以广告人善意（即不知最先通知者无报酬请求权）为要件。于此情形，报酬请求权人得向受领报酬之人，依不当得利之规定请求返还其无法律上原因所受之利益。

（二）完成广告行为所获致成果的归属

修正增设第一六四条之一规定："因完成前条之行为而可取得一定之权利者，其权利属于行为人。但广告另有声明者，不在此限。"完成一定行为之结果，如可取得一定权利者，例如，专利、著作权者，因系行为人个人心血及劳力之结晶，其权利仍属于行为人。但广告中如有特别声明，例如，对于行为人有请求其移转于己之权利，则依其声明（参照立法说明书）。

第三款 悬赏广告的撤回

原第一六五条第一项规定："预定报酬之广告，如于行为完成前撤销时，除广告人证明行为人不能完成其行为外，对于行为人因该广告善意所受之损害，应负赔偿之责。但以不超过预定报酬额为限。"民法修正将本项"撤销"的用语，改为"撤回"。兹分撤回之要件及法律效果论述如下：

一、撤回的要件

（一）悬赏广告的撤回性

第一六五条第一项肯定悬赏广告的撤回性。就未预定报酬之广告，仅能于行为完成前撤回之，此为时间上的限制，指定行为如已完成，债之关系即已发生，自无许其撤回之理。至于行为人已否着手，在所不问。指定行为是否完成，应以客观事实为准，广告人知悉与否，亦非所问。关于撤回之方法，立法例上有规定，应以与悬赏广告同一之方法为之（德国民法第六五八条、日本民法第五三〇条），我们未设明文，为保护行为人之利益，应认原则上撤回亦须依以前之同一广告方法为之，其不能依以前之广告方法为之时，应以能使原向之为广告之多数人可能知悉的方法为之。

关于悬赏广告之"撤回"，修正前第一六五条系使用"撤销"的概念，对此项修正，立法说明书谓："悬赏广告系对不特定人为要约，在行为人完成行为前，依第一五四条第一项但书规定，并无拘束力。故于行为完成前，应许广告人任意撤回之，爰将"撤销"二字修正为"撤回"。"

此项修正旨在区别撤回（Widerruf）及撤销（Anfechtung）两项民法上重要概念。[1] 前者在阻止法律行为（悬赏广告契约）发生效力；后者多用于否定因错误、被诈欺、被胁迫而为意思表示。

悬赏广告的撤回性，乃基于考虑广告人的利益，与广告系对不特定人为要约似无直接关联，亦非因其依第一五四条但书，并无拘束之效力。此项但书规定于悬赏广告有无适用，尚值研究，纵认其得适用，亦不当然导致得撤回的法律效果。

（二）撤回权未经抛弃

广告人所以于行为完成前撤回悬赏广告，主要原因是行为之完成对其已失意义。撤回权对广告人固属有利，但亦使第三人不安，难免犹豫不前，对广告人目的之达成，亦有妨碍。故广告人得斟酌情事，于悬赏广告中或依其他方法，明示或默示表示抛弃撤回权。为避免争议，广告人于广告中，定有完成之期间者，其真意如何，难以探知，为期明确，修正第一六五条特增订第二项规定："广告定

---

〔1〕 德国民法称为 Widerruf，指撤回而言。悬赏广告要约之撤回，不同于第九十五条所定意思表示的撤回，此乃在阻止意思表示生效而第一六五条所定撤回则在排除要约的效力，就此点而言，实同于撤销。在现行民法撤销，多用于有瑕疵的意思表示，将"撤销"修正为"撤回"可值赞同。

有完成行为之期间者，推定广告人抛弃其撤回权。"[1]

二、法律效果

悬赏广告一经撤回，即失其效力，其后纵有指定行为之完成，广告人亦无给付报酬之义务，行为人不知悬赏广告之撤回，亦同。然于撤回前，有就指定行为之准备或实施而支出费用、时间、劳力致受有损害者，广告人是否负赔偿之责，各国法律规定不一，德国民法采否定说，系认为悬赏广告既以得自由撤回为原则，则行为人自应承担其危险。我们则从瑞士债务法第八条规定，于第一六五条第一项明定："预定报酬之广告，如于行为完成前撤回时，除广告人证明行为人不能完成其行为外，对于行为人因该广告善意所受之损害，应负赔偿之责。但以不超过预定报酬额为限。"分四点说明如下：

（1）此项善意行为人的损害赔偿请求权，仅限于预定报酬之广告。于未预定报酬的广告，不适用之，行为人应自承担其危险性。

（2）所谓善意，指行为人于广告人撤回前知有悬赏广告，因着手指定行为而有所劳费者而言。行为人不知有悬

---

[1] 立法说明书谓："广告人于广告中，定有完成行为之期间者，通常情形，可解为广告人于该期间内，有受其拘束而不撤回之意思，未便由广告人任意于期间届满前予以撤回，以免一般大众误信其不撤回而从事指定行为，致受不测之损害，此所以在外国立法例（德国民法第六五八条第二项、日本民法第五三〇条第三项参考）。设有推定广告人抛弃其撤回权之规定，俾对行为人有适度之保护，兼符广告人之意思。现行法未设类似规定，似嫌未周，爰于本条增设第二项之规定。"

赏广告，就着手指定行为而支出之费用，不得请求损害赔偿。

（3）广告人能证明行为人不能完成其行为时，不负赔偿责任，如悬赏寻找遗失物 A 书，而该书实未遗失。因纵未撤回广告，行为人亦无法完成指定行为取得报酬，本应自己负担其损害。

（4）赔偿额以不超过预定报酬额为限，因广告人纵不撤回，行为人亦只获得预定之报酬。行为人有数人而其赔偿额超过预定之报酬时，应依各人所受损害比例加以分配。

第四款　优等悬赏广告

悬赏广告中颇为常见方式，征求论文、学术创作，设计纪念堂、或为商品命名等，而对于经评定为优等者给付报酬。[1] 关于此种所谓优等悬赏广告（Preisschreiben），民法原未设规定，民法修正特为增列，说明如下：

一、优等悬赏广告的意义及特色

第一六五条之一规定："以广告声明对完成一定行为，于一定期间内为通知，而经评定为优等之人给与报酬者，

---

[1] 优等悬赏广告尚涉及不当竞争及行销手段问题，是一个值得研究问题。

为优等悬赏广告。广告人于评定完成时，负给付报酬之义务。"其不同于一般悬赏广告的特点有三：❶广告中声明完成一定行为者，须经评定为优等，始给与报酬。❷须定有一定期间。❸须有应征之通知。

二、优等悬赏广告契约的成立

悬赏广告既经定性为契约行为，优等悬赏广告契约的成立及报酬请求权的发生，应依契约的一般原则，其属特别规定的有四点：[1]

（1）对行为的完成及通知，须设一定期间（所谓应征期间），以避免广告人为等待更优良的应征，一再拖延，不为评定。优等悬赏广告既设有完成行为的期间，推定广告人抛弃其撤回权（第一六五条第二项）。

（2）于一般悬赏广告，其契约因一定行为的完成而成立。在优等悬赏广告，尚须依广告所定的方法为应征的通知。此项通知并须于应征期间内到达广告人。

（3）在优等悬赏广告，须就应征者作优等的评定，此为核心问题。第一六五条之二规定："前条优等之评定，由广告中指定之人为之。广告中未指定者，由广告人决定方法评定之。依前项规定所为之评定，对于广告人及应征人有拘束力。"

评定乃发生一定效果之精神作用之发表，非属意思表

---

[1] 参阅林廷瑞："优等悬赏广告之研究"，载法律评论，第四十八期，第三卷，第三页以下；MünchKomm/Seiler，§ 661.

示，得类推适用民法关于意思表示的规定。因错误受诈欺或胁迫而为评定时，得为撤销。

广告人以外的第三人为评定人时，在广告人与评定人间得发生委任的关系，并依此决定其关于评定义务。该为评定的第三人与应征者之间，不具契约关系，无评定的义务。但其为不当的评定，系出于故意悖于善良风俗方法加损害于应征人时，应负损害赔偿责任（第一八四条第一项后段）。

广告人对于应征人负有评定的义务。关于优等的人数、从缺、等级、报酬等，依广告内容定之。如无特别的表示或其他特别情事，原则上不能为无优等的评定。

（4）所谓评定对广告人及应征人有拘束力，乃指不得以评定不公，而诉请法院裁判，因评定乃价值判断，具有主观性，无绝对客观的标准。惟如其评定违反广告所定的程序，其评定系因错误（如将抄袭的作品评定为优点）、受诈欺或胁迫时，应征者得主张其评定为无效或得撤销。

三、优等悬赏广告的效力

优等悬赏广告契约，于对应征者评定完成时发生效力，广告人对经评定为优等之人，负给付报酬义务。被评定为优等之人有数人同等时，除广告另有声明外，共同取得报酬请求权（第一六五条之三），适用关于多数债权人之规定（第二七一条、第二九二条、第二九三条）。

因完成优等悬赏广告而可取得一定权利者，除广告另有声明外，其权利属于行为人（第一六四条之一规定之准用、第一六五条之四）。

第五款　实例解说

　　动物友爱基金会在报纸刊登启事："在奇莱山最近出现濒临绝种之台湾猕猴，发现拍照者，报酬十万元"。某甲适在奇莱山露营，于三月四日偶然发现台湾猕猴，而拍摄之，于三月六日下山，获知广告之事，即亲至动物友爱基金会呈验照片（附有日期）。十六岁某素爱动物，见此广告，经其父允许，购买照相机，入山寻猴，于三月四日拍摄得之（照片附有日期），于三月十日通知动物友爱基金会时，获悉该基金会已于三月九日对先通知之甲为报酬之给付。试问乙对甲得主张何种权利？若乙为禁治产人时，其法律关系如何？[1]（在阅读下面解说前，请先自己作答，写成书面）

　　（1）乙得向甲主张返还五万元的不当得利请求权（第一七九条），其要件为甲自动物友爱基金会受领十万元，受有利益致乙受损害，并欠缺法律上之原因。问题在于甲

---

[1] 本题的解说系参照民法关于悬赏广告新修正的规定。请比较原设规定，就单独行为说及契约行为说加以比较分析，并探究乙为禁治产人时其涉及的问题。

或乙谁有报酬请求权。

（2）动物友爱基金会在报纸刊登启事，表示对在奇莱山拍得台湾猕猴者，给与报酬十万元，系属悬赏广告的要约。

甲拍摄台湾猕猴，系完成广告所定的行为，修正第一六四条规定对悬赏广告采取契约行为说，甲因不知有悬赏广告，不能对之为承诺，惟依第一六四条第四项规定准用第一六四条第一项，不知有广告而完成所定行为之人，亦有报酬请求权。

某乙十六岁，为限制行为能力人，经其父允许（第七十七条），入山寻猴，拍摄台湾猕猴，因完成广告所定行为而对悬赏广告之要约为承诺，成立悬赏广告契约。

（3）乙与甲皆于三月四日拍摄台湾猕猴，系同时分别完成广告所定行为，共同取得报酬请求权（第一六四条第二项后段）。关于此项共同报酬请求权，应适用连带债权之规定，因其报酬的给付系属可分，由甲、乙平均分受之（第二七一条）。于此情形，广告人动物友爱基金会善意给付报酬于最先通知之甲，其对乙给付五万元报酬给付之义务即为消灭（第一六四条第三项）。

（4）据上所述，乙与甲同时分别完成广告所定的行为，共同取得报酬请求权，广告人对最先通知之甲，已为报酬之给付，其给付报酬之义务消灭，甲自广告人受领十万元，其中五万元，系无法律上原因，受有利益，致乙受损害。乙得依第一七九条规定向甲请求返还。[1]

---

[1] 兹将本例的解题结构，简示如下：

一、乙对甲得主张返还五万元报酬之请求权基础：一七九。

　　1. 甲受有利益：自广告人受领五万元报酬。

　　2. 致乙受损害：

　　1）乙对广告人有报酬请求权。

　　（1）悬赏广告的要约。

　　（2）甲于三月四日完成指定之行为：一六四Ⅳ（准用一六四Ⅰ、Ⅱ、Ⅲ）。

　　（3）乙于三月四日完成指定之行为（成立悬赏广告契约）：一六四Ⅰ。

　　（4）甲、乙分别同时完成指定行为。

　　❶共同取得报酬之请求权（一六四Ⅱ）。

　　❷适用连带债权，可分之债（二七一）。

　　2）甲广告人受领应由乙分受的五万元报酬，致乙之债权消灭（一六四Ⅲ）。

　　3. 无法律上之原因。

二、乙对甲得依第一七九条规定请求返其所受领之五万元报酬。

第三章　代理权之授予及意定代理

第一节　代理制度

甲委任乙，并授予代理权，向丙公司购买 A 画，与丁董事进行磋商。某日乙致函于丁表示愿以一百万元购买该画，丁于外出前三时接获乙函，即命其十九岁的秘书戊，通知乙愿出售 A 画。试就此例说明：

(1) 乙、丁、戊的法律上地位（或资格）。

(2) 甲得否向丙请求交付该画，并移转其所有权？

(3) 设戊已依丁的指示，于乙付款后即交付该画时，甲与丙间的法律关系。

第一款　概　说

在现代分工的经济社会，从事交易活动，事必躬亲，殆不可能，假手他人，实有必要。就公司言，有董事对外代表法人（第二十七条第二项）；受雇人为其占有财产（占有辅助人，第九四二条）；有劳工为其生产商品。此外，无论个人或公司企业，均可藉助代理人为其作各种法律行为，订立契约，扩张私法自治的范围，以满足社会生活的需要。代理制度的发达与近代企业所有者与经营者的分离、财产归属与管理的分化，具有密切关系。此外，为补充无行为能力人或限制行为能力人的行为，亦有设法定代理制度的必要，使其亦得享受权利，负担义务，从事社会生活。

　　现行民法将代理制度分别规定于总则（第一〇三条至一一〇条）及债编通则（第一六七条至第一七五条）。总则所规定的，是代理的一般原则（包括法定代理及意定代理），债编通则所规定的为代理权之授予（意定代理）。代理制度被割裂为二，立法体例显欠斟酌，解释适用上易滋疑义。代理权授予系意定代理的发生原因，为使读者对意定代理及代理权授予有较完整的认识，兹先作综合简要的说明。[1]

---

〔1〕 较详细的论述参阅拙著：民法总则，第三二五页；陈和慧："论代理制度"，载法令月刊，第二十六卷第五期（一九七五年）；陈佑治："民法上代理之比较研究"，中兴大学法律学研究所硕士论文（一九六九年度）。

第二款 代理的意义、要件及效果

一、代理的意义

代理，指代理人于代理权限内，以本人名义所为之意思表示或所受意思表示，直接对本人发生效力（第一〇三条）。例如，甲基于乙之授权，以乙之名义，向丙承租其六岁之子丁的房屋，其租赁契约于乙与丁间发生效力。由此可知现行民法关于代理行为效力的根据，不是采取"本人行为说"（Geschäftsherrstheorie），认为代理行为，因法律拟制其为本人之行为，故得发生效力；亦非采取"共同行为说"，认为代理行为系本人与代理人的共同行为，故得发生效力。而是采取"代理人行为说"（Repräsentationstheorie），认为代理行为虽系代理人的行为，但依代理制度的作用，效果直接归属于本人。易言之，即法律行为的构成要件于代理人具备时，其法律效果则于本人发生。兹将上揭例题图示如下：

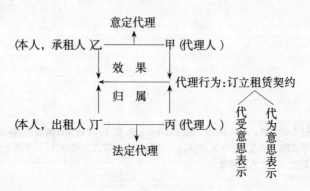

二、代理的要件及效果：代理的三面关系

（一）代理的要件

代理的要件有四：❶须有代理行为。❷须以本人名义。❸须有代理权限。❹代理行为的容许性。分述如下：

1．须代理行为：代为意思表示及代受意思表示。

代理行为指代理人代为意思表示或代受意思表示。其代为意思表示的，称为积极代理；其代受意思表示的，称为消极代理。二者常交错一起，在上举租屋之例，甲以乙之名义为租屋的要约为积极代理，其受领丙以丁之名义而为的承诺，为消极代理。丙受领甲的要约为消极代理，其以丁之名义为出租的承诺，则为积极代理。

2．须以本人名义：显名主义。

（1）显名主义与隐名代理。代理人的意思表示及受意思表示须以本人名义为之，学说上称为显名主义，旨在使相对人知悉谁为法律行为（尤其是契约）的当事人。以本人名义，除明示外，亦可依一定事实，经由解释加以认定。假如百货公司的店员出售商品，纵未明言，亦可认定

其系以公司的名义为之。[1] 契约仅由代理人签署自己的姓名，苟依其事实可认为其系为本人而为行为时，仍可发生代理的效果。[2] 此种未明示本人名义，由其他情形推知有此情形，而为相对人明知或可得而知之代理，判例学说上称为隐名代理。[3]

（2）直接代理与间接代理。以"本人名义"而为法律行为，学说上称为直接代理。应与之严予区别的，是所谓的间接代理。此指以自己名义为他人之计算而为法律行为，行纪为其典型之例，即行纪人以自己名义为他人之计算，为动产之买卖或其他商业上之交易（第五七六条）。又甲委任乙购车并授予代理权，但乙以自己名义向丙购车

---

〔1〕 下列两则判决可供参考：❶一九七五年台上字第三八五号判决谓："所谓以本人名义，即表示欲将所为意思表示或所受意思表示之效果，直接归属于本人之意思。苟依一切具体情事可认为"有此意思"，纵未表示其系代理人，仍应将其所为意思表示或所受意思表示之效果，直接归属于本人。"❷一九八一年台上字第二一六〇号判决谓："纵有代理权，而与第三人为法律行为时，未明示其为代理人，而如相对人按其情形，应可推知系以本人名义为之者，固难谓不发生代理之效果，即所谓之"隐名代理"，惟如代理当时系以自己之名义而为，即非以代理人之资格而为，已甚明显者，仍不能认其为代理他人而为（民刑事裁判选辑，第二卷第二期，第三十页）。

〔2〕 此为德国通说，RGZ 81, 21f.; Hübner, AT. S. 475. 请参阅一九八一年台上字第一九九二号判决："上诉人未成年，赵琳榕为其法定代理人，赵琳榕于上开协调会议记录上签名，虽未写明代理上诉人字样，但赵琳榕系以上诉人法定代理人之身份参加协调会，已据其陈明在卷，而和解系诺成及不要式契约，自难因未写明代理上诉人字样即谓该协调会所成立之协议对上诉人不生效力"（民刑事裁判选辑，第二卷第二期，第二二〇页）。

〔3〕 关于隐名代理与无权代理（表见代理）的区别，参阅一九九六年台上字第四一七号判决："按第一六九条之表见代理，本质上仍属无权代理，只因客观上有表见之事实，足使第三人信其有代理权，为维护交易之安全，法律乃规定本人应负授权人之责任。至学说上所称之'隐名代理'，系指代理人为法律行为时虽未以本人名义为之，而实际上有为本人之意思，且此项意思为相对人所明知或可得而知者而言。申言之，前者系无权代理人而以本人名义为法律行为，后者则系有权代理人而未以本人名义为法律行为，两者尚有区别。"

时，亦属间接代理。[1] 民法所称代理乃指直接代理而言，所谓间接代理，非属民法上的代理，初学者有认为民法上的代理，可分为直接代理与间接代理，显属误会，应予注意。

直接代理与间接代理的主要区别为：在直接代理，代理人所为的法律行为，直接对本人发生效力。于间接代理，则由表意人自行取得法律行为上的权利或负担义务。在上举甲委任乙购车而乙以自己名义为之例，买卖契约的当事人为乙与丙，仅乙得向丙请求交付汽车并移转其所有权，丙亦仅得向乙请求支付价金；惟甲本于委任的法律关系，得向乙请求移转其对丙之债权（第五七七条）。

（3）冒名行为。值得提出说明的是，所谓"冒他人之名"而为法律行为（Handeln unter fremden Namen），[2] 例如，甲自称为乙，而与丙订立契约。此类案例应分别两种情形处理：❶行为人系为自己订立契约而冒他人之名，相对人亦愿与行为人订立契约，而对其法律效果究归属何人在所不问时，该契约对冒名的行为人仍发生效力。例如，名作

---

〔1〕 参照一九六三年台上字第二九○八号判例。又一九八二年台上字第三三七二号判决谓："查受任人于委任人所授予之代理权，以委任人名义与他人为法律行为时，固直接对于委任人发生效力，若所谓受任人之人，以自己名义与他人为法律行为时，则对于为委任之人，尚无从发生效力。除所谓受任人之人，已将该法律行为所生之权利义务，移转于该非委任人之外，该非委任人之人与该法律行为之他造当事人间，应不生何等法律关系，他造当事人即不得据以对该非委任人之人，有所请求"（梁开天等主编综合六法审判实务民法Ⅰ，第一○三条，第八页）。

〔2〕 此为德为法上讨论热烈的问题，参阅 Larenz, Verpflichtungsgeschäfte unter fremden Namen, Festschrift für H. Lehmann, 1956, S. 243; Letzgus, Zum Handeln unter fremden Namen, AcP 137 (1937), 327; Lieb, Zum Handeln unter fremden Namen, JuS 19 67, 106; Ohr, Zur Dogmatik des Handelns unter fremden Namen, AcP 152 (1952) 216ff.

家某甲向乙承租乡间小屋写作，为避免干扰，使用其弟"某丙"之名订约，乙与甲间仍成立租赁关系。❷设相对人对该被冒名之人有一定的联想，而意在与其发生法律关系时，例如，甲冒某名收藏家乙之名向丙订购某画，丙因慕乙之名而同意出售该画。于此情形，原则上应类推适用无权代理之规定加以处理。[1]

3．代理人须有代理权限。

代理权基于法律规定而发生的，为法定代理（第一〇八六条、第一〇九八条）。代理权基于法律行为（代理权之授予）而发生的，为意定代理。代理人无代理权限而以本人名义为代理行为时，成立无权代理。

4．代理行为的容许性。

得为代理者，限于法律行为（意思表示）。对于准法律行为（如催告、通知），代理的规定得为类推适用。侵权行为及事实行为均非代理的客体。财产上行为（包括债权行为及物权行为）原则上均得代理。[2]身份行为（如订婚、结婚、离婚）应由本人为之，法定代理人虽有同意权，但无代理权，盖事涉身份，须尊重本人之意思也（参阅第九七二条、第九七四条、第九八一条、第一〇四九条。但请参阅第一〇七九条关于收养之特别规定）。

---

〔1〕 Flume, AT. II, Rechtsgeschäft, S. 776f.; Hübner, AT. S. 476.

〔2〕 关于物权行为（处分行为）的代理，参阅一九三四年上字第一九一〇号判例："公同共有物之处分，固应得公同共有人全体之同意，而公同共有人中之一人，已经其他公同共有人授予处分公同共有物之代理权者，则由其人以公同共有人全体之名义所为之处分行为，仍不能谓为无效。"

(二) 法律效果

代理人于代理权限内，以本人名义所为意思表示或所受意思表示，"直接对本人发生效力"。在契约行为，即由本人取得当事人的地位，享有权利，负担义务。

代理人之意思表示，因其意思欠缺、被诈欺、被胁迫或明知其事情或可得而知其事情，致其效力受影响时，其事实之有无，应就代理人决之（第一○五条）。然因代理行为系直接对本人发生效力，故仅本人得为主张，例如，在前开租赁之例题，设甲受丙的诈欺而订立租赁契约时，其要件是否具备，应就甲、丙决之，但撤销权则归属于乙。倘乙决定撤销甲受诈欺之意思表示时，得授权由甲代理，向丁的法定代理人丙为之。

(三) 代理的三面关系

据前所述，代理制度具有三面关系（请参照上揭关于租赁契约的图示）：❶代理人与本人间须有代理权关系。❷代理人与相对人间须有代理行为。❸相对人与本人之间具有效力归属关系。在此三者之间，以代理权最为重要，无代理权限之代理行为，构成无权代理。

第三款 代理与使者、代表、占有辅助人、
债务履行辅助人
——民法上的归属规范——

甲公司的店员乙出卖某生鱼片便当给丙。丙

食后中毒，身体健康受侵害，住院治疗。试就此例说明甲、乙、丙的地位与甲、乙、丙间的法律关系。（请读者自行解答，写成书面！）

在现代分工的经济社会，必须藉助或利用他人从事活动。为资因应，法律乃创设所谓的归属（归责）规范（Zurech-nungsnormen），[1] 使被使用人的行为的法律效果，归属于使用之人或由其承担行为的责任。其主要者，如关于代理、使者、代表、占有辅助人、债务履行辅助人及受雇人等之规定，在法律生活上甚属重要，兹以代理人为重点，说明如下：

一、代理人与使者

代理人与使者的不同，在于代理人系"自为"意思表示，或受意思表示；使者乃在"传达"他人的意思表示。其区别的实益有三：

（1）代理人须非无行为能力人（参阅第一〇四条）；使者得为无行为能力人。

（2）代理人的意思表示有错误等情事时，其事实之有无依代理人决之（第一〇五条）。使者系传达他人的意思表示，有无错误应就表意人决之。意思表示因传达人传达不实者，表意人得依第八十八条规定撤销之（第八十九

条）。

（3）身份行为不可代理者，但可藉使者传达其意思表示。例如，甲男欲与乙女订婚，羞于表示，由十六岁的幼妹传达其订婚的意思。[1]

二、代理人与代表[2]

第二十七条第二项规定："董事就法人一切事务，对外代表法人。"董事为法人之代表。代理与代表的主要区别有二：

（1）代理人系自为意思表示，而其效果归属于本人。代表以法人名义所为之行为，系属本人（法人）之行为，盖法人无论其为社团或财团，不能自为法律行为，须由自然人为之；代表为法人之机关，犹如其手足，其所为的法律行为，即为法人自身所为。须注意的是，代表与代理之法律性质虽有不同，但民法关于代理的规定得类推适用之。一九八五年台上字第二〇一四号判例谓："代表与代

---

[1]　一九四〇年上字第一六〇六号判例谓："两愿离婚，固为不许代理之法律行为，惟夫或妻自行决定离婚之意思，而以他人为其意思之表示机关，则与以他人为代理人使之决定法律行为之效果意思者不同，自非法所不许。本件据原审认定之事实，上诉人提议与被上诉人离婚，托由某甲征得被上诉人之同意，被上诉人于订立离婚书面时未亲自到场，惟事前已将自己名章交与某甲，使其在离婚文约上盖章，如果此项认定系属合法，且某甲已将被上诉人名章盖于离婚文约，则被上诉人不过以某甲为其意思之表示机关，并非以之为代理人，使之决定离婚之意思，上诉理由就此指摘原判决为违法，显非正当。"可供参考。

[2]　参照一九九七年度台上字第一七八一一判决："'代表'与'代理'之制度，其法律性质及效果均不同。'代表'在法人组织法上不可欠缺，代表与法人系一个权利主体间的关系，代表人所为之行为，不论为法律行为、事实行为或侵权行为，均为法人之行为；'代理'人与本人则系两个权利主体间之关系，代理人之行为并非本人之行为，仅其效力归属于本人，且代理人仅得代为法律行为及准法律行为。"

理固不相同，惟关于公司机关之代表行为，解释上应类推适用关于代理之规定，故无代表权人代表公司所为之法律行为，若经公司承认，即对于公司发生效力"，可资参照。

（2）代理限于法律行为，代表除法律行为外，兼及事实行为及侵权行为。代理人使用诈术与相对人订立契约，本人不因其为代理人而负侵权行为的责任（但请参阅第一八八条）。代表使用诈术与相对人订约时，法人应依第二十八条规定负损害赔偿责任。

三、代理人与占有辅助人

代理限于法律行为。占有系属一种事实，不得代理，惟对占有可成立占有辅助关系。第九四二条规定："受雇人、学徒、或基于其他类似之关系，受他人之指示，而对于物有管领之力者，仅该他人为占有人。"例如，百货公司的店员对其经售的商品、司机对其驾驶的汽车、工人对其使用的机器，均属占有辅助人，而以雇主（自然人或法人）为占有人。

代理人与占有辅助人并存的，交易上颇为常见。例如，A百货公司店员B出售某电脑与C公司的总务D，就买卖契约言，B及D各为其公司的代理人。就该电脑之占有，B及D各为其公司的占有辅助人。关于电脑所有权的移转，常须B、D二人协力始克完成。B依让与合意将电脑交付于D时（参阅第七六一条），关于此项让与合意（物权上意思表示之合致），系由B及D以代理人地位互为意思表示，互受意思表示而成立。关于物之交付（事实行为），B系依其雇主 A 公司的指示移转电脑的占有；D 系以为其雇主 C 公司管领其物意思成立占有辅助关系；C 公司因受让占有而取得该电脑所有权。

四、代理人与债务履行辅助人

代理所涉及的，是意思表示的归属，即将意思表示的效果归属于本人。第二二四条规定："债务人之代理人或使用人，关于债之履行有故意或过失时，债务人应与自己之故意或过失，负同一责任。但当事人另有订定者，不在此限。"[1] 实务上认此所谓代理人包括意定代理人及法定代理人。此所涉及的，乃履行债务上行为的归责。此两种不同性质的归属或归责得为并存。例如，甲公司的店员乙出售某瓶与丙，交付时，因乙之过失而灭失。于此情形，就买卖契约的订立言，乙系甲的代理人，就债务之履行言，乙为甲的履行辅助人，甲就因可归责的事由，致给付不能，应对丙负损害赔偿责任（第二二六条第一项）。

五、代理人与执行职务的受雇人

第一八八条第一项规定："受雇人因执行职务，不法侵

---

[1] 参照一九七九年度第三次民庭庭推总会议决（三）："第二二四条可类推适用于第二一七条被害人与有过失之规定，亦即在适用第二一七条之场合，损害赔偿权利人之代理人或使用人之过失，可视同损害赔偿权利人之过失，适用过失相抵之法则。"值得注意的是，修正第二一七条第三项规定："前两项之规定，于被害人之代理人或使用人与有过失者，准用之。"

害他人之权利者，由雇用人与行为人连带负损害赔偿责任（请阅读本项但书及第二项、第三项规定）。本条与第二二四条规定同为违反义务行为的责任归属，其不同在于第一八八条系关于侵权行为的规定，第二二四条则属债务不履行的归责事由。第一八八条的受雇人与代理人亦得同时并存。例如，甲公司的店员乙出卖某物，对买受人丙施以诈欺时，就买卖契约上的意思表示言，乙为甲的代理人；就施以诈欺成立侵权行为言，乙系为甲执行职务的受雇人。丙得依第九十二条规定撤销其意思表示，或依第一八八条规定请求损害赔偿。

兹为便于比较观察，将上述归属（归责）规范，图示如下：

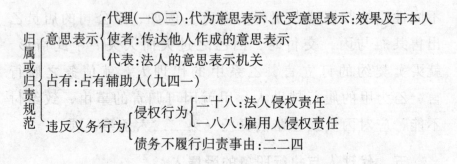

第四款　思考方法与例题解说

处理代理权的案例，其主要的困难在于如何将请求权基础与代理制度结合一起，而作有系统的论述。在上揭甲委任乙，并授予代理权向丙公司购买 A 画的例题（再阅读之），若所提出的问题为甲得否向丙请求交付 A 画时，其请求权基础为第三四八条第一项，须以乙以甲之名义与丙公司之董事丁所订立的契约直接对甲发生效力为前提。所应检讨的是代理的要件：❶乙是否为要约（为意思表示），及受领丁的承诺（受意思表示）？❷乙是否以甲之名义为意思表示及受意思表示（显名主义）？❸乙是否有代理权限？❹该法律行为是否不许代理？❺在物权行为，关于物之交付（第七六一条），涉及直接占有、间接占有及占有辅助人的问题。[1]此外，并应特别注意当事人的法律上地位（或资格），究为代理人、代表、使者、或占有辅助人。为便于观察，先将前揭例题图示如下，并提出解题结构，用供参考：[2]

Ⅰ、甲与丙间的买卖契约（三四五）

一、甲之要约

1．乙系甲的代理人。

（1）乙为要约之意思表示。

（2）以甲之名义。

（3）有代理权限：代理权之授予。

2．效果归属于甲（本人）。

二、丙之承诺。

1．丁系丙（法人）之代表。

---

[1] 关于占有关系，尤其是法人的占有，参阅拙著：民法物权（二），占有，第五十页。
[2] 关于处理实例题的解题结构，参阅拙著：法律思维与民法实例——请求权基础理论体系，一九九九，第三〇三页。

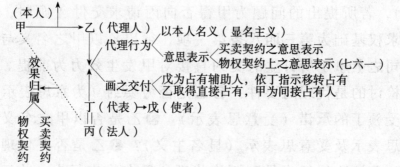

（1）为承诺之意思表示：由戊（使者）传达。

（2）以丙之名义。

（3）有代表权。

2．丁（代表）的意思表示即为丙（法人）的意思表示。

三、意思合致。

1．财产权（A画）。

2．价金（一百万元）。

3．互相同意。

甲与丙间的买卖契约成立。

Ⅱ、A画所有权之移转（七六一）

一、让与合意

1．丙让与 A 画的意思表示：由丁代表为之：由戊传达。

2．甲受让 A 画的意思表示：由乙代理为之。

二、交付

1．丙移转 A 画之占有。

   （1）戊系丙之受雇人，为 A 画之占有辅助

    人。

   （2）戊依丁（董事）指示交付 A 画。

  2．甲受让 A 画占有。

   （1）乙系甲的受任人。

   （2）乙受让 A 画的占有，成立占有媒介关系

    （九四一）。

    ❶甲为间接占有。

    ❷乙为直接占有。

甲取得 A 画的所有权。

第二节　意定代理权与代理权的授予

第一款　代理权授予的法律性质

  试就下列情形，说明代理权之授予是否有效：

  （1）十九岁的甲授予代理权于乙，向丙承租某

屋。

  （2）甲授予代理权于十九岁的乙，向丙承租某

屋。

  有效之代理，须以代理人有代理权限为要件，前已说

明。代理权的发生基于法律规定的，为法定代理，代理权的发生基于法律行为的，为意定代理。第一六七条规定："代理权系以法律行为授予者，其授予应向代理人或向代理人对之为代理行为之第三人，以意思表示为之。"由此规定可知代理权之授予，是一种有相对人的单独行为，于相对人了解（对话），或到达相对人（非对话）时发生效力，不以相对人承诺为必要。

代理权之授予，除明示外，亦得以默示为之，例如雇用店员出售商品，由其事实，可间接推知其授予代理权限。一九四三年台上字第五一八八号判例谓："公同共有物之处分，固应得公同共有人全体之同意，而公同共有人中之一人，已经其他公同共有人授予处分公同共有物之代理权者，则由其一人以公同共有人全体之名义所为处分，不能谓为无效。此项代理权授予之意思表示不以明示为限，如依表意人之举动或其他情事，足以间接推知其有授权之意思者，即发生代理权授予之效力。"

代理权之授权既属单独行为，故限制行为能力人未得法定代理人的允许，所为代理权授予行为无效（第七十八条）。代理权之授予仅在赋予代理人以一种得以本人名义而为法律行为的资格或地位，代理人并不因此享有权利或负担义务，故对限制行为能力人亦得为有效的代理权之授予，不必得法定代理人同意（参阅例题）。第一〇四条规定："代理人所为或所受意思表示之效力，不因其为限制行为能力人而受影响。"可资参照。

第二款　代理权授予的方式

甲委任乙，并授予代理权，向丙购买某屋，并办理所有权移转登记。试问甲对乙授予代理权应否订立书面或经公证人作成公证书？

一、方式自由原则

代理权之授予是否须以书面等为之，民法未设明文，基于方式自由原则，应认系不要式行为。第一〇九条规定："代理权消灭或撤回时，代理人须将授权书，交还于授权者，不得留置。"此项授权书非指代理权授予的法定书面，乃授予代理权的证明文件。

二、第五三一条的解释适用：处理权之授予与代理权的授予

修正前第五三一条规定："为委任事务之处理，须为法律行为，而该法律行为，依法应以文字为之者，其处理权之授予，亦应以文字为之。"关于本条的适用，发生如下的疑问：依第七六〇条规定："不动产物权之移转或设定，应以书面之为。"甲委任乙，办理不动产所有权移转登记

时（第七五八条），其代理权之授予应否以书面为之？[1]

对此问题，"最高法院"采否定的见解，一九五五年台上字第一二九〇号判例谓："第一六七条所称之代理权，与第五三一条所称之处理权，迥不相同，盖代理权之授予，因本人之意思表示而生效力，无须一定之方式，纵代理行为依法应以书面为之，而授予此种行为之代理权，仍不必用书面。原审适用第五三一条及第七六〇条各规定，谓被上诉人应以书面为代理权之授予方为合法云云，自难谓当。"衡诸方式自由原则[2]及第五三一条所谓"处理权之授予"，系指内部处理权，不同于代理权之授予，而授予代理权未基于委任的亦属有之，上开判例应值赞同。

须注意的是，为避免争议修正第五三一条于原规定增订："其授予代理权者，代理权之授予亦同。"准此，为使处理委任事务，仅授予处理权者，该处理权之授予应以文字为之。如授予处理权与代理权时，则二者之授予，均应以文字为之。

三、新修正第一六六条之一规定与代理权授予的方式

第一六六条之一规定，契约以负担不动产物权之移转、设定或变更之义务为标的者，应由公证人作成公证书。有

---

〔1〕 学说上的争论，参阅钱国成：民法判解，第五十五页；郑玉波：民法债编各论（下），第四二六页；史尚宽：债法各论，第三六四页。

〔2〕 德国民法第一六七条第二项明定代理权之授予，无须依其代理法律行为所应具之方式为之。参阅 Staudinger/Dilcher，§ 167 Rdnr. 4.

疑问的是，其代理权授予行为是否亦须经作成公证书？关于此点，原则上应采一九五五年台上字第一二九〇号判例的意旨，认为代理权之授予，因本人之意思表示而生效力，无须一定的方式；纵代理行为依法应"经公证人作成公证书"，其授予代理权行为，原则上仍不必作成公证书。

第三款　代理权授予行为的瑕疵

一、甲授权于乙，以其名义向丙购车。试就下列三种情形，说明当事人间的法律关系：

（1）乙受丙之诈欺。

（2）丙受乙之诈欺。

（3）甲受丙之诈欺而授权于乙。

二、试比较分析以下两则案例，说明当事人间的法律关系：

（1）甲有 A、B 二画寄存乙处，甲授予代理权于乙，出卖 A 画。乙误 B 画为 A 画，而以甲的名义与丙订立买卖契约。

（2）甲授予代理权于乙，出卖 A 画，甲将 A 画误说为 B 画。乙以甲的名义与丙订立关于 B 画的买卖契约。

一、问题的说明

甲授予代理权于乙，以甲名义向丙购买某件古董。若乙受丙诈欺或胁迫而为购买，或意思表示错误时，其代理行为具有瑕疵（参阅第一〇五条），甲得依第九十二条，或第八十八条规定，对丙撤销其买卖契约。与此种代理行为的瑕疵，应严予区别的是，代理权授予行为的瑕疵。代理权之授予系法律行为（单独行为），其有瑕疵时，亦应适用民法总则一般规定，但因代理权的授予行为与代理行为具有密切关系，涉及本人、代理人与相对人的利益状态，其法律关系较为复杂。[1] 兹就诈欺及错误两种情形说明如下：

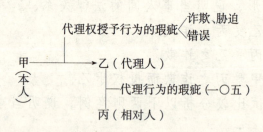

二、因被诈欺而为代理权之授予

（1）代理人之诈欺。甲受乙诈欺，授予乙出售某古董车的代理权，在乙与他人（丙）订立买卖契约前，甲得撤回其授权的意思表示，或依第九十二条规定撤销其授予代理权的意思表示。在乙已与丙订立买卖契约后，甲撤销其

---

〔1〕 薛平山：“论代理关系中的撤销问题”，载政大法学评论第二十七期（一九八三年）。

授予代理权的意思表示时,其授予行为视为自始无效(第一一四条第一项),乙应对丙负无权代理人责任。

(2)相对人之诈欺。甲被丙诈欺,而授权于乙,以甲名义向丙购车。于此情形,本人(甲)系被代理行为之相对人(丙)诈欺,而授权于不知情之代理人(乙)。第九十二条第一项规定,诈欺系由第三人所为者,以相对人明知或可得而知者为限,始得撤销之。因此甲得否对乙撤销其被诈欺而为授予代理权意思表示,其关键问题在于丙是否为第九十二条第一项所称第三人。丙虽系代理人乙对之为代理行为之第三人,但由代理行为直接享受权利,应认非属第九十二条第一项所称的第三人,故甲的撤销权不受影响。

三、授予代理权意思表示之错误

授予代理权之意思表示发生错误,亦属常见。例如,甲误乙为丙而授予代理权;甲授权于乙出卖 A 画,误书为 B 画;甲误福建泉州布袋戏木偶为仿制品,而授权于乙,以低价贱售。如何处理,分两种情形说明之:

(1)代理人迄未为代理行为。甲授权于乙,以其名义出售 A 画,甲误说为 B 画,而乙迄未出售 B 画时,甲得依第八十八条规定撤销授予代理权的意思表示,亦得撤回其代理权(参阅第一〇八条第二项)。

(2)代理人已为代理行为。在上举售画之例,设乙已与丙订立出售 B 画的契约时,甲不能撤回其代理权,仅能撤销其意思表示。有疑问的是，其撤销究应向何人为之，其法律关系如何，学说上见解分歧，计有三说：

（1）甲应向代理人撤销其授权行为上错误的意思表示。代理权之授予行为既经撤销，视为自始无效（第一一四条第一项），乙自始欠缺代理权，乙以甲之名义出售 B 画于丙，系属无权代理，应对善意之丙，负无权代理人之损害赔偿责任（第一一〇条）；乙就因甲撤销代理权授予行为所受之损害，得依第九十一条规定向甲请求损害赔偿。[1]

（2）鉴于及代理权授予行为与代理行为具有密切关系，并顾及当事人间的利益关系，在代理人已作成代理行为的情形，应认本人不得撤销其授权行为上错误的意思表示。[2]

（3）代理权授予行为的撤销，应由本人（甲）向代理人对之为代理行为的第三人（丙）为之，相对人丙得依第九十一条规定向本人甲请求损害赔偿。[3]

以上三种见解，第三说兼顾现行法规定及代理权授予与代理行为间的关联，并可避免丙向乙，乙向甲辗转请求损害赔偿，较值赞同。

第四款　代理权授予行为的独立性及无因性

甲明知乙仅十九岁，雇用其为门市部店员，以

---

[1] münchKomm/Thiele, 85 zu 167.

[2] Brox, AT. Rz. 528.

[3] Flume, AT. Ⅱ, Rechtsgeschäft §52, 5c; Larenz/Wolf, AT. §31 Ⅱ S. 621.

甲之名义，出售物品。乙的法定代理人未为同意。
试问：

　　（1）甲与乙间共有多少法律行为，其效力如何？

　　（2）乙与顾客丙所订的买卖契约是否对甲发生效力？

　　（3）试就此例说明代理权授予行为的独立性及无因性。

一、代理权授予行为的独立性

　　代理权之授予，通常有其基本法律关系（内部关系），例如，甲委任乙租屋、丙雇用丁为店员，而授予代理权。早期学说及立法例认为代理权之授予，乃委任或雇佣的外部关系，并不独立存在。其后经由长期的研究及德国学者Laband 氏的发现，[1] 终于将代理权之授予从委任或雇佣内部关系予以分离，使代理权之授予成为一个独立的制度。台湾地区亦采此项原则，表现于第一六七条规定之上。[2] 准此以言，代理权之授予及基本法律关系具有三种态样：

　　（1）仅有代理权之授予，而无基本法律关系：例如，

---

〔1〕 Laband, Die Stellvertretung bei dem Abschluss von Rechtsgeschäften nach dem ADHGB, ZHR10, 183ff. 拙译 "法学上之发现"，载民法学说与判例研究（四），第一页。

〔2〕 立法理由书谓："查民律草案第二二一条理由谓授予意定代理权之行为，是有相对人之单独行为，非委任，亦非他种契约也。"

甲知其同事乙到附近丙店购物，乃托乙以甲的名义，向丙购买两打汽水。于此情形，仅有代理权之授予，而无委任或雇佣契约的存在。

（2）有基本法律关系，而无代理权之授予：例如，甲雇乙为店员，命其观摩实习，不能出售货物。

（3）因基本法律关系而授予代理权：例如，甲委任乙出售某地，而授予代理权。于此情形，共有两个法律行为，一为委任（契约），一为代理权之授予（单独行为）。

二、代理权授予行为的无因性

（一）问题的提起

代理权之授予虽属独立的制度，但交易上多因委任、雇佣等基本法律关系而发生。于此情形，代理权之授予，与委任或雇佣的关系，可有三种情形：

（1）二者均有效成立。

（2）二者均无效（不生效力或被撤销）。例如，禁治产人甲委任乙出售某地，并授予代理权，其委任契约及代理权授予行为均属无效。

（3）基本法律关系无效（不生效力或被撤销），但授权行为有效。例如，甲雇用十九岁的高工毕业生乙为店员，并授予代理权，乙父不为同意时，雇佣契约虽不生效力，但代理权授予行为本身仍属有效。于此情形，发生代理权之授予行为本身是否因基本法律关系（如雇佣）无效、不生效力或被撤销而受影响的问题。易言之，代理权授予行为究为有因行为，抑为无因行为？

（二）有因说与无因说的争论

（1）无因说。民法学者梅仲协先生采取无因说，论述綦详，可资引述：代理权之授予常有其处理事务之法律关系存在，本人与代理人间，其内部权义若何，必受此法律关系之拘束，例如，甲、乙间订立委任契约，甲以出卖土地事件，委托于乙，而同时亦必授予乙订立契约之全权，其授予订立契约之全权，即系代理权之授与，而甲、乙间内部之权利义务，则一依处理事务之委任契约以决定之。故代理权之授予，与其基本的处理事务之法律关系，应加区别。代理权之授予，并不因其基本的法律关系而受影响。如上示之例，买卖土地之委任契约，虽因乙系限制行为能力人，未得其法定代理人之允许，而失其效力，但乙所取得之代理权，仍属有效。倘乙已将土地出卖于丙，则此项买卖契约，并不因甲、乙间之委任契约失其效力，而亦罹于无效，盖限制行为能力人，亦得为他人之代理人，此第一〇四条有明文规定者。[1]

（2）有因说。有因说认为授权行为与其基本法律关系不可分离，如其基本法律关系归于无效、不生效力或被撤销时，则授权行为亦因之而消灭，并以第一〇八条第一

---

〔1〕　梅仲协：民法要义，第一〇三页；参阅李模：民法问题研究，第一二五页。德国通说同此见解，Larenz/Wolf, AT. S. 615.

项:"代理权之消灭,依其所由授予之法律关系定之"的规定,为其立论的依据。[1] 依此见解,在雇用或委任限制行为能力人的情形,若雇佣或委任契约因法定代理人不同意不生效力时,经授予之代理权亦随之消灭,该未成年人以本人名义而为的法律行为,因欠缺代理权,应成立无权代理。

(三)分析讨论

代理权授予行为的无因性与物权行为无因性是民法上两个重要制度,虽相似而实不同。物权行为必有其原因,无因性的理论旨在使物权行为不受其原因行为不成立、无效或被撤销的影响,但得发生不当得利问题。至于代理权授予的无因性乃基于代理权授予行为与其基本法律关系(委任或雇佣等)分离性及独立性;代理权授予行为非必有原因行为,且不发生不当得利问题。

除当事人有特别的意思表示外,应肯定代理权授予行为的无因性,其理由有三:

(1)有助于交易安全,使第三人(相对人)不必顾虑代理人的内部基本法律关系。

(2)使代理人免于负无权代理人责任(第一一〇条)。依有因说,倘雇佣或委任等基本法律关系无效、不生效力或被撤销时,代理权应随归消灭时,则代理人自始欠缺代理权,应负无权代理人之赔偿责任(第一一〇条),颇为

---

〔1〕 郑玉波:民法总则,第三〇九页;洪逊欣:中国民法总则,第四六五页。

苟严。

（3）第一〇八条规定："代理权之消灭，依其所由授予之法律关系定之。"固在表示代理权之授予应受其基本法律关系之影响，但亦仅限于基本法律关系消灭的情形，例如，甲雇用乙，并授予代理权，则期间届满，代理权应随其消灭，实为事理之当然，故法律特设此项规定。

就前揭例题言，甲雇用十九岁之乙为门市部店员，出售物品，雇佣契约虽因乙的法定代理人不为同意而不生效力，其代理权授予行为，不因之而受影响，仍为存续，盖此可保护与乙为法律行为的相对人，并避免使乙负无权代理人责任。

第五款 代理权之授予是否为债之发生原因？

甲授权于乙，以其名义出租 A 屋，乙是否因此负有出租 A 屋的义务？设乙因过失未适时出租，致甲遭受损害时，应否负损害赔偿责任？

民法债编于"债之发生"节中，列有代理权之授予一款，致代理权之授予是否为债之发生原因，在学说上产生重大争论。学者肯定代理权之授予系债之发生原因之一者，其理由有三：❶代理权之授予系规定于"债之发生"节中。❷本人由授权行为，将代理权授予代理人后，代理人在其代理权限内，所为之代理行为，即应由本人负其责任，故授权行为应为债之发生原因。❸单独行为如有法律规定，亦非不可为债之发生原因，例如，设立财团之捐助、票据之承兑等，代理权之授予既属单独行为，自可为债之发生原因，以代理人为权利人，本人为义务人，以本人对于代理行为之容认（不作为），为其标的。[1]

上开肯定说的三点理由，固有所据，但亦有难以赞同之处：

（1）以代理权之授予明定于债之发生节中，而认为其系债之发生原因，纯从形式立论，不具实质说服力。

（2）本人由授权行为，将代理权授予代理人后，代理人在其代理权限内，所为之代理行为，应由本人负责，乃代理制度的作用，尚不足作为授权行为系债之发生原因的依据。

（3）单独行为于法律有特别规定时，得为债之发生原因，虽属正确但不能因此而认凡单独行为皆得为债之发生原因。债之关系乃指当事人间得请求给付之法律关系，不作为固亦得为给付（第一九九条第三项），本人对于代理人纵负有容认其为代理之义务，但此乃代理权限的反射，非属独立的给付义务，似不足作为债之标的。[2]

据上所述，本书从通说见解，认为本人虽对于代理人授予代理权，代理人对于本人并不因此而负有为代理行为的义务。其使代理人负有此项作为义务的，乃本人与代理

〔1〕郑玉波：民法债编总论，第七十三页。
〔2〕同说，孙森焱：民法债编总论，第六十页。

人间的委任、雇佣等基本法律关系，而非代理权授予行为。代理权之授予本身在当事人间既不产生何等债权债务关系，自非为债之发生原因。在上揭例题，甲授权于乙，以其名义出租某屋，乙虽因此取得代理权限，但并不负有为代理行为（出租房屋）的义务；故甲纵使因乙怠于为代理行为而受有损害，亦无向乙主张损害赔偿的请求权基础。其理由至为明显，即任何人不能以单方的意思，而使他人在法律上负有某种作为的义务。为使乙负有处理一定事务之义务，甲须与乙订立委任契约，乙因可归责之事由致债务不履行时，甲得请求损害赔偿（第五三五条、第五四四条）。

第三节 意定代理权的种类、 范围、限制及消灭

（1）甲授权于乙，以其名义为甲租屋，并许乙可委由可信赖之人为之。乙因事外出，再授权于丙，为甲租屋。丙以甲之名义向丁租屋后，发现甲系禁治产人。试问当事人间的法律关系如何？

（2）甲委任乙，出售某件古董，并授予代理权，表示售价不得低于五十万元。乙拒绝丙以六十万元购买该件古董之要约，而以五十万元出售于其亲友某丁时，其效力如何？

一、代理权的种类

（一）内部授权与外部授权

第一六七条规定："代理权系以法律行为授予者，其授予应向代理人或向代理人对之为代理行为之第三人，以意思表示为之。"其向代理人为之者，称为内部授予代理权（简称内部授权，Innenvollmacht）；其向第三人为之者，称为外部授予代理权（简称外部授权，Aussenvollmacht）。二者区别实益何在，民法未设规定，应说明的有三：

（1）关于代理权的范围，在内部授权，应以代理人了解的观点加以认定；在外部授权，则应以第三人了解的观点加以认定。

（2）代理权授予行为有瑕疵（如错误、受诈欺或胁迫）时，于内部授权，其撤销原则上应向代理人为之；于外部授权，则应向第三人为之。

（3）第一〇七条规定："代理权之限制及撤回，不得以之对抗善意第三人。但第三人因过失而不知其事实者，不在此限。"适用于外部授权，而由授权人内部对代理人限制或撤回代理权的情形。

（二）主代理权与复代理权

主代理权（Hauptvollmacht），指由本人所授予的代理权。复代理权，指由代理人以其名义所授予的代理权（Untervollmacht），学说上称为多层代理（mehrstufige Vertretung）；例如，甲授权于乙，以其名义租屋，并表示乙亦得委由可信赖之人为之。设乙以自己名义授权于丙，使丙得以甲之名义租屋时，则乙为主代理权人，丙为复代理权人。主代理权人得否授予复代理权于他人，其无明示时，应斟酌本人是否重视代理人其人的资格、能力及信赖性等因素加以认定；有疑问时，应采否定说，盖意定代理系以本人对代理人的信用为基础，假手第三人，多不合本人之利益也。

　　复代理人所为的法律行为，须具备两项条件，始直接对本人发生效力：❶须有代理权及复代理权。❷须以本人名义为之。复代理人非系代理人的代理人。代理权限欠缺其一时，应构成无权代理。在上举甲授权于乙，乙复授权于丙，丙向丁租屋之例（例题一），若甲为禁治产人时，发生如下的法律关系：❶甲因受禁治产宣告，无行为能力，其授予乙代理权的意思表示无效（第十五条、第七十五条）。乙既无代理权，复授权于丙，丙亦欠缺代理权。丙以甲之名义向丁租屋，成立无权代理。甲的法定代理人为承认时，其代理行为发生效力。甲之法定代理人不为承认时，丙系无代理权人，以甲之名义而订立租赁契约，对于善意之丁，应负损害赔偿责任（第一一〇条）。❷乙无代理权而授予复代理权于丙，亦应依第一一〇条规定对善意之丁，负损害赔偿责任。于此情形，丙得请求乙对丁为损害赔偿，以免除其赔偿责任（参照第二一三条第一项）。[1]

（三）单独代理与共同代理

代理权属于一人时，为单独代理，代理人得自为代理行为。代理人有数人时，例如，甲委任乙、丙管理大厦，并授予代理权，处理修缮等事务，其代理权如何行使，不无疑问。第一六八条规定："代理人有数人者，其代理行为应共同为之，但法律另有规定或本人另有意思表示者，不在此限。"由此可知，代理人有数人时，其代理行为原则上应共同为之，学说上称为共同代理。[2] 所谓法律另有规定，如第五五六条规定："商号得授权于数经理人。但经理人中有二人之签名者，对于商号，即生效力。"[3] 所谓本人另有意思表示者，指本人仍得对各代理人授予独立的代理权，使各得单独为代理行为。此种代理人有数人而各有单独代理权，学说上称为集合代理。本人亦得表示其中一人有单独代理权，其他之人则应共同为代理行为。本人授予多数人以代理权，实务上并不多见，盖共同为代理

---

〔1〕洪逊欣：中国民法总则，第四六九页。

〔2〕关于法定代理，第一〇八六条的规定，父母为未成年子女之法定代理人。第一〇八九条规定："对于未成年子女之权利义务，除法律另有规定外，由父母共同行使或负担。父母之一方不能行使权利时，由他方行使之。父母不能共同负担义务时，由有能力者负担。父母对于未成年子女重大事项权利之行使意思不一致时，得请求法院依子女之最佳利益酌定之。法院为前项裁判前，应听取未成年子女、主管机关或社会福利机构之意见。"参阅大法官释字第三六五号解释。

〔3〕关于合伙参阅一九三九年上字第一五三二号判例："合伙之事务约定由合伙人中数人执行者，不惟其内部关系依第六七一条第二项应由该数人共同执行之，即第六七九条所规定之对外关系，依第一六八条规定，亦应由该数人共同为代理行为，若仅由其中一人为之，即属无权代理行为，非经该数人共同承认，对于合伙不生效力。"

行为，虽可集思广益，避免专擅，但不免互相掣肘，贻误事功；反之，使各代理人均有单独代理权，则政出多门，事权不专，亦非有利。

共同代理权在性质上系属代理权在人之方面的限制，可分三点加以说明：❶数代理人中一人之意思表示因其意思欠缺、被诈欺、被胁迫或明知其事情或可得而知其事情，代理行为即具有瑕疵（第一〇五条）。❷数代理人中有一人系无行为能力时，其代理行为无效。❸代理行为须共同为之，但不必同时作成，其先后为之者，其代理行为于最后一人为意思表示时，发生效力。惟此系就积极代理言，在消极代理，对代理人中之一人为意思表示（如对要约为承诺）即为已足，以资保护相对人。

代理行为未由全体代理人共同为之时，应构成无权代理。代理人全体协议授权由一人为代理行为者，其效力如何，不无疑问。就"共同为之"之文义言，采否定说，固有所据。惟衡诸共同代理之目的，应采肯定说。甲授权于乙、丙、丁购买工厂用地。有某戊愿出售 A 地，乙、丙、丁商议后，得授权于丁，由其向戊为承诺。盖此与共同代理之目的并无违背也。

二、代理权的范围

代理权的范围，由本人自由定之，可分为三类：❶特定代理权（Spezialvollmacht），即授权为特定行为，如出租某屋。❷种类代理权（Gattungsvollmacht），即授权为某种类的行为，如买卖股票。❸括代理权（Generalvollmacht），即授权代理的行为不予限制。本人究为何种授权，其范围如何，系解释的问题，应依诚实信用原则及斟酌交易惯列加以认定。如某甲回家探亲，授权于乙管理其出租的套房，在解释上应认其代理权的范围至少包括房屋必要修缮契约的订立，租金的收取或催告（准法律行为），承租人意思表示的受领（消极代理）等。

三、双方代理、自己代理的限制

代理权之授予，使代理人取得一种得以本人名义，为法律行为的地位或权限；倘代理人图谋自利，对本人言，确具危险性，事先防范不易，故对代理权限加以适当限制，实有必要。为此乃于第一〇六条规定："代理人，非经本人之许诺，不得为本人与自己之法律行为，亦不得既为第三人之代理人，而为本人与第三人之法律行为。但其法律行为，系专履行债务者，不在此限。"例如，甲授权于乙，为其租屋，而乙适有 A 屋待租，乙非经甲（本人）之许诺，乙不得为甲与自己订立 A 屋的租赁契约（自己代理之禁止）。又如，甲授权于乙，为其租屋，丙亦授权于乙为其出租 B 屋时，乙非经本人（甲与丙）之许诺，不得为甲与丙订立 B 屋的租赁契约（双方代理之禁止）。违反第一〇六条规定者，其代理行为并非无效，仅构成无权代理，得因本人之承认而生效力。[1]

四、代理权的滥用

关于"代理权滥用"（Missbrauch der Vertretungsmacht），台湾甚少讨论，有略加说明的必要。[2] 代理人于从事代理行为时，虽未超过其代理权限，但违反其内部关系之义务者，亦时有之。例如，甲委乙出售某件古董，授予代理权，表示售价不得低于五十万元。甲应受乙在其代理权范围内所为意思表示的拘束；倘乙以五十万元出售该件古董于丙时，甲不得主张可以更高价钱出售而否认其效力，自不待言。惟对此原则，应设例外，在上举之例，设乙拒绝某丙愿以六十万元购买该件古董的要约，而以五十万元的最低价格出售于其亲友某丁，而丁明知其事时，甲得主张乙滥用其代理权，违反诚信原则，而否认代理行为的效力（例题二）。

五、代理权的消灭

（1）代理权之授予行为附有解除条件或终期者，于条件成就或期限届满时，失其效力，代理权归于消灭。

（2）第一〇八条第一项规定："代理权之消灭，依其所

---

[1] 关于双方代理及自己代理较详细的论述，参阅拙著：民法总则，第三四〇页。

[2] 德国法上之资料，参阅 Schott, Der Missbrauch der Vertretungsmacht, AcP 171,（1971）385.; Stoll, Der Missbrauch der Vertretungsmacht, Festschrift für Lehmann, 1937, S. 115ff. 简要说明，参阅 Medicus, AT. S. 334.

由授予之法律关系定之。"例如，店员被解雇时，其代理
权归于消灭。

（3）第一〇八条第二项规定："代理权得于其所由授予
之法律关系存续中，撤回之。但依该法律关系之性质不得
撤回者，不在此限。"代理权的撤回性旨在维护本人的利
益及当事人间的信赖。在外部授权的情形，亦可内部撤回
之。代理权因撤回而消灭。其不得撤回者，例如，债务人
授权其债权人出售某物，就其价金受偿，为兼顾代理人的
利益，宜解为不能撤回。[1]

（4）代理权的抛弃。代理权虽非权利，但属一种法律
上的权限，由本人单方授予，不必得代理人之承认；依一
般法律原则，任何人不得依自己的意思将某种权益或义务
加诸他人之上，故代理人得抛弃其代理权限。至于代理人
基其内部关系，得否抛弃，乃另一问题。

（5）代理权是否因当事人死亡或丧失行为能力而消灭，
民法未设规定，分别说明如下：

❶死亡：代理人死亡时，代理权应归消灭，因代理系
属一种信赖关系，且非属财产上权利，不能为继承之标的
（参阅第五五〇条、第五五一条）。本人死亡时，除当事人
另有意思表示或法律另有规定（参阅第五六四条）外，其
代理权归于消灭。委任关系不因委任人死亡而消灭时（第
五五〇条、第五五二条），其基于委任而授予的代理权，

---

[1] 关于代理权撤回，参阅李肇伟："漫谈代理权授予之撤回"，载中兴法学，第二卷，第一期
（一九七一年）。

原则上亦不消灭，惟其继承人得撤回之。

❷丧失行为能力：代理人丧失行为能力时，不能有效为意思表示，其代理权应归消灭。本人丧失行为能力时，业已授予之代理权原则上不因此而受影响，但其法定代理人得撤回之。

第四节　无权代理[1]

第一款　无权代理的意义及要件

甲有水晶花瓶寄托乙处，试区别以下三种情形，说明当事人间的法律关系：

（1）甲授权于乙，以乙的名义出售该瓶，并移转其所有权。

（2）乙擅以甲之名义出售该瓶于丙，并即依让与合意交付之。

（3）乙擅以自己名义，出售该瓶于丙，并即依让与合意交付之。

---

[1] 刘春堂："狭义无权代理之研究"，载法学丛刊，第二十五卷第四期，（一九八〇年），第七十四页；蔡显鑫："无权代理与继承关系"（上）（下），载军法专刊，第三十八卷第十期、第十一期（一九九二年）。

一、无权代理的发生

无权代理，指无代理权人以代理人之名义而为法律行为（第一一〇条、第一七〇条第一项）。其要件有三：

（1）须为法律行为。

（2）以本人名义。

（3）须欠缺代理权。代理权的欠缺，其情形有四：❶未经授予代理权。❷授权行为无效或被撤销。❸逾越代理权的范围。❹代理权消灭。

二、无权代理与无权处分的区别

无权代理与无权处分系民法两个重要基本概念，应严予区别。初学者对此二者常感困惑，易于混淆，实有明辨的必要。

（一）授权处分

首先须说明的是，所谓的授权处分（Verfugungserma – chti-gung），即处分权人授权他人处分其权利。例如，甲授权乙处分其所有 A 车（所有权）。于此情形，乙得以自己名义处分 A 车，不必以甲之名义为之。授权处分仅限于处分行为（物权行为或准物权行为）。关于买卖、赠与等负担行为，则无所谓的授权处分，仅能授予代理权，以代理方式为之。易言之，即须以本人之名义为之（其理由何在？）。

因此甲授权于乙，以甲名义出租某屋，而乙以自己名义出租者，其租赁契约不直接对甲发生效力，应由乙自负出租人之责任。

（二）无权代理

无权代理，指无代理权人以本人名义而为法律行为。例如，乙未经甲授予代理权，而以甲的名义出售甲所有的A车于丙，并依让与合意交付之。于此情形，买卖契约及物权契约均属效力未定，须经甲之承认，始生效力。甲不为承认时，丙纵为善意，信赖乙之代理权限，原则上仍不受保护（关于表见代理参阅本章第五节），不能取得A车所有权，仅能依第一一〇条规定向乙请求损害赔偿。

（三）无权处分

无权处分，指无处分权人以自己名义处分他人之权利。例如，乙未经甲之授权处分，径以自己名义出售甲所有之A车于丙，并依让与合意交付之。于此情形，乙与丙间之买卖契约有效（出卖他人之物），但物权行为系属无权处分，效力未定，须经甲之承认始生效力（参阅第一一八条）。善意之丙应受保护，得依第八〇一条及第九四八条规定取得 A 车所有权。[1]

兹为便于观察，将无权代理与无权处分的要件及效果图示如下：[2]

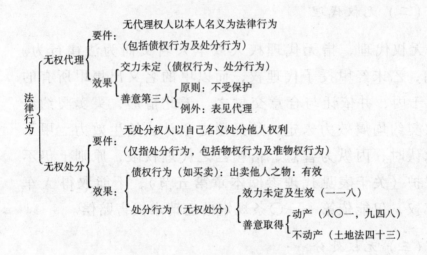

---

[1] 关于无权代理与无权处分的区别，参阅一九八一年台上字第二一六〇号判决谓："纵有代理权，而与第三人为法律行为时，非以本人名义为之者，亦不成立代理。又虽与第三人为法律行为时，未明示其为代理人；而如相对人按其情形，应可推知系以本人名义为之者，固难谓不发生代理之效果，即所谓之"隐名代理"。惟如代理人当时系以自己之名义而为。即非以代理人之资格而为，已甚明显者，仍不能认其为代理他人而为。再无权代理或表见代理，除欠缺代理权外，非具备代理其他之要件，不能成立。故无代理权，又非以他人代理人名义而与第三人为法律行为者，当不发生无权代理因本人承认而对本人发生效力，或使本人负表见代理授权人责任之问题。至无权利人就权利标的物，以自己名义与第三人成立买卖后，纵经有权利人之"承认"，尚难因此而谓有权利人已变为该买卖契约之订约当事人（但负有使出卖人履行出卖人义务之义务），相对人仍不得径行对之为履行之请求（民刑事裁判选辑，第二卷第二期，第三十页）。本件判决阐释无权代理部分，可资赞同。关于无权处分部分，认所谓处分包括买卖（债权行为），似有误会。参阅拙著："再论出卖他人之物与无权处分"，载民法学说与判例研究（四），第一四〇页。
[2] 蔡显鑫，"无权代理与继承关系"（上）（下），载军法专刊，第三十八卷第十期、第十一期（一九九二年）。

第二款　无权代理的法律效果

无代理权人以代理人名义而为之代理行为，效力未定（第一七〇条），为使其确定发生或不发生效力，涉及本人的承认与相对人的撤回。若确定不生效力，则于无代理权人与第三人间发生损害赔偿责任问题。在分别论述前，为便于观察，图示如下：

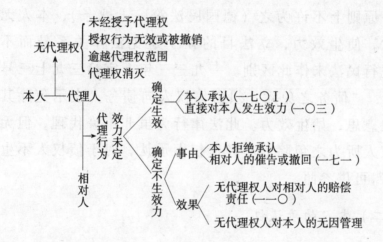

一、本人与第三人（相对人）法律关系

甲委任乙，并授予代理权，向丙购 A 画，乙发现 B 画较 A 画更具艺术价值，乃以甲的名义向丙购 B 画，并即付款，受让其所有权。试问：

（1）乙的代理行为的效力如何？

（2）B画所有权属于何人？

（3）甲与丙间的法律关系如何？

（一）契约行为与单独行为的区别

关于无代理权人以本人名义所为的法律行为的效力，德国民法区别契约行为及单独行为加以处理，即契约行为系属效力未定（德国民法第一七七条）；单独行为的无权代理，原则上不许为之（德国民法第一七八条），本人无从承认，使生效力，立法目的在于避免法律关系悬而不定。现行民法未作此区别。一九三三年上字第三九七三号判例谓："债务之免除，须由债权人向债务人表示免除其债务之意思，始生效力。此法律行为虽非不许代理，但无代理权人所为之免除，非经债权人承认，对于债权人不生效力。"可供参照。

（二）本人的承认权

无代理权人以代理人名义所为之法律行为，非经本人承认，对本人不生效力（第一七〇条第一项）。承认系有相对人的单独行为，得依明示或默示为之。承认的意思表示究应向何人为之，民法未设规定，解释上应认得对代理人或代理人向之为代理行为之第三人为之。无权代理的法律行为，因本人承认而溯及于其成立时发生效力。本人拒绝承认时，无权代理的法律行为确定不生效力。

（三）相对人的催告或撤回权

无权代理的法律行为系属效力未定，得由本人承认而生效力，此对本人固属有利；但于未承认前，法律行为悬而不定，对相对人甚属不便，为期平衡当事人利益，民法特赋予相对人两种权利：❶催告权：即相对人得定相当期限，催告本人确答是否承认，如本人逾期未为确答者，视为拒绝承认（第一七〇条第二项）。催告应向本人为之，期限是否相当，应依代理行为的性质及交易惯例加以认定。相对人所定期间不相当时，于相当期间经过后，本人不为确答时，仍视为拒绝承认。❷撤回权：即相对人得撤回无权代理行为，阻止其因本人的承认而发生效力。相对人的撤回权不因业已对本人为催告而受影响；惟其撤回应于本人未为承认前为之。代理行为因本人承认而生效时，相对人不得撤回，乃属当然。相对人对本人为催告后，于本人承认前，仍得撤回，盖为保护相对人，其撤回权不应因催告而受影响（参阅第一七一条）。须注意的是，相对人于为法律行为时，明知其无代理权时，不得撤回，仅得行使催告权。

综据上述，无权代理的法律行为，系属效力未定，使其效力确定的方式有四：❶因本人之承认而生效力。❷因本人拒绝承认，而不生效力。❸因本人对相对人之催告逾期不为确答，视为拒绝承认而不生效力。❹因相对人撤回而不生效力。本人之承认权及相对人的撤回权均属所谓的形成权（Gestaltungsrecht）。行使此两项形成权的意思表示，均属须受领的意思表示，于相对人了解（对话），或到达相对人（非对话）时，发生效力（第九十四条、第九十五条）。

二、无代理权人与第三人（相对人）间的法律关系：无代理权人之责任

第一一〇条规定："无代理权人，以他人之代理人名义所为之法律行为，对于善意之相对人，负损害赔偿之责。"试问：

（1）无代理权人责任的成立须否以故意或过失为要件？

（2）相对人于本人承认前撤回无代理权人所为之法律行为时，得否主张第一一〇条的权利？

（3）所谓损害赔偿，究指信赖利益抑或履行利益？

（4）无代理权人为无行为能力人或限制行为能力人时，如何定其损害赔偿责任？

（5）相对人损害赔偿请求权的消灭时效期间？何时起算？

（6）在立法政策上应否区别无代理权人是否明知其无代理权，而定其赔偿责任？

代理人与第三人（相对人）间的法律关系，乃无代理权人对相对人损害赔偿责任的问题。对此，第一一〇条规定："无代理权人，以他人名义所为之法律行为，对于善意之相对人，负损害赔偿之责。"兹就其构成要件、法律效果、消灭时效、举证责任，分别说明如下：

（一）构成要件及法律性质

（1）构成要件。第一一〇条规定无代理权人责任，其成立要件为：

❶须无代理权人以本人名义而为法律行为，而该法律行为因本人拒绝承认（或视为拒绝承认）确定不生效力。相对人于本人承认前，撤回其与无代理权人所为之法律行为时，无第一一〇条的适用，盖相对人既已撤回，不使代理行为发生效力，自无保护的必要。

❷须相对人为善意，有无过失在所不问。

（2）法律性质。第一一〇条所定无代理权人责任，不以无代理权人不知其代理权有无过失为要件。一九六七年台上字第三〇五号判例谓："无权代理人责任之法律上之法律根据如何，见解不一，而依通说，无权代理人之责任，系直接基于民法规定而发生之特别责任，并不以无权代理人有故意或过失为其要件，系属于所谓原因责任、结果责任无过失责任之一种，而非基于侵权行为之损害赔偿。"

第一一〇条所以规定无过失责任，系其以他人之代理人名义而为法律行为时，在相对人引起正当的信赖，认为代理人有代理权限，得使该法律行为对本人发生效力，为保护善意相对人，特使无权代理人负赔偿责任，学说上称为法定担保责任。[1]

（二）法律效果

（1）损害赔偿的范围。第一一〇条所称损害赔偿，究指何而言，解释上可有四种见解：❶相对人仅得请求赔偿因该法律行为有效可取得的利益（履行利益）。❷相对人仅得请求赔偿因信其有代理权而损失的利益（信赖利益）。❸无论消极利益或积极利益，相对人均得主张；但信赖利益的请求，不得大于履行利益。[2]❹无代理权人，如于行为时不知其无代理权者，仅应负赔偿信赖利益（其额不得大于履行利益），否则应负赔偿履行利益之责任。[3]

就现行法解释言，以第三说较值赞同。将损害赔偿仅限于信赖利益，不足保护相对人。在无权代理，其代理行为虽不生效力，但不能认因此径认仅能请求信赖利益，此观诸各国立法例即可知之。第四说在比较法上确有所

---

[1] 拙著："无权代理人之责任"，民法学说与判例研究（六），第一页。

[2] 史尚宽：债法总论，第六十四页；郑玉波：民法总则，第三一三页。

[3] 参阅梅仲协：民法要义，第一〇六页；洪逊欣：中国民法总则，第五〇六页。

据；[1] 代理人非因过失不知其代理权的欠缺，例如授权者为精神病人，系无行为能力人，妄以授权书给与代理人，而代理人不知其为无行为能力时，使代理人负履行利益的赔偿责任，诚属苛酷，应使其仅负信赖利益的损害赔偿，较为合理。惟此项见解，实已超过第一一〇条解释的范畴，而进入法律创造的阶段。

（2）无代理权人为无行为能力人或限制行为能力人。值得提出讨论的是，应否区别无代理权人为有行为能力人，或限制行为能力人而异其责任。

无代理权人系有行为能力人时，应依第一一〇条规定，负其责任。无代理权人系无行为能力时，应否负第一一〇条规定的赔偿责任，虽法无明文，但解释上应采否定说，盖无行为能力人不能为意思表示或受意思表示，自概念以言，自无成立无权代理的余地。

关于限制行为能力人，应认为限制行为能力人非经法定代理人同意而为代理行为者，不负无权代理人之责

---

〔1〕 德国民法第一七九条规定："以代理人名义订立契约者，若不能证明其代理权，并经本人拒绝追认时，该订立人依相对人之选择，负履行或损害赔偿之义务。代理人不知其无代理权者，对于相对人因信其有代理权所受之损害，负赔偿之义务，但其数额，不得超过相对人因契约有效所得利益之程度。相对人明知或可得而知无代理权者，代理人无责任。代理人之行为能力被限制时，亦同；但已得法定代理人之同意者，不在此限。"❶瑞士债务法第三十九条规定："明示或默示拒绝承认时，以代理人名义为行为者，对于因契约失效而生之损害，如不能证明相对人知其无代理权人有过失者，审判官认为不失公平时，得命其他之损害赔偿。前两项情形，因不当得利所生之请求权，仍不妨行使之。"❷日本民法第一一七条："以他人之代理人而订立契约者，不能证明其代理权，且未经本人追认时，依相对人之选择对之任履行或损害赔偿之责。前项规定，于相对人明知其无代理权，或因过失而不知，或以代理人名义订立契约者无其能力时，不适用之。"

任。[1] 须说明者有二：

（1）为贯彻民法保护未成年人的基本原则。在现行民法，限制行为能力人未得法定代理人之允许所为之单独行为无效（第七十八条）。限制行为能力人未得法定代理人之同意（允许或承认），其所订立之契约不生效力（参阅第七十九条以下）。例如，十八岁之甲未得法定代理人之同意向乙租赁房屋，其所订立之契约不生效力，甲不负法律上之责任，纵使相对人乙系属善意，亦不例外。在无权代理的情形，例如，限制行为能力人甲未得法定代理人之同意，以丙之名义向乙租屋时，倘须依第一一〇条规定自负损害赔偿责任，法律上的价值判断显失平衡。因此应依现行民法保护未成年人的基本原则，目的性限缩第一一〇条规定的适用范围，认为："但对于限制行为能力人未得法定代理人同意者，不在此限。"[2]

（2）限制行为能力人未得法定代理人同意而为代理行为，虽无第一一〇条的适用，但仍应依民法关于侵权行为之规定负其责任。相对人因代理人无权代理而受侵害的，多属纯粹财产上利益，而非权利，故原则上不适用第一八四条第一项前段规定。惟限制行为能力人明知无代理权限，故意以悖于善良风俗之方法加损害于相对人时，应依第一八四条第一项后段规定，负损害赔偿责任（第一八七

---

〔1〕史尚宽：民法总论，第五〇三页。

〔2〕拙著："未成年人代理、无因管理及不当得利"，载民法学说与判例研究（五），第一六三页。

条）。[1]

（三）消灭时效

关于第一一〇条损害赔偿请求权的消灭时效，一九六七年台上字第三〇五号判例认为无权代理人之责任系直接基于民法之规定而发生之特别责任，而非基于侵权行为之损害赔偿，"是项请求权之消灭时效，在民法既无特别规定，则以第一二五条第一项所定十五年期间内应得行使，要无第一九七条第一项短期时效之适用。"

"最高法院"否认第一九七条第一项短期时效的适用，见解正确，实值赞同。另一种思考方向系认关于此项损害赔偿请求权，不一概适用第一二五条规定，而应依无代理权人所为法律行为（尤其是契约）有效成立时，其履行请求权时效期间而定之。[2]例如甲无代理权限而以乙之名义向丙租屋，该代理行为有效成立时，丙对乙善意相对人的租金请求权的时效期间既为五年，关于无权代理损害赔偿请求权的消灭时效，似不能以民法无特别规定为理由，径适用第一二五条所定十五年的长期时效期间，须依第一二六条规定计算其时效期间，较能贯彻民法特设短期时效之规范目的。无论采何见解，此项消灭时效期间，应自本人拒绝对无权代理行为为承认时起算。

---

[1] 关于第一八四条规定的解释适用，参阅拙著：侵权行为法（一），一九九九。
[2] 此为德国通说，BGHZ 73, 231；Medicus, AT. S. 372 (Rz. 990).

（四）举证责任

相对人依第一一〇条规定，请求损害赔偿时，须对代理人系无权代理，以本人之代理人名义为法律行为，以及本人拒绝承认，负举证责任。关于相对人非属善意的举证责任，则由无权代理人负担之。

三、代理人与本人间之法律关系

本人对无权代理行为不为承认时，无代理权人对善意的相对人应负损害赔偿责任，已如上述。对于本人，无代理权人则得依民法关于无因管理的规定主张其权利。例如，甲于探亲期间，其住宅遭台风毁损，乙以甲之名义雇丙修缮，设甲不承认此项代理行为时，若乙管理事务利于甲，并不违反甲明示或可得推知之意思者，乙得依第一七六条规定，向甲请求清偿其对丙所负担的损害赔偿责任。本人承认无权代理行为时，本人与代理人间的权利义务依其内部关系定之。例如，甲建筑公司的业务专员乙，逾越其授权范围与客户订约，甲为维持信用而承认其法律行为时，甲就因此所受损害，得依关于债务不履行的规定，向乙请求损害赔偿。

第三款　无权代理规定的类推适用

（1）"公司法"第十六条规定："公司除依其

他法律或公司章程得为保证者外，不得为任何保
证人。"甲公司的负责人乙违反此项规定对丙为保
证。试说当事人间的法律关系。

（2）甲未经乙授予代理权，不知乙已死亡，而
以乙的名义向丙购买某画。试问乙的继承人丁得
否承认该买卖契约，使生效力？若丁不得承诺时，
丙得向甲主张何种权利？

民法上无权代理，尤其是第一一〇条关于无代理权人
责任的规定，于其他利益状态相当的情形，得为类推适
用，分述如下：

一、无权使者

无权使者，指未受他人指示，而传达他人意思表示之
人。例如，乙未受甲的指示，擅告知丙，甲欲购买丙欲出
售的中古车。在此情形，甲与丙间不成立买卖契约，若甲
欲与丙订立买卖契约，尚须自为意思表示，或使乙传达
之。设甲未与丙订立买卖契约时，应类推适用第一一〇条
规定，使善意的相对人丙得对无权使者乙，请求损害赔
偿。

二、无权代表

无权代表，指董事无代表权（参阅第二十七条第二

项），以法人的名义而为法律行为。一九八五年台上字第二〇一四号判例谓："代表与代理固不相同，惟关于公司机关之代表行为，解释上应类推适用关于代理之规定，故无代表权人代表公司所为之法律行为，若经公司承认，即对于公司发生效力。"若公司拒绝承认时，应类推适用第一一〇条规定，使无代表权人对善意之相对人负损害赔偿之责。

三、法定代理人以公司名义为保证的责任

"公司法"第十六条规定："公司除依其他法律或公司章程规定得为保证者外，不得为任何保证人。"公司的负责人（法定代理人）以公司名义为保证时，其保证行为无效。于此情形，公司的法定代理人应对相对人负何种责任？对此重要问题，著有两则判例：❶一九五五年台上字第一五六六号判例谓："被上诉人甲、乙两股份有限公司，均非以保证为业务，被上诉人丙、丁分别以法定代理人之资格，用各该公司名义保证主债务人向上诉人借款，显非执行职务，亦非业务之执行，不论该被上诉人丙、丁等应否负损害赔偿之责，殊难据第二十八条、"公司法"第三十条，令各该公司负损害赔偿责任，上诉人对此部分之上诉显无理由。惟查被上诉人丙、丁等对其所经理之公司，如系明知其并非以保证为业务，而竟以各该公司名义为保证人，依第一一〇条及第一八四条规定，对于相对人即应负损害赔偿之责，不得因"公司法"第二十二条、第二十

三条、第二十四条，未有公司负责人应赔偿其担保债务之规定予以宽免"。❷一九五九年台上字一九一九号判例谓："被上诉人公司非以保证为业务，其负责人违反'公司法'第二十三条之规定以公司名义为保证，依'司法院'释字第五十九号解释，其保证行为对于公司不生效力，则上诉人除因该负责人无权代理所为之法律行为而受损害时，得依第一一〇条之规定请求赔偿外，并无仍依原契约主张应由被上诉人负其保证责任之余地。"对此两则判例，应说明者有三：

（1）第一一〇条规定的适用，以代理人无代理权，代理的法律行为效力未定，而本人拒绝承认为要件。上开两则判例所涉及者，乃"代理行为本身"无效；其所以无效，系因法人（公司）的权利能力受到法律的限制（第二十六条），本人（公司）无承认的余地；故公司负责人之应向善意相对人负损害赔偿，乃第一一〇条规定的类推适用。

关于第一一〇条的适用（类推适用），"最高法院"系以公司负责人"明知其非以保证为业务，而竟以各该公司名义为保证人"为要件，此与一九六七年台上字第三〇五号判例所认第一一〇条"系属于所谓原因责任、结果责任或无过失责任之一种"的基本见解不同，应有澄清的必要。

（2）"最高法院"认公司负责人"如系明知并非以保证为业务而竟以各该公司名义为保证人，依第一一〇条、第一八四条规定，对于相对人即应负损害赔偿之责。"此项见解肯定第一一〇条规定的无代理权人责任，得与第一八四条规定的侵权责任竞合，实值赞同。

（3）关于第一八四条规定的适用，应从请求权基础的观点加以补充。保证无效时，相对人所受侵害的，不是权利，而是纯粹财产上利益（纯粹经济上损失），故无第一八四条第一项前段规定的适用。其得适用的，乃同条项后段，此须以加害人故意以悖于善良风俗之方法加损害于他人为要件；公司负责人明知公司非以保证为业务，竟以各该公司名义为保证，是否符合此项要件，应就个案认定之。[1]

四、以死亡者的名义为法律行为

一九八一年度法律座谈会提出如下之法律问题：某甲将其所有土地一笔，委托某乙代为管理及收取租金。嗣某甲死亡后，某乙竟伪造某甲拟出售该笔土地之委托书，由某乙代理某甲将该笔土地出售与某丙，订立土地买卖契约，事后某甲之继承人于办理继承登记后，亦同意某乙出售该土地之行为。则某乙与某丙所订之土地买卖契约是否有效？

讨论意见：甲说：有效。因某乙以代理人之名义与某丙订约时，某甲虽已死亡，系属无权代理人以代理人名义所为之法律行为，系效力未定之行为，事后既经某甲之继

---

[1] 关于权利与纯粹经济上损失的区别，参阅拙著：侵权行为法（一），第九十八页。

承人承认，依第一一八条第一项之规定，自可发生效力；
乙说：无效。因某乙以某甲本人之名义与某丙订立契约
时，某甲业已死亡，某甲已丧失权利能力，不得再为权利
义务之主体，权利主体不存在之无权代理行为，不因事后
由其继承人承认而生效力。结论：拟采甲说。

第一厅研究意见为：按无权代理亦为代理之一种，须
无代理权人，以他人之代理人名义，与相对人为法律行
为，始足当之，如该无权代理人为法律行为时，本人已不
存在，则该代理即系以不能事项为标的之法律行为，应为
无效，不生因本人之承认而生效力之问题。本题代理人某
乙于本人（某甲）死亡后，仍以本人之代理人名义与某丙
缔约出售该笔土地之法律行为，依上说明，既欠缺代理之
绝对有效要件，自不成立无权代理，并无适用第一七○条
规定之余地，本题应以乙说为当。[1]

本件法律问题及法律意见甚具启示性，第一厅研究意
见的结论，基本上可资赞同。盖某乙以某甲名义为法律行
为时，某甲既已死亡，应不发生继承问题；故某甲的继承
人不得对此无效的法律行为承认，使生效力。善意相对人
某丙得类推适用第一一○条规定，向某乙请求损害赔偿。

第五节 表见代理

无代理权人，以本人名义而为法律行为，是为无权代

---

[1] 民事法律问题研究汇编，第二辑，第二十一页以下。

理，非经本人承认，对本人不生效力；相对人不能以善意信赖代理人有代理权为理由，主张代理行为应直接对本人发生效力。此就原则言，实属正当而合理；盖本人不应因他人擅以其名义为法律行为，而须负责也。然而，在若干情形，本人因其行为（作为或不作为）创造了代理权存在的表征（权利外观），引起善意相对人的信赖时，为维护交易安全，自应使本人负其责任，因而产生表见代理制度。就现行民法言，其类型有二：❶相对人信赖本人所授予的代理权继续存在的表见代理。❷相对人信赖本人授予代理权的表见代理。分述如下：

第一款　代理权继续存在的表见代理

—第一〇七条的解释适用—

阅读第一〇七条规定，说明于下列情形，甲应否负授权人的责任，其依据何在？

（1）甲授权于乙，以甲名义，向丙租屋，租期一年。乙认一年租期过短，而与丙订立为期二年的租赁契约。

（2）甲授权于乙，以甲名义，向丙租屋，乙于甲对其撤回代理权的授权后，仍以甲名义与丙订立租赁契约。

代理人于代理权一部或全部消灭后，仍以本人名义而为代理行为时，应构成无权代理。为保护相对人对代理权继续存在的信赖，第一○七条特别规定："代理权之限制及撤回，不得以之对抗善意第三人。但第三人因过失而不知其事实者，不在此限。"兹先说明判例学说关于本条解释适用的见解，再作分析检讨。

一、第一○七条的解释适用

（一）构成要件

（1）代理权之限制及撤回。

其一，代理权之限制，乃代理权一部的消灭，就其固有意义言，指本人将代理权授予代理人之后，再加以限制。[1]通说将其扩张解释为指一般应有或已有之代理权限，依法律规定或本人之意思表示，特加限制而言。[2]亦有认为应更进一步扩张解释包括自始限制及嗣后限制。[3]

关于代理权之限制，"最高法院"未作概括的说明，一九五一年台上字第六四七号判例谓："耕地租额的约定，属于耕地租赁契约内容之必要事项，上诉人既已授权某甲与被上诉人订定系争耕地之租赁契约，即不得谓某甲无代

---

〔1〕参阅第一○七条立法理由书。
〔2〕郑玉波：民法总则，第三○六页。
〔3〕刘得宽：民法总则，第三一○页；洪逊欣：中国民法总则，第四九一页。

理上诉人为约定租额之权限，纵使上诉人曾就其代理权加以限制，而依第一〇七条之规定，仍不得以之对抗善意之被上诉人。"[1] 所谓曾就代理权加以限制，在本件案例事实，乃属自始限制。

一九七三年台上字第一〇九九号判例谓："民法上所谓代理，系指本人以代理权授予他人，由他人代理本人为法律行为，该代理人之意思表示对本人发生效力而言。故必须先有代理权之授予，而后始有第一〇七条前段'代理权之限制及撤回，不得以之对抗善意第三人'规定之适用。"核诸判例全文，是否认为第一〇七条所谓代理权的限制，系指事后限制而言，未臻明确。

关于第一〇七条所称代理权之限制，本书认应限于事后限制。自始限制则属代理权范围。例如，甲授权于乙，向丙租屋，其租金不得超过十万元。乙以十二万元向丙租屋时，此项超逾代理权范围的无权代理，不应适用第一〇七条规定，使甲负授权人的责任。

其二，代理权之撤回，指因本人一方之意思表示，使代理权归于消灭。如前所述，代理权的授予可分为外部授权及内部授权，无论何种情形，其代理权之撤回均得对代理人（内部撤回），或对第三人为之（外部撤回）。

（2）须第三人（相对人）于行为时系善意无过失。通

---

[1] 一九六三年台上字第三五二九号判例谓："上诉人等既将已盖妥印章之空白本票交与某甲，授权其代填金额以办理借款手续，则纵使曾限制其填写金额一万元，但此项代理权之限制，上诉人未据举证证明，为被上诉人所明知或因过失而不知其事实，依第一〇七条之规定，自无从对抗善意之被上诉人。"就案例事实言，亦属自始限制的情形。关于此两件判例的分析检讨，参阅陈忠五：表见代理权之研究。

说认为所谓善意，指不知有代理权之限制及撤回而言；第三人有无过失，应客观的观察无权代理行为时之一切情事定之。[1]

（二）法律效果

（1）不得对抗善意第三人。第一〇七条规定："代理权之限制及撤回，不得以之对抗善意第三人。"系指善意第三人主张代理权未受限制或撤回，代理行为直接对本人发生效力时，本人不得以代理人欠缺代理权限对抗。惟相对人仍得主张无权代理的法律效果，于本人承认前，撤回无权代理的法律行为。

（2）第一一〇条的适用。第一〇七条规定的表见代理原系无权代理，故相对人得催告本人承认。本人拒绝承认或视为拒绝承认时，相对人得否不主张适用第一〇七条规定，而依第一一〇条规定向无权代理人请求损害赔偿？

对此问题，理论上可有两种见解：一为肯定相对人有选择权；[2]一为不应使无权代理人负此项损害赔偿责任。[3]本书采后说，其理由为本人依第一〇七条规定既应负授权人的责任，其法律效果同于有权代理，其代理行为的效力直接及于本人，交易目的既已达成，衡诸代理制度的规范功能及当事人的利益，似无许相对人得向无代理权

---

[1] 洪逊欣：中国民法总则，第四九一页。

[2] Canaris, Die Vertrauenshaftung im deutschen Privatrecht, 1971, S. 518f.; MünchKomm/Thiele, § 167 Rdnr. 72.

[3] BGHZ 61, 59, 68/69; 86, 273; Erman – Brox § 179 Rdnr. 3.

人请求损害赔偿之必要。惟倘相对人对本人事实上不能请求履行时（如本人外出，或不知去处），为保护交易安全，应例外认无代理权人须负损害赔偿之责。[1]

二、第一〇七条与表见代理

第一六九条之规定为表见代理，为判例学说所共认。[2]第一〇七条所规定的，是否为表见代理？王伯琦教授采否定说，认为表见代理之成立，须由本人自己之行为，表示以代理权授予他人，或知他人表示为其代理人而不为反对之表示（第一六九条）。第一〇七条所定代理权之限制或撤销，仅本人曾授予代理权，而今对其予以限制或撤销之谓；仅其对第三人之效果，与表见代理相同而已。至其成立情形，两者全不相同；故代理权经限制或撤销后之无权代理行为，不可与表见代理，混为一谈。[3]

洪逊欣教授则采肯定说，强调表见代理不应限于有第一六九条所定之情形时，始得成立。盖表见代理制度，系为调节本人之利益与交易之安全，于本人与无权代理人间，若有客观的足使第三人信无权代理人有代理权之特殊关系，则对其无权代理行为，与以与有权代理类似之效果者。而此种特殊关系，除由本人表示授权之事实者外，在

---

〔1〕 BGHZ 61, 59; 83, 273, 277.

〔2〕 一九七三年台上字第七八二号判例："第一六九条所规定者为表见代理，所谓表见代理乃原无代理权，但表面上足令人信为有代理权，故法律使本人负一定之责任。"

〔3〕 王伯琦：民法总则，第一九四页。

代理权受限制或其消灭—尤其撤回时亦有之。又就第一〇七条言，其规定：代理权之限制或撤回，不得对抗善意无过失之第三人，系与第一六九条但书相同，其欲调节本人之利益与交易之安全者，甚为显然。故代理权经限制或消灭—尤其撤回后之无权代理行为，倘具备要件者，亦不妨成立表见代理。[1]

三、表见代理的权利外观[2]

表见代理，指有一定的事实足使相对人信赖代理权存在（代理权存在的外观），而使本人负授权人的责任。第一六九条所以被认系表见代理，因其具有代理权存在的外观，即本人由自己的行为表示以代理权授予他人，或知他

---

[1] 洪逊欣：中国民法总则，第四八六页。

[2] 参照陈忠五："表见代理之研究"，（台大法律学研究所硕士论文，一九八九年度）论述甚详，颇有创见，具参考价值。在比较法上，德国民法规定于下列三种情形，应成立授予代理权继续存在之表见代理：(1) 曾向第三人表示，以代理权限授予其代理人，而于代理权消灭时，未为通知者（德国民法第一七〇条）。(2) 曾以特殊之通知方法或公告，向第三人表示代理权之授予，而未依同一方法，为代理权消灭之通知或公告者（德国民法第一七一条）。(3) 代理人向第三人提示本人交付之授权证书者（德国民法第一七二条）。瑞士债务法第三十四条规定："本人显系授予代理权，或事实上已为公告，其全部或一部撤回，以通知其撤回时为限得对抗之。"实务上常见案例为交付授权证书、交付收款的收据（参阅 Bucher, Schweizerisches Obligationsrecht, Allgemeiner Teil ohne Deliktsrecht 1979, S. 558）。日本民法第一〇九条规定："对于第三人表示以代理权授予者，在其代理权范围内，就该他人与第三人间所为之行为，负其责任。"第一一〇条规定："于代理人为其权限外之行为时，如第三人有确信其有权限之正当理由时，准用前条规定"。第一一一条规定："代理权之消灭不得以之对抗善意第三人，但第三人因过失而不知其情事者，不在此限。"日本通说认为此三条均属表见代理（我妻荣：民法总则（新订），第364页）。关于第一一二条的适用，通说认为本条善意指对代理权存续的信赖（我妻荣：民法总则，昭和42年，第375页），其主要事例，如委任解除后，未取回委任状，受雇人解雇而未通知交易的相对人（四宫和夫：民法总则第四版，昭和62年，第269页）。

人表示为其代理人而不为反对之表示。

第一〇七条所规定代理权的限制或撤回，其本身是否具有权利外观性，颇值推究。甲授权于乙，以甲的名义向丙租屋，其后甲向乙撤回授权，而乙仍以甲的名义向丙租屋时，其情形与乙自始未获授权而径以甲的名义向丙租屋之情形同，并无可使丙信赖乙有代理权的表征。准此以言，认为第一〇七条非属表见代理，自有相当的理由。无代理权存在的外观，而使本人负授权人责任，是否合理，实有研究余地。

为使代理权之限制或撤回，不得对抗善意第三人（相对人），尚须有使相对人正当信赖代理权继续存在的一定表征（权利外观）；惟有如此，相对人始有保护的必要，对本人的归责，始具合理性。为调和代理制度上当事人的利益及交易安全，关于第一〇七条所谓善意，应解释为系相对人有正当理由信赖代理权的继续存在，其主要情形有二：

（1）外部授权，内部限制或撤回。例如，甲对丙表示授予某乙代理权，向其购买 A 画及 B 画。若甲对乙撤回此项授权或限制其仅得购买 A 画，而乙仍向丙购买 A、B 二画时，丙对乙代理权继续存在的信赖，应受保护，而有第一〇七条规定的适用。

（2）代理人向第三人提示本人交付的授权书。第一〇九条规定："代理权消灭或撤回时，代理人须将授权书，交还于授权者，不得留置。"立法目的显在防止代理人之滥用，害及授予人（参阅立法理由书）。其所以会害及授与人,乃代理人向第三人提示本人交付的授权书,会使相对人因信赖代理权的存在。于此情形,善意的相对人得主张无权代理行为之效果归于本人。

第二款 授予代理权的表见代理

一、试问于下列情形,丙得否主张甲应负授权人的责任:

(1)甲将身份证及印章交付于乙,委托办理户口登记,乙提示甲的身份证,盖用甲之印章为乙的债务作保证。

(2)甲将印章及支票并交某乙保管,乙以甲的名义向丙购买汽车,并签发支票,支付价金。

二、甲建筑公司将承包工程转包于乙,乙(小包)雇用丙等担任小工,均以甲公司名义为之,甲公司并不在意,工人丙等可否诉请甲公司给付报酬?

第一六九条规定:"由自己之行为表示以代理权授予他人,或知他人表示为其代理人而不为反对之表示者,对于第三人应负授权人之责任。但第三人明知其无代理权或可得而知者,不在此限。"此为关于授予代理权的两种表见代理,系实务上重要问题。分别说明如下:

第一项 以自己行为表示以代理权
授予他人的表见代理

一、构成要件

（1）须以自己行为表示以代理权授予他人。一六九条所谓："由自己之行为表示以代理权授予他人。"指对外有授权于他人之表示，但实际上并未有代理权之授予。此种授权之表示，得向无代理权人对之为代理行为之相对人，或其他第三人（特定人或不特定人）为之；例如，甲电脑公司致函于丙等来往客户（或刊登报端），表示新聘乙为业务经理，并授予代理权，实际上甲与乙间的雇佣契约因故未成立，或雇佣契约虽成立，但甲并未授予乙以代理权。诚如一九七三年台上字第七八二号判例所谓："第一六九条所规定者为表见代理。所谓表见代理乃原无代理权，但表面上足令人信为有代理权，故法律使本人负一定之责任，倘确有授予代理权之事实，即非表见代理，自无该条之适用。"

此种由自己之行为表示以代理权授予他人者，对于第三人应负授权人之责任，必须本人有表见之事实，足使第三人信该他人有代理权之情形存在，[1]并且须以他人所为

---

[1] 一九七一年台上字第二一三〇号判例。

之代理行为，系在其曾经表示授予他人代理权之范围内为
其前提要件。[1]

关于在何种情形，得认定"由自己之行为表示以代理
权授予他人"，其主要案例类型有二：

❶允许他人以其名义为营业。例如，公司允许他人以
其支店名义营业；[2]公司允许他人以公司名义为同一营
业；[3]同意他人印制公司之名衔使用等。[4]

❷将印章交与他人保管使用。关于此一类型，一九五
五年台上字第一四二八号判例认为将印章及支票既系交与
他人保管使用，自足使第三人相信曾授予代理权，纵令该
他人私自签发支票，应依第一六九条之规定负授权人责
任。一九六七年台上字第二一五六号判例亦认为上诉人既
将盖有本人私章及所经营工厂厂章之空白合约及收据，交
由某甲持向被上诉人签订契约及收取定金，显系由自己之
行为表示以代理权授予他人，自应负授权人之责任。

值得注意的是，一九八一年台上字六五七号判例谓：
"人们将自己印章交付他人，委托该他人办理特定事项者，
比比皆是，倘持有印章之该他人，除受托办理之特定事项
外，其他以本人名义所为之任何法律行为，均须由本人负
表见代理之授权人责任，未免过苛。原审徒凭上诉人曾将
印章交付与吕某之事实，即认被上诉人就保证契约之订

---

[1] 一九五一年台上字第一二八一号判例。
[2] 一九三九年上字第一五七三号判例。
[3] 一九五六年台上字第四六一号判例。
[4] 一九八〇年台上字第九十二号判决（民刑事裁判选辑，第一卷第一期，第六十七页）。

立，应负表见代理之授权人责任，自属率断"。[1]由此可知，交付印章于他人，是否构成表见代理，不可一概而论，应斟酌相关情事，审慎认定之。[2]

（2）须第三人（相对人）非明知其无代理权或可得而知。第三人明知他人无代理权，或依情形可得而知，而犹与他人为法律行为时，系出于第三人之故意或过失，本人自不负授权人之责任。

二、法律效果

（1）应负授权人责任。由自己之行为表示以代理权授予他人，而第三人不知或非因过失不知其无代理权者，对于第三人应负授权人的责任。第三人是否基于表见之事实，主张本人应负授权人责任，应由其决定；若第三人不为此项主张，法院不得径将法律上之效果，归属于第三人。[3]易言之，即表见代理之本质为无权代理，须由第三人主张表见代理之事实且对此事实负举证之责，法院不得依职权认定之。须注意的是，表见代理原为无权代理，第三人得于本人承认前撤回之。

（2）法律性质与表见授权人的行为能力。所谓"由自己之行为表示以代理权授予他人"，非系授予代理权之意

---

〔1〕民刑事裁判选辑，第一卷第一期，第六十七页

〔2〕一九八一年台上字第一三六五号判决谓："盗用印章，固属不法行为，而非法律行为；但盗用印章而为背书之票据行为，则为法律行为，得发生表见代理之问题"（民刑事裁判选辑，第二卷第二期，第四十六页）。于此情形，能否成立表见代理，仍有审慎认定的必要。

〔3〕一九六三年台上字第一七一九号、一九七一年台上字第二一三〇号判例。

思表示，而是一种欠缺法效意思的事实通知，乃属准法律行为，应类推适用关于意思表示之规定；故此项表见代理法律效果的发生，亦须以表见授权人有行为能力为要件。[1]

（3）无过失责任。一九五五年台上字第一四二四号判例谓："第一六九条系为保护善意第三人而设，故本人有使第三人信以为以代理权授予他人之行为而与之交易，即应使本人负其责任。又此本人责任系指履行责任而言，并非损害赔偿责任，故本人有无过失在所不问。"本件判例认表见代理的成立，不以本人有过失必要，固值赞同，但以此项责任系指履行责任，并非损害赔偿责任作为本人应负无过失责任的依据，则有商榷余地。

第二项 知他人表示为其代理人
而不为反对之表示

第一六九条所规定的第二种表见代理，系知他人表示为其代理人而不为反对之表示者，对于第三人应负授权人之责任。但第三人明知其无代理权或可得而知者，不在此限。例如，建筑公司如将工程转包与小包，知小包以其名义为法律行为，而不为反对时，应对于第三人负授权人责

---

[1] 孙森焱：民法债编总论，第七十页。

任，故材料出卖人或工人得请求建筑公司给付价款或工资。[1]

所谓知他人表示为其代理人而不为反对之表示者，以本人实际知其事实为前提；主张本人知此事实者，应负举证之责。[2] 第三人明知其无代理权或可得而知者，本人不负授权人之责任，故本人对此应负举证责任。

第三款　表见代理的结构分析

关于表见代理，"民法"设有第一○七条及第一六九条规定，兹就其权利外观、构成要件、法律效果、责任排除及适用范围，图示如下：

---

[1] 司法业务研究会第一期研究意见。另参阅一九八一年台上字第一○四一号判例："上诉人明知朱某等表示为其代理人，以其名义订购系争货物，而未为反对之表示，致被上诉人信以为上诉人公司所购买，将检收校对单及统一发票上买受人记载为上诉人，并将货物送至上诉人工厂交付。按第一六九条规定，系争货物纵非上诉人所买，上诉人亦应负授权人之责任，至上诉人所称系争货款已由朱某签发支票支付，因支票未兑现，被上诉人始转向上诉人请求乙节，查支票乃无因及流通证券，系争货物，纵曾以朱某之支票为付款方式，亦不能因此即谓系争货物为朱某所购买而与上诉人间无表见代理关系，遂使上诉人藉以解免其授权人之责任。兹朱某签付之支票既不能兑现，则被上诉人本于买卖关系，诉请上诉人给付货款及其法定迟延利息，即无不当。"

[2] 一九七九年台上字第一○八一号判例。

内容 民法 规定	权利外观	类型及要件	法律效果	责任排除	适用范围
一〇七条	1.代理权继续存在 2.权利外观?	1.代理权限制 2.代理权撤回	不得对抗善意第三人	因过失而不知	1.类推适用于代理权消灭 2.法定代理?
一六九条	授予代理权	1.表示行为授权 2.容忍授权	负授权人责任	明知或可得而知	法定代理?

兹参照上开图示，就表见代理的结构分五点加以说明：

（1）第一六九条规定表见代理，为判例学说所共认，其权利外观在于由自己之行为表示以代理权授予他人（表示行为授权），或知他人为其代理人而不为反对之表示（容忍授权）。在第一〇七条规定，为使对本人的归责具有合理性，须有代理权继续存在的表征（如外部授权，内部撤回等），作为第三人善意正当信赖的基础。

（2）就法律效果言，第一〇七条规定不得对抗善意第三人，第一六九条规定负授权人责任，用语虽异，其意则同，即相对人如主张其无权代理的效果直接归属于本人时，本人不得以未授予代理权对抗之。

（3）就表见代理效果的排除言，第一〇七条规定"但第三人因过失而不知其事实"，第一六九条规定："但第三人明知其无代理权或可得而知者，不在此限"，其意相同，均指表见代理的成立须以相对人善意无过失为必要。

（4）第一〇七条系以代理权之限制或撤回为适用对象。

然而相对人对代理权继续存在的信赖，于其他代理权消灭的情形，亦属有之。例如，甲建筑公司雇乙为售屋业务专员，授予代理权，并通知丙，甲终止乙雇佣契约时，乙的代理权随之消灭。若甲怠于通知丙，而乙仍以甲的名义与丙订立买卖契约时，其信赖状态与代理权之限制或撤回并无不同，基于同一法律理由（ratio leges），应类推适用第一〇七条规定，甲亦不得以其代理权之消灭，对抗善意信赖代理权尚属存在之丙。[1]

（5）第一〇七条规定对法定代理得否适用，"最高法院"未著判决，学说上尚有争论；此攸关未成年子女及受监护人利益甚巨，宜采否定说。[2] 关于第一六九条规定的表见代理，一九九〇年台上字第一〇一二号判例明确表示："惟意定代理始有其适用，若法定代理则无适用该规定之余地。"

---

[1] 史尚宽：民法总论，第四九九页。
[2] 洪逊欣教授采肯定说（中国民法总则，第四九七页），史尚宽氏采否定说（民法总论，第四九三页）。请参阅对照比较分析之。

第四章 无因管理

第一节 利益衡量与体系构成

试分析下列五则案例，明辨其异同及当事人的利益关系，尝试由此建立"无因管理制度"的体系结构：

（1）甲受乙委任，出租 A 屋于丙。

（2）乙有 A 屋，有意出租，乙因病住院不克处理，甲知其事，乃以乙的名义出租于丙。

（3）乙有 A 屋，预定外出一年，雇甲看管。甲明知乙无意出租，但为乙的利益，仍将 A 屋出租于丙。

（4）甲为自己利益，擅以自己名义出租乙所有之 A 屋于丙。

（5）甲误乙所有的 A 屋为其父的遗产，出租于丙。

第一款 概　说

请再阅读上开例题（!），慎思明辨，如何分类，如何决定当事人间的法律关系。学习法律之人，常在研读他人业已建立的概念体系，甚少先观察案例，探究建立概念体系的过程。

上开例题涉及所谓的无因管理，即未受委任，并无义务而为他人管理事务；故"无因"者，乃指无法律上义务而言。此项制度源自罗马法，称为 negotiorum gestio（管理他人事务），最早适用于为不在之人（尤其是远征在外的军人）管理事务。其后历经发展，于十九世纪，经德国法学者深入精细的研究，建立其理论体系，规定于德国民法（第六七七条至第六八八条），称为 Geschäftsführung ohne Auftrag（无委任之事务管理），[1] 而为我们所继受。

制定法律必须针对复杂的社会经济生活，区别其异同，形成概念，建立体系，而此实为艰巨的工作。就无因管理言，最为关键的问题有二：一为本人的利益及意思；一为管理人的管理意思。就前者言，如何因管理事务是否利于本人，合其意思，而异其法律效果？就后者言，为他人或为自己管理事务，应如何区别处理？

现行民法关于无因管理设有七个条文（第一七二条至

---

〔1〕 美国法学家 J. P. Dawson 在其著名的论文 "Negotiorum gestio: The Altruistic Intermeddler"，认为德国学者的研究及德国规定过于精细，74 Harvard L. R (1961) 817.

第一七八条），关于其解释适用，疑义甚多，解决之道，首在把握立法上的利益衡量与价值判断。兹先提出如下体系构造，再行说明（请参阅下开表列，分析上开例题）。[1]

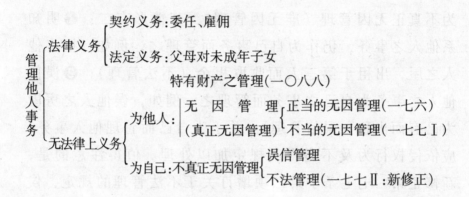

第二款 真正无因管理与不真正无因管理

基于法律上义务而管理他人事务，其依法律行为而发生的，以委任最称重要，即当事人约定，一方委托他方处理事务（如出租房屋），他方允为处理（第五二八条）。其依法律规定而发生的，例如，父母对未成年子女特有财产之管理（参阅第一○八八条、第一一○○条）。

---

〔1〕 参阅拙著："无因管理制度基本体系之再构成"，民法学说与判例研究（二），第七十五页（尤其是第八十一页），附有较详细之资料；郑玉波："无因管理之研究"，载社会科学论丛，第十三期（一九六三年）；何孝元："无因管理之成立要件及其效力"，载中兴法学，二卷一期（一九七一年）；凌博志："无因管理之研究"，政治大学法律学研究所硕士论文（一九七二年度）；罗秀莲："无因管理之研究"，文化大学法律学研究所硕士论文（一九九三年度）。

　　无法律上义务而管理他人事务，可分为两类：❶为他人管理事务。例如，救助昏迷于途之人；为远行的邻居修缮遭台风毁损的房屋。此为民法所称的无因管理，学说上称为真正无因管理。❷为自己而管理他人事务。学说上称为不真正无因管理（准无因管理），其情形有二：❶明知系他人之事务，仍作为自己事务而管理之，例如，擅将他人之屋，出租于第三人而收取租金（不法管理）；❷误信他人之事务为自己之事务而管理之。例如，误他人之房屋为己有而出租（误信管理）。关于为自己而管理他人事务，应依侵权行为及不当得利规定加以处理。值得注意的是，新修正第一七七条于第二项增订关于不法管理的规定，俟后再行详论。

第三款　真正无因管理的类型构成

一、规范意旨

　　无法律上义务而为他人管理事务（真正无因管理），究应如何规范，首先必须考虑的是，此乃干预他人事务（如修缮他人房屋，出租他人房屋），原则上应构成侵权行为。惟人之相处，贵乎互助，见义勇为，乃人群共谋社会生活之道。因此法律一方面需要维护"干涉他人之事为违法"的原则，一方面又要在一定要件下，容许干预他人事务得阻却违法，俾人类互助精神，得以发扬。显然的，对此问题有不同的思考方法及解决途径。[1]

无因管理（negotiorun gestio）是罗马法原创的制度，前已论及。罗马法上虽具个人主义的特征，但个人主义从未成为罗马人的理念，认为协助他人（纵使未经请求），符合社会伦理规范者，应经由法律合理规定当事人间的权利关系。立法者及法学家所应致力者，乃如何调和上开"禁止干预他人事务"及"奖励人类互助精神"两项原则。此涉及到无因管理的体系构成问题。

二、传统见解

关于民法上无因管理的构成，传统见解认为是一个统一的制度，单一的类型，[2] 其主要论点有三：

---

[1] 英美法的个人主义思想，禁止干预他人事务，诚如 Dawson 教授所云，英美法不鼓励好的撒马利亚人（to discourage good Samaritans）。关于好的撒马利亚人与法律，参阅拙著：侵权行为法（一），第九十二页。英国法官 Bowen LJ 在 Falcke v. Scottish Imperial Insurance 一案（1887，34 Chd 234（CA），248）的判决理由谓："The general principle is, beyond all question, that work and labour done or money expended by one man to preserve or benefit the property of another do not according to English law create any lien upon the property saved or benefited, nor, even if standing alone, create any obligation to repay the expenditure."。值得注意的是，近几年来，相关论述增多，可供参考：Dawson, "Rewards for the Rescue of Human Life?", in: XXth Century Comparative and Conflicts Law, Legal Essays in Honor of Hessel E. Yntema（1961）p. 142; Heilman, "The Rights of the Voluntary Agent Against His Principal in Roman Law and in Anglo – American Law", (1926) 4 Tennessee LR 34, 76; Peter Birks, "Negotiorum gestio and the Common Law", (1971) 24 Current Legal Problems 110; idem, "Restitution for Services", (1974) 27 Current Legal Problems 13; Lee J. W. Aitken, "Negotiorum gestio and the Common Law: A Jurisprudential Approach", (1988) 11 Sydney LR 566. 简要精辟说明，Zimmermann, The Law of Obligations: Roman Foundations of Civilian Tradition, 1996, p. 448.

[2] 郑玉波：民法债编总论，第八十一页、第九十四页的图解。

（1）未受委任，并无义务，而为他人管理事务者，应构成无因管理（第一七二条）。

（2）第一七六条规定："管理事务利于本人，并不违反本人明示或可得推知之意思，管理人为本人支出必要或有益之费用，或负担债务，或受损害时，得请求本人偿还其费用及自支出时起之利息，或清偿其所负担之债务，或赔偿其损害。"又第一七七条规定："管理事务不合于前条之规定时，本人仍得享有因管理所得之利益，而本人所负前条第一项对于管理人之义务，以其所得之利益为限。"此两条所规定的，系指管理义务的履行，即管理事务的实施而言。

（3）凡未受委任，并无义务，而为他人管理事务者，均可阻却违法，管理人违反本人明示或可得推知之意思，而为事务之管理者（参阅第一七四条），亦不例外。易言之，只要有"为他人之意思"，任何干预他人事务之行为，均属合法。

三、无因管理体系的再构成

上开传统见解，自有所据，应提出说明的有二：

1. 管理事务方法与管理事务承担的区别。

未受委任，并无义务，而为他人管理事务者，应成立无因管理（第一七二条前段）。第一七二条后段规定："其管理应依本人明示或可得推知之意思，以有利于本人之方法为之。"系指管理事务之实施（Ausführung der

Geschäftsführung）而言。

应特别指出的是，第一七六条规定"管理事务利于本人，并不违反本人明示或可得推知之意思。"乃指管理事务之承担（Übernahme der Geschäftsführung）而言，[1] 与第一七四条谓："管理人违反本人明示或可得推知之意思，而为事务之管理者"，其意义相同。此点极为重要，特举两例加以说明：

（1）三岁幼童某甲迷途，乙加以收留，应成立无因管理。乙收留甲童，此项行为本身（管理事务之承担），利于本人（甲童或其父母），并不违反本人明示或可得推知之意思，应有第一七六条之适用。依第一七二条规定，乙应依本人明示或可得推知之意思，以有利于本人之方法为之。若甲童身体不适，乙为甲求神拜佛治病，未延医诊疗致甲患重病。于此情形，乙未尽其管理上之义务（管理事务之实施），应依不完全给付债务不履行之规定（第二二七条），负损害赔偿责任；但仍得依第一七六条规定，请求其收留甲所支出之费用。

（2）甲之邻人乙，以卖鲜鱼为业，每晨必担鲜鱼赴市，某日乙将房屋锁好，置一担鲜鱼于户外，而人不知何去，久未归来，时烈日当空，鲜鱼有腐烂之虞。甲雇车送鲜鱼至市场设法售卖。于此情形，甲管理乙之事务（管理事务之承担），利于本人，并不违反本人可推知之意思，应有

---

〔1〕 第一七六条规定系仿德国第六八三条及瑞士债务法第四〇二条而制定，德、瑞判例学说均采此见解。同说见史尚宽：债法总论，第六十四页。

第一七六条之适用，甲得向乙请求偿还支出之费用。设甲因未尽必要之注意，以远低于市价出售鲜鱼时，其管理事务之实施，未依本人可得推得知之意思，以有利于本人之方法为之（第一七二条后段），应依债务不履行规定，负损害赔偿之责。

2. 违法阻却。

管理事务利于本人，并不违反本人明示或可得推知之意思，得违法阻却性，系学者的一致见解。

有争论的是，第一七七条："管理事务不合于前条规定"之情形得否阻却违法。所谓管理事务不利于本人，或违反本人明示或可得推知之意思，系指管理事务之承担而言。可举三例说明之：❶甲在后院种植稀有治癌药草多年，新搬进的邻居，以为是杂草丛生，于甲赴深山采集新品种期间，雇工拔除之。❷甲有宋代漆盘，再三表示系传家之宝，绝不出售。某日甲遭车祸住院，费用甚巨，乙虽明知甲的意思，仍赴甲宅取漆盘而贱售之。❸甲有某件家具，外表颇为破旧，乙不知其为名贵古董，以为甲无钱修缮，乃雇工以油漆漆之。

于诸此情形，传统见解仍肯定有阻却违法性。洪文澜先生采不同见解，认为："管理事务不利于本人，或违反本人明示或可得推知之意思者，适法之无因管理不能成立，本人与管理人间之法律关系，应依关于不当得利及侵权行为之规定而定之。"〔1〕此项见解，可资赞同。侵害他

---

〔1〕洪文澜：民法债编通则释义，第八十九页。

人权益的行为是否因特殊事由而得阻却违法，乃属法律上的价值判断。拔除他人多年种植的药草、贱卖他人绝不出售的漆盘、油漆他人的古董家具，其管理事务之承担本身，或不利于本人，或违反其意思，均属不当干预他人事务，衡诸本人的利益及一般法律原则，不能因管理人有"为他人管理事务"的主观意思，[1] 即可阻却违法，而使该侵害他人权益的行为具有合法性。基于上述对传统见解的分析，本书拟采另一种思考的方向，将现行民法的无因管理分为两个基本类型：❶第一七六条规定的"正当的无因管理"（适法的无因管理）。❷第一七七条规定的"不当的无因管理"（不适法的无因管理）。

应说明者有三：

（1）关于此项分类，现行民法上的法律文义及体系虽未臻明确，然学说的任务乃在于建立符合法律上利益衡量与价值判断的理论体系。若干条文如何纳入此种理论体系，难免争议。其可确信的是，此项体系构成有助从不同观点了解无因管理制度的基本问题，并可提供处理实例的思考层次。

（2）德国通说采此类型，分别称为 Berechtigte Geschsäftsführung ohne Auftrag 及 Unberecthtigte Geschäftsführung

---

[1] Esser/WeyersII, Schuldrecht II, BT. S. 342; Fikentscher, Schuldrecht, S. 573; Larenz, Schuldrecht II, Halbband, I, S. 439.

ohne Auftrag。本书前曾参考学者及"最高法院"判决的用语,[1]称为适法的无因管理及不适法的无因管理。为避免与不法管理(不真正无因管理)混淆,拟改称为正当的无因管理与不当的无因管理。[2]

(3)在处理实例时,首应考虑是否成立无因管理,再依序检讨正当(适法)的无因管理及不当(不适法)的无因管理。

第二节　无因管理的成立

甲见邻近房屋失火,即持灭火器前往救助,身负重伤。试问:

(1)设甲之救火徒劳无功时,能否成立无因管理?

(2)设该屋系乙所有,出租于丙,设定抵押权于丁,投火灾保险于戊产物保险公司,并已出卖于庚时,对何人成立无因管理?

(3)设甲救火之目的,亦在于避免己屋遭受波及时,得否成立无因管理?

─────────

〔1〕 洪文澜:民法债编通则释义,第八十九页;一九六三年台上字第三〇八三号判决谓:"管理事务违反本人明示或可得推知之意思者,虽不能成立适法之无因管理,惟因管理事务而本人受利益,致管理人受损害者,则管理人仍得依关于不当得利之规定,请求返还其利益。"

〔2〕 日本学者亦采此用语,参阅谷口知平、甲斐道太郎编集注释民法(18),有斐阁,平成3年,债权(19),第129页以下(第132页)。

（4）设救火者，系某市的消防队时，得否成立无因管理？

（5）设甲系禁治产人或限制行为能力人时，得否成立无因管理？

第一七二条规定："未受委任，并无义务，而为他人管理事务者，其管理应依本人明示或可得推知之意思，以有利于本人之方法为之。"前段所规定的，为无因管理的构成要件；后段所规定的，为管理事务之实施。无因管理的构成要件有四：

（1）管理事务。

（2）管理他人事务。

（3）为他人管理事务。

（4）未受委任，并无义务。[1]

兹分别说明如下：

一、管理事务

所谓"管理事务"，与委任契约上的"处理事务"（第五二八条），其意义相当，即凡任何适于为债之客体的一切事项均属之；但单纯之不作为，则不包括在内。管理事务得为事实行为，如救助溺水之人、收留迷途之幼童；亦得为法律行为，如购买物品、出租房屋，招工修缮房屋，

---

[1] 林廷瑞："无因管理之构成要件"，载法学丛刊，第一〇七期，第六十页；Gursky, Der Tatbestand der Geschäftsführung ohne Auftrag, AcP 185 (1985), 13.

为人保证。管理事务系法律行为时，管理人得以自己名义或以本人名义为之；其以本人名义为之时，尚发生无权代理的问题。

须注意的是，无因管理重在管理事务本身，目的是否达成，与无因管理之成立无关。例如，乙宅失火，甲持灭火器参加救火，身负重伤，纵火势未灭，乙宅全毁，救火目的虽未能达成，无因管理仍可成立，甲得享有第一七六条规定的权利（参阅例题）。

二、管理"他人"的事务

❶客观的他人事物。无因管理的成立，须以管理"他人"的事务为要件。他人的事务，有在客观上得依事务在法律上的权利归属，加以判断的。例如，清偿"他人"的债务、修缮"他人"所有的房屋、救助溺水之人等（客观的他人事务）。❷事务本身系属中性，无法依其在法律上的权利归属，判断究属何人的，亦常有之，如购买维也纳合唱团演唱会入场券，承租房屋等。于此等情形，该事务是否属于"他人"，客观上无从判断，应依管理人的主观意思定之，因管理人有为他人管理的意思，而成为他人事务（主观的他人事务）。

三、"为他人"管理事务

（一）判断基准

（1）概说：客观他人事务及主观他人事务。"为他人"管理事务（Fremdgeschäftsführungswille），系无因管理最重要的一项基本要件，旨在决定无因管理的当事人，并限定无因管理的适用范围，乃无因管理的核心概念，最值注意。[1]

所谓"为他人"管理事务，指管理人认识其所管理的，系他人事务，并欲使管理事务所生的利益归于该他人（本人）而言。管理人误他人事务为自己事务，而为管理时，系属误信管理（不真正无因管理），不成立无因管理。管理人认识其所管理的，系他人事务，但系出于为自己之利益时，则属不法管理。管理人有无为他人管理事务之意思，在客观的他人事务（如修缮他人遭台风毁损的屋顶、救助溺水之人），通常可依其情形判断有无为他人之意思。在主观的他人事务，管理人就其有为他人管理事务之意思，应负举证责任。

为他人尽扶养义务，亦属为他人管理事务。实务上认为扶养义务的范围，不仅包括维持日常生活，衣食住行之费用，且包括幼少者之教育费及死亡者之殡葬费（参阅大理院上字第一一六号判例）。故甲死亡时，身边无亲人，甲之友乙为其支出殡葬费，嗣甲之配偶及子女返回，乙对甲之配偶及子女均得依无因管理之规定，请求返还其所支出之费用。[2]

（2）管理人认识本人的必要。无因管理的成立，虽以

---

[1] Schwark, Der Fremdgeschäftsführungswille bei der Geschäftsführung ohne Auftrag, JZ 84, 321.

[2] "司法院"（一九八五）厅民一字第一一八号函。

管理人有为他人管理事务的意思为要件；但管理人对于本人为谁，并无认识的必要，纵对于本人有误认，亦不妨就真实的本人成立无因管理。[1] 例如，甲误认迷途的 A 犬为乙所有，加以收留时，对于乙虽不能成立无因管理，但对该狗的所有人丙，则可成立无因管理。

（3）本人为多数人。无因管理的本人，亦得为多数人。例如，甲见友人乙驾车撞伤路人丙，即送丙赴医救治。于此情形，通常可认为甲有为乙及丙管理事务的意思，对乙、丙均可成立无因管理。

拟提出讨论的，是如下的案例：甲见邻宅失火，即持灭火器前往救助，身体受伤，查该屋系乙所有，出租于丙居住，设定抵押权于丁，投火灾保险于戊保险公司（参阅例题）。于此情形，甲为管理人，甚为显然；但谁为本人，不无疑问。首先应肯定的是，甲有为屋主乙救火的意思。丙租屋居住，对于非因其重大过失而生之火灾，虽对租赁物不负赔偿责任（第四三四条），但火灾攸关其人身安全及财产，亦得认甲有为其管理事务的意思，仍可成立无因管理。至于对抵押权人、保险公司或该屋的买受人，救火之人通常欠缺为其管理事务的意思，应不成立无因管理，以适当限制无因管理制度的适用范围。

（4）兼为自己利益。在上举救火之例，设甲之救火系因其屋有遭受波及之虞时，能否成立无因管理？通说采肯

---

[1] 对此，德国民法第六八六条设有明文："管理人对于本人其人误认者，由真实之人享受权利，负担义务。"

定见解，认为他人之意思与为自己之意思可以并存，为他人管理事务兼具为自己利益，无碍于无因管理之成立。[1]

(二) 案例分析

下列五种案例类型具有争议，说明如下：

(1) 父母医治受伤之未成年子女。甲驾车不慎撞伤六岁之乙，乙之父丙送医救治，支出医药费五万元。于此情形，甲应对乙负侵权行为损害赔偿责任（第一八四条第一项前段）。丙之医治乙，系尽父母对于未成年子女的保护教养义务（第一〇八四条），不能认有为乙管理事务之意思，故不成立无因管理。

(2) 夫延医为妻治病：第三人利益契约。甲请乙医生，为其妻丙治病。乙医生不能以甲无资力，而转向丙依无因管理规定请求其所支出之费用。盖在此种第三人利益契约，仍应认乙系履行其对甲契约上之义务，不能认有为丙管理事务之意思。

(3) 连带债务之清偿。甲与乙不慎驾车撞伤丙，应对丙连带负损害赔偿责任（第一八五条）。设甲对丙履行损害赔偿债务时，得否对乙依无因管理之规定请求返还其应分担之部分，尚有争议，[2] 本书认为应采否定说。盖于此情形，甲系对丙尽其法律上之义务，并不具有为乙清偿债

〔1〕郑玉波：民法债编总论，第八十八页；Schreiber, Das "auch‐fremde" Geschäfte bei der GoA, Jura 1991, 155f.
〔2〕郑玉波先生认为于此情形，仍可成立无因管理（民法债编总论，第八十八页）。

务之意思。甲应依第二八一条规定向乙求偿。[1]

（4）委任或承揽契约不成立或无效。甲受乙委任处理事务，于处理事务之后，始发现委任契约不成立或无效。于此情形，甲自始认为在于履行委任契约上之义务，欠缺为乙管理事务之意思，不成立无因管理，应适用不当得利规定。[2]

甲承揽修理乙所有轮船的部分机件，增加修理其他机件时，得否成立无因管理？一九五〇年台上字第一五五三号判决谓："上诉人如确曾就契约外增加修理机件，而其修理之机件又确有利于被上诉人，并不违反被上诉人明示或可得推知之意思者，则上诉人为被上诉人支出之有益费用，依第一七六条第一项之规定即非不得请求偿还。"[3]此项判决，原则上可资赞同，即对于本人虽负有契约上义务，如明知超过范围而为事务之管理时，就超过部分仍可成立无因管理。

（5）道路交通自我牺牲行为。值得提出讨论的是，道路交通上的自我牺牲行为（Selbstopferung im Strassenverkehr）。某甲驾车，虽尽注意之能事，突见乙骑机车自陋巷飙驶而出，甲为避免撞伤乙，急速左转，落入水沟，车毁人伤。于此情形，设乙有故意或过失时，甲得依侵权行为之规定，向乙请求损害赔偿。有疑问的是，设乙因无识别能力

---

〔1〕 此为德国通说，Fikentscher, Schuldrecht, S. 577.

〔2〕 史尚宽先生认为于此情形，仍可成立无因管理（债法总论，第五十九页）。德国实务亦采此见解（BGHZ 37, 258），但学说采否定见解。参阅 Fikentscher, Schuldrecht, S. 577; Medicus, Bürgerliches Recht, Rdnr. 412.

〔3〕 裁判类编——民事法（一），第四五二页。

或其他事由不成立侵权行为时，甲得否依无因管理之规定，请求乙赔偿其所受之损害（第一七六条）。

问题在于甲是否有为乙管理事务（使乙不受伤害）之意思。甲采取紧急措施，避免撞伤乙，事出仓促，在瞬息之间，甲究竟为自己或为他人管理事务，或兼俱二者，诚难判断。鉴于甲驾车并无过失，倘不采取紧急措施，纵使撞伤乙，亦可不负侵权责任，而乙因甲之自我牺牲行为而免于遭受损害，肯定甲具有为乙管理事务之意思，亦有相当理由。德国实务上采此见解，可供参考。[1]

四、须未受委任，并无义务（无法律上之义务）

第一七二条所谓："未受委任，并无义务"而为他人管理事务，系指无法律上之义务而言。所谓"未受委任"，乃无契约上义务的例示，故因雇佣、承揽、合伙等契约而管理他人事务者，自不成立无因管理。例如，甲受乙委任与乙之债权人丙订立保证契约，甲代为履行乙之债务时，系尽其契约上之义务，对乙及丙均不成立无因管理。惟设甲未受乙委任而为保证时，对丙清偿乙之债务系尽其契约上义务，固不成立无因管理，但对乙而言，甲并无契约上义务，得成立无因管理。设甲受乙委任而为保证，于对丙清偿后，发现委任契约不成立时，对乙而言，究应成立无因管理或不当得利，不无疑问。本书认为应成立不当得

---

[1] BGH NJW 1960, 390. 详细参阅拙著："无因管理制度基本体系再构成"，民法学说与判例研究（二），第九十九页。

利。盖于此情形，甲并无为乙管理事务之意思也。

所谓"并无义务"，则指无法律上之义务而言。例如，父母对于未成年子女有教养之义务，对其财产有管理之义务，故其为子女医病支出医药费、修缮子女之特有财产，均不成立无因管理。消防队从事救火行为、警察救助遭遇灾难之人，乃尽其法令上之义务，亦不成立无因管理。

五、管理人须有行为能力？无因管理之法律性质

无因管理之本人，不必具备意思能力，故对无行为能力人或限制行为能力人亦得成立无因管理。

有争议的是，管理人是否须有行为能力，此涉及无因管理的法律性质。在罗马法，无因管理系属准契约之一种，在德国学说上曾认为无因管理系准法律行为（Geschaftsähnliche Handlung），故应类推适用民法关于法律行为之规定，以管理人有行为能力为必要。目前德国通说已扬弃此项见解，肯定无因管理系属事实行为，不适用民法总则编关于法律行为之规定，故无因管理之成立，不以管理人有行为能力为要件。[1] 台湾地区通说向来持此见解，可资赞同。无因管理本身虽为事实行为，但其所管理他人事务之行为（如救助溺水之人），亦得为法律行为（如送溺水之人赴医救治）；此种法律行为（如医疗契约），得以管理人名义或以本人名义为之，前已论及。

---

〔1〕 Ermann/Hauss, § 677 Rdnr. 10; Medicus, Bürgerliches Recht, Rdnr. 407, 412.

第三节 正当的无因管理

（适法的无因管理）

时届严冬，寒流过境，报社记者某甲清晨下班回家途中，在中兴桥上见某乙跳河自杀。甲颇识水性，即跃入水中，挣扎良久，救乙上岸，雇计程车送乙前往附近医院医治。甲支出车费及医院挂号等费用共计一千元，衣裤干洗费三百元，并以自己名义雇用"欧巴桑"为必要之照顾，费用二千元，迄未支付。甲本患感冒，因河水冰冷，转成肺炎，支出医药费四千元，三天不能上班，减少收入二千四百元。又某乙所戴名贵钻戒手表，被甲于救助中不慎扯落河中。试问甲与乙间之法律关系如何？

在处理无因管理问题时，首先应考虑的是，得否成立无因管理，此应依上述构成要件加以认定。其次应再检讨的是，是否为第一七六条规定之"正当的无因管理"（适法的无因管理）。纵使不采本书所提出的体系，依传统的见解，亦应以第一七六条为出发点，分析当事人间的法律关系。

第一款　构成要件

一、无因管理之成立：未受委任，并无义务，而为他人管理事务（参阅上述说明）

二、管理事务利于本人，并不违反本人明示或可得推知之意思

（一）管理事务之承担

第一七六条所谓管理事务，系指管理事务之承担而言（Geschaftsübernahme），前已论及。所谓利于本人，指管理事务之承担，对本人实质有利，客观有益，如救火、收留迷途孩童、代收挂号信件等。所谓明示之意思，指本人事实上已表示之意思，如落水之人高呼救命；管理人是否知悉本人所表示之意思，在所不问。所谓本人可得推知之意思，指依管理事务在客观上加以判断之本人的意思，例如，见邻居之瓦斯漏气，全家中毒，破门而入，从事救助，系合于本人可得推知之意思。上述要件须于管理人为事务之管理时，均告具备，始有第一七六条规定的适用。

（二）案例分析

关于管理事务利于本人，并不违反本人之意思之案例，前已再三提及，另举出若干特殊案例加以说明：

（1）清偿他人之债。未受委任，并无义务而为他人清偿债务，系罗马法上典型无因管理的案例。此项事务之管理通常利于本人，并不违反本人之意思。惟倘该项债务已罹于时效或有其他抗辩权存在时，应认为管理人的清偿不利于本人。

（2）承租人于租赁物增加设施。例如，甲承租乙屋，未得乙之同意于顶楼加盖房屋或围墙。一九七〇年台上字第一〇〇五号判决认为："因上诉人之增加设施，所借用房屋之价值显然增加，在民法使用借贷一节内，虽无得请求偿还或返还其价值之明文，然依据外国立法例，既不乏得因无因管理或不当得利之法则，请求偿还或返还之规定，则本于诚实信用之原则，似非不可将外国立法例视为法理而适用"。[1]依德国民法第五四七条规定："Ⅰ、出租人应偿还承租人于租赁物所支出之必要费用，但动物之承租人应负担动物之饲养费用。Ⅱ、出租人关于其他费用之偿还，依无因管理之规定"。所谓"依无因管理之规定"，系指须具备无因管理之要件而言（Rechtsgrundverweisung）。德国实务上认为承租人于契约范围外增建设施，一般言之，多不利于本人。盖承租人增建设施而使用，并未因此提高租金，违反契约上的对价关系。[2]此项见解，可供参考。

（3）暴徒抢劫银行。暴徒抢劫银行，各国有之；若有顾客试图制伏歹徒，遭枪击而受伤时，是否成立无因管

---

〔1〕"司法院公报"，第十二卷第十期，第十一页。关于本件判决之评译，参阅拙著："比较法与法律之解释适用"，民法学说与判例研究（二），第一页以下。

〔2〕Wollshläger, Geschäftsführung ohne Auftrag, 1976, S. 212.

理；其管理事务是否利于本人（银行），并不违反其意思，亦值研究。在德国，有认为其虽成立无因管理，但不合本人利益；盖引起枪杀，不免重大之伤亡也。学者更有认为制服犯罪暴徒，系尽其国民之义务，不成立无因管理。[1]在台湾衡诸社会一般奖励义行的观念，似应认仍能成立无因管理；其管理事务利于本人，合其意思；故管理人就其所受之损害，得向本人请求损害赔偿。

三、第一七四条第二项规定

管理事务，除利于本人外，尚须不违反本人明示或可得推知之意思，始能成立正当的无因管理，管理人得享有第一七六条第一项所定之请求权。须注意的是，修正前第一七六条第二项规定，管理人管理事务虽违反本人之意思，但如其管理系为本人尽公益上之义务或为其履行法定扶养义务者（第一七四条第二项），仍有第一七六条第一项之请求权。新修正第一七四条第二项则增列"本人之意思违反公共秩序善良风俗者，不适用同条第一项规定。"故管理人亦得主张第一七六条第一项之权利。[2]

所谓为本人尽公益上之"义务"，兼指公法上之义务，

---

[1] Medicus, Bürgerliches Recht, Rdnr. 424.
[2] 立法说明谓："第二项立法意旨原在维护社会公益及鼓励履行法律上之义务，使热心公益及道义者，可无所顾虑。为使此旨更为贯彻起见，对于管理行为虽违反本人之意思，而本人之意思系违反公共秩序善良风俗者，例如，对自杀者之救助、对放火者之灭火，此种管理行为亦不应令管理人负管理无过失之损害赔偿责任。"并使管理人得有第一七六条第一项之请求权。

（如缴纳税捐）[1]及私法上之义务（如修缮他人具有危险性的建筑物）。此种义务之履行须为"尽公益"，缴纳税捐及修缮危屋均属之。惟若因犯罪被判以罚金，拒不缴纳，他人为其代缴，则非属为本人尽公益，盖此违反刑罚之目的也。[2]

所谓"为其履行法定扶养义务"，例如，甲遗弃其妻，贫病交迫，乙为其妻延医治疗，供给食物。扶养义务，须为法定（第一一一四条以下规定），约定扶养义务不包括在内。

---

〔1〕关于代缴税捐，有两则判决可供参考：❶一九八三年台上字第三四七六号判决谓："关于讼争不动产买卖成立后应缴之税捐，依上述契约书第六条约定：纵其纳税义务人仍为卖方名义，亦应由买方即被上诉人负担。倘上诉人确曾为被上诉人代缴上开公法上之税捐，非不得依无因管理之规定请求被上诉人偿还其支出之费用（第一七六条规定参照）"本件判决引用梁开天等主编："最新综合审判实务——民法Ⅰ"，第一七六条第一项。❷一九八四年台上字第四二三九号判决。"两造所订合建契约第四条系指不论两造于何时分配房屋，办妥移转登记手续，有关税捐等于签约后，悉依所分配比率负担，则被上诉人缴纳系争其分得土地之增值税，乃其履行上开特约之结果，似与上诉人是否依约履行移转义务无关。倘谓土地增值税原应由上诉人缴纳，被上诉人为期土地移转登记，于持确定裁判单独申请移转登记时，代为缴纳，则被上诉人依法（第一七六条参照）可向上诉人请求返还，亦不生预期利益损失之问题。"（参阅民事裁判专辑"有关房屋合建契约"，第二〇八页。）

〔2〕一九六七年台上字第一八一五号判例："违警裁决书之送达，应向当事人为之，如向当事人以外为之者，不生送达之效力。当事人得提起诉愿之五日不变期间，在裁决书合法送达以前，不能进行。兹警局将应送达于上诉人之裁决书误送被上诉人，仅生送达不合法之效果，自难谓被上诉人代收裁决书为不法侵害上诉人权利之行为，至被上诉人未得上诉人之同意，擅自代向警局缴纳罚锾，旨在善意代理他人履行义务，系属事务管理，核与侵害他人权利之情形有间，上诉人遽指被上诉人之代收裁决书及代缴罚锾为侵权行为，谓其自由及名誉已受损害，据以请求被上诉人赔偿慰藉金，应为无据。"由此判例可知代缴罚锾，亦可成立无因管理。

第二款　法律效果

一、法定债之关系

（一）违法阻却

无法律上义务，而为他人管理事务，利于本人，并不违反其意思（或虽属违反其意思，但系为尽公益上之义务或履行法定扶养义务，或其意思违反公序良俗）者，成立正当的无因管理，发生法定债之关系，并具违法阻却的效果。例如，甲宅失火，乙破门入内救火，虽侵害甲的所有权，仍不成立侵权行为。

（二）侵权责任的竞合

一九六六年台上字第二二八号判例认为："无因管理成立后，管理人因故意或过失不法侵害本人之权利者，侵权行为仍可成立，非谓成立无因管理后，即可排斥侵权行为之成立。"例如，甲代收乙的包裹，虽不成立侵权行为，但甲因过失毁损包裹内的物品时，应构成侵权责任（第一八四条第一项前段），得与无因管理债务不履行责任（详见下文），发生竞合关系。

（三）成立不当得利

须注意的是，正当的无因管理乃本人受有利益之法律上原因。例如，甲为乙修理遭受台风毁损的屋顶，乙虽受有利益，致甲受损害，但以无因管理为其法律上之原因，不成立不当得利。甲仅能依第一七六条规定请求乙偿还其所支出之费用。

二、管理人之义务

（一）管理人之主给付义务

第一七二条后段规定：管理人应依本人明示或可得推知之意思，以有利于本人之方法管理事务。此乃管理人之主给付义务。关于此项义务之履行，管理人究应尽何种注意义务，"民法"未设明文。依第二二〇条规定："债务人就其故意或过失之行为，应负责任。过失之责任，依事件之特性而有轻重，如其事件非予债务人以利益者，应从轻酌定。"无因管理人无法律上义务而干预他人事务，依其事件之特性，原则上应负善良管理人之注意义务。其未尽此项义务，致本人遭受损害时，应依债务不履行规定（尤其是不完全给付，新修正第二二七条），负损害赔偿责任。兹举两例加以说明：

（1）甲收留迷失之孩童乙，其管理事务本身利于本人，并不违反其意思（管理事务之承担）。乙突患病，甲求神拜佛，怠于延医诊治，其管理事务之实施，未依本人之意思，不利本人，管理人甲有可归责之事由，应负赔偿责任（但仍得依第一七六条规定请求甲偿还其收留乙所支出之费用）。

（2）甲见乙所有之房屋遭地震毁损，以自己名义雇丙修缮，其管理事务本身利于本人，并不违反本人之意思（管理事务之承担）。丙未尽善良管理人注意，拆除具古董价值的房檐施工不当，致屋顶漏水，毁损乙之书籍。丙系甲之债务履行辅助人，其管理甲所承担事务的方法，未依本人（乙）之意思，不利于本人，甲对丙之过失，应与自己之过失负同一之责任（第二二四条），而依不完全给付债务不履行之规定，对乙负损害赔偿责任。

第一七五条规定："管理人为免除本人之生命、身体或财产上之急迫危险而为事务之管理者，对于因其管理所生之损害，除有恶意或重大过失者外，不负赔偿之责。"此项减轻注意程度之规定，合乎情理，盖事出急迫，难期周全也。例如，救助遭遇车祸之人，非因恶意或重大过失，致其手表遗失，不负赔偿责任。反之，救火之际，任意将名贵瓷器投掷户外，以致毁损，具有重大过失，不免于负赔偿之责。如甲与乙有隙，乘救火之际，毁其物品，既出于动机不善之故意，须负赔偿责任，更不待言。

（二）管理人之从给付义务

（1）通知义务。第一七三条第一项规定："管理人开始管理时，以能通知者为限，应即通知本人。如无急迫之情事，应俟本人之指示。"此为管理人之从给付义务。当事人指示继续管理者，依其情形有时可解为系承认管理人之管理行为，依第一七八条规定，适用关于委任之规定。当

事人指示停止管理，而管理人仍为管理时，应认为其管理
事务违反本人之意思，自其违反指示而为管理时起，应适
用第一七四条第一项及第一七七条规定。管理人违反通知
义务者，亦应依债务不履行规定，负其责任。

管理人有无继续管理之义务？民法对此未设明文，学
者有认为我们虽未如法国民法第一三七二条及日本民法第
七○○条设有继续管理之规定；但在解释上如终止其管
理，反较未开始为有害者，管理人有继续管理之义务。[1]
亦有认为依第一七三条第一项规定，不发生继续管理义务
之问题。[2] 本书认为无因管理类似于委任，终止管理类似
于终止契约（参阅第一七三条第二项）；管理人有无继续
管理义务，应类推适用第五四九条第二项规定，即管理人
于不利于本人之时期终止管理者，应负损害赔偿责任，但
因不可归责于管理人之事由，致不得不终止管理者，不在
此限。[3]

（2）计算义务。第一七三条第二项规定："第五四○条
至第五四二条关于委任之规定，于无因管理准用之。"此
为将受任人之计算义务准用于无因管理，为管理人之从给
付义务：❶管理人应将管理事务进行之状况报告本人，管
理关系终止时，应明确报告其颠末。❷管理人因处理事务
所收取之金钱、物品及孳息，应交付本人。以自己之名义

〔1〕 郑玉波：民法债编总论，第九十二页。
〔2〕 孙森焱：民法债编总论，第七十五页。
〔3〕 此为德国通说，Larenz, Schuldrecht II, Halbband, 1, S. 448.

为本人取得之权利，应移转于本人。[1] ❸管理人为自己之利益，使用应交付于本人之金钱，或使用应为本人利益而使用之金钱者，应自使用之日起，支付利息。如有损害，并应赔偿。

三、本人之义务

管理事务利于本人，并不违反本人明示或可得推知之意思；或管理人管理事务虽违反本人之意思，但其管理系为本人尽公益上之义务，或为其履行法定扶养义务，或其意思违反公序良俗者，管理人享有下列各项请求权，并得由继承人继承之：[2]

─────────

[1] 一九五六年台上字第六三七号判例："上诉人基于继承其父之遗产关系而取得系争房屋所有权，原与其叔某甲无涉，某甲之代为管理，曾用自己名义出租于被上诉人，如系已受委任，则生委任关系，依第五四一条第二项之规定，受任人以自己名义为委任人取得之权利，固应移转于委任人；如未受委任，则为无因管理。依第一七三条第二项之规定，关于第五四一条亦在准用之列，均不待承租之被上诉人同意而始生效。从而某甲将其代为管理之系争房屋，因出租于被上诉人所生之权利，移转于上诉人，纵使未得被上诉人之同意，亦难谓为不生效力。上诉人自得就系争房屋行使出租人之权利。"关于本件判例应说明者有三：❶明确区别委任与无因管理，实值赞同。❷肯定出租他人之物，其租赁契约亦属有效，尤值赞佩（参阅拙著："出租他人之物，负担行为与无权处分"，民法学说与判例研究（五），第一〇五页）。❸受任人让与以自己名义为本人取得之权利，原则上不须得他人同意，就物权（所有权）言，固不待言，就债权言，亦为如此，惟倘其所让与非属债权（如基于租赁契约而生之租金请求权），而是基于债权契约而生当事人之地位（如基于租赁契约而生出租人之地位，契约承担），因涉及债务承担问题，应得他方当事人（如承租人）之同意（第三〇一条）。关于本件判例之评释，参阅拙著：民法债编总论，第九十五页注五。

[2] 一九七八年度第十四次民事庭庭推总会会议决定："被害人因伤致死，其生前因伤害所支出之医药费，被害人之继承人得依继承关系，主张继承被害人之损害赔偿请求权，由全体继承人向加害人请求赔偿。其由无继承权之第三人支出者，对于被害人得依无因管理或其他法律关系主张有偿还请求权，并得代位债务人（被害人之继承人）向加害人请求赔偿。"关于本件决议之评释，参阅拙著：民法学说与判例研究（四），第一七一页。

（1）支出费用偿还请求权。管理人为本人支出必要或有益之费用，得请求偿还，并得请求自支出时起之利息。得请求返还之费用，以必要或有益者为限，是否必要或有益，依支出时的客观标准加以认定。

（2）清偿负担债务请求权。管理人因管理事务而负担之债务，得请求本人代为清偿。如管理人管理事务，系以本人名义订立法律行为时（如甲以乙之名义召丙修缮房屋）时，本人得承认该无权代理行为，使其法律效果归属本人，而免除管理人之债务。设本人不为承认，管理人亦得请求本人清偿其因无权代理依第一一〇条应负的损害赔偿责任。此项管理人得请求本人代偿债务，亦应以必要或有益者为限。

（3）损害赔偿请求权。管理人因管理事务，致受损害时，得请求损害赔偿；损害与管理事务之间须有相当因果关系。例如，管理人救火而受伤者，得请求支出之医药费。通说认为管理人不能就其为他人管理事务，而请求报酬，例如，甲费时两日整理乙荒芜之庭院，不能主张相当于工资之对价，否则无因管理将成为变相之有偿契约矣。[1] 此项见解，基本上可资赞同。惟倘所管理之事务，系属管理人之职业范畴时，如医师救助遭遇车祸之人，则应肯定其有报酬请求权。[2] 管理人因管理事务而死亡时，如因救火或救助落水之人而丧生，德国通说认为应类推适

---

〔1〕 郑玉波：民法债编总论，第八十四页；孙森焱：民法债编总论，第九十二页。

〔2〕 此为德国通说，RGZ 149, 124；BGHZ 65, 384, 390；BGHZ 69, 36；Jauernig/Vollkommer, §683 Rdnr. 3a；Larenz, Schuldrecht II, Halbband, I, S. 448.

用德国民法第八四四条规定（相当于我民第一九二条），使本人负担殡葬费或法定扶养费，可供参考。[1]

第一七六条所谓"利于本人"，非系指履行义务的结果而言。本书曾再三强调第一七六条所谓管理事务利于本人，系指管理事务之承担本身，而非指管理事务之实施的结果而言。例如，甲见乙宅失火，奋不顾身参与救火，火势凶猛，乙宅尽遭焚毁，甲因救火而受伤。于此情形，乙虽不因甲救火之结果而获有任何利益，仍应依第一七六条规定赔偿甲所支出之医药费。易言之，第一七六条规定重在管理事务之承担本身是否利于本人，结果是否有利，是否超过本人所受之利益在所不问。[2] 易言之，即管理人不担保管理的结果，本人应承担其危险性，此为罗马法以来所确立的原则。[3] 管理人未尽其管理义务时，应依债务不履行负损害赔偿责任；但其依第一七六条规定得主张之损害赔偿请求权，并不因此而受影响。例如，在救火之例，管理人因重大过失，摔掷名贵古董于地，以致毁损，虽应负损害赔偿责任，但仍得请求乙赔偿因救火受伤所支出之医疗费用。

---

[1] RGZ 167, 85, 89ff.；BGHZ, 7, 34；Soergel/Muhl，§ 683 Rdnr. 8；von Beuthien/Weber, Schuldrecht II, Ungerechtfertigte Bereicherung und Geschäftsführung ohne Auftrag, 2 Aufl. 1987, S. 142；Wittmann, Begriff und Funktion der Gafschäftsführung ohne Auftrag, 1981, S. 82f.

[2] 孙森焱：民法债编总论，第九十二页。

[3] Seiler, Der Tatbestand der negotiorum gestion im römischen Recht, 1968.

第三款 例题解说

兹就上开例题（救助自杀之人，请在阅读下文前，请先写成解题的书面），说明第一七六条解释适用的若干基本问题。

一、甲对乙之请求权

1．请求权基础：第一六七条第二项。

（1）甲得否依第一七六条第一项规定，向乙请求偿还其所支出之费用，清偿其所负担之债务，或赔偿其所受损害，须视甲对乙是否成立无因管理，而其管理事务是否利于本人，并不违反其明示或可得推知之意思而定。甲见乙跳河自杀，加以救助，系未受委任，并无义务而为他人管理事务，应成立无因管理。救助他人生命客观上属利于本人，但违反自杀者明示或可得推知之意思，故甲不能依第一七六条第一项主张其权利。

（2）修正前第一七六条第二项规定，管理人管理事务虽违反本人之意思，但如其管理系为本人尽公益上之义务或为其履行法定扶养义务者（第一七四条第二项），仍有第一七六条第一项之请求权。问题在于救助自杀之人，是否为本人尽公益上之义务。第一七四条第二项所称"尽公益之义务"，系指法律上义务，并不包括道德上之义务，否则将使不能强制的道德上义务经由无因管理而间接强制之。在现行法上，个人并不负有不得自杀之法律义务。纵认为自杀系违反伦理道德，亦无上开规定之适用。通说认为本人之意思违背公序良俗者，其意思无须尊重，故第一七四条第二项应"类推适用"之，救助自杀之人，即属其例。[1] 为避免争议，修正第一七四条第二项特增列本人之意思违反公共秩序善良风俗者，不适用同条第一项规定，从而甲得依第一七六条第二项规定，主张第一七六条第一项的请求权。

2．甲得对乙主张之权利。

（1）支出费用之偿还。甲得向乙请求偿还管理事务所支出之费用及自支出时起之利息。甲雇计程车送乙至医院，支出车费及医药费，均属必要费用或有益费用。甲为救乙，跳入河中，弄脏衣服，亦属为管理事务而为财产上的牺牲，为管理事务所必要，其干洗费用，并得请求偿还之。

（2）负担债务之清偿。甲以自己名义雇用"欧巴桑"，为乙处理必要事务，工资二千元未付，甲得请求乙清偿之。

（3）损害赔偿。甲得向乙请求赔偿其因管理事务所受之损害。甲为救乙，感冒转成肺炎，与管理事务具有相当因果关系。甲因健康受损所得请求者，除积极损害（如支

---

[1] 史尚宽：债法总论，第六十三页；王伯琦：民法债编总论，第四十八页。参阅拙著："无因管理制度基本理论体系之再构成"，民法学说与判例研究（二），第七十五页。

出医药费）外，尚包括因健康受损不能上班而减少之收入。至于慰抚金（参阅第一九五条），则不在请求之列。

关于管理人之损害赔偿请求权，亦有第二一七条过失相抵规定之适用。惟在第一七五条之情形，为贯彻其立法意旨，须管理人对损害之发生，具有重大过失，法院始得减轻赔偿金额或免除之。

二、乙对甲之请求权

乙就其被扯落之名贵手表，得否依不完全给付债务不履行规定，向甲请求损害赔偿，端视甲是否有可归责之事由而定。原则上管理人应尽善良管理人之注意，依乙明示或可得推知之意思，以有利于乙之方法为事务之管理。惟依第一七五条规定，管理人为免除本人之生命、身体或财产上之急迫危险，而为事务之管理者，对于因其管理所生之损害，除有恶意或重大过失者外，不负赔偿之责。甲救助乙之生命，事出急迫，不慎扯落其手表，非因故意或重大过失，不负债务不履行之损害赔偿。

第四节　不当的无因管理

（不适法的无因管理）

某甲与某乙相邻而居，素睦，时常相互协助。在乙外出探亲期间，适逢台风来袭，乙原居住的房屋遭受严重毁坏，甲以自己名义雇工修缮，支出必要费用二万元。待乙归来，甲向乙请求返还支出之费用，乙表示于外出前已将该屋让售于丙，并已办理登记，并为交付。甲乃转向丙请求返还支出的费用，丙以早已预定于台风过境后，拆除重建为理由而拒绝之。试问甲得向乙或丙主张何种权利？

不当的无因管理，指管理事务不利于本人，违反本人明示或可得推知之意思而言。此规定于第一七七条规定："管理事务不合于前条之规定时，本人仍得享有因管理所得之利益，而本人所负前条第一项对于管理人之义务，以其所得之利益为限。"兹就其构成要件及法律效果分别说明如下：

第一款　构成要件

一、须成立无因管理，即未受委任，并无义务，而为他人管理事务。

二、须管理事务不利于本人，违反本人明示或可得推知之意思。

此之管理事务，指管理事务之承担而言。其管理事务不利于本人，且违反本人之意思者，例如，清偿他人拒绝给付之罹于时效的债务、拆除他人具古董价值的屋顶而为重建；其管理事务利于本人，但违反本人之意思者，例如，高价出售他人公开表示欲于死后赠与博物馆的名画。

第二款 法律效果

一、管理人的责任

（一）管理行为的违法性

管理事务不利于本人，或违反本人明示或可推知意思，虽出于为他人管理事务，但不当干预他人事务，为保护本人之必要，应认其无违法阻却性，而适用侵权行为的规定。例如，违反本人意思，出售古董、明知他人墙壁具艺术价值而为粉刷，误他人后院种植的药草为杂草而拔除时管理人应就其故意或过失，负侵权行为损害赔偿责任。

（二）第一七四条第一项之适用

第一七四条第一项规定："管理人违反本人明示或可得推知之意思，而为事务之管理者，对于因其管理所生之损害，虽无过失，亦应负赔偿之责。"其所谓"而为事务之管理者"，指管理事务的承担，而非管理事务的实施。例如，甲培养新品种兰花，颇为名贵，乙明知甲不愿参展，为使甲名利双收，趁甲外出，径取该兰花参展趁机出售，不幸被盗，乙虽尽看管之能事，仍应负损害赔偿责任。[1]

（三）第一七五条之适用

第一七五条规定："管理人为免除本人之生命、身体或财产上之急迫危险，而为事务之管理者，对于因其管理所生之损害，除有恶意或重大过失者外，不负赔偿之责。"此项减轻管理人责任之规定，于第一七七条所定情形，亦有适用余地。例如，甲宅失火，因投有保险，任其烧毁，乙参加救火，虽违反甲之意思，但旨在免除甲财产上急迫之危险，非有恶意或重大过失，对于因管理所生之损害，不负赔偿之责。本条的适用，不以事实上确有急迫危险而后可，但须以管理人非因过失确信急迫危险之存在为要件。[2] 例如，甲非因过失误信邻家乙夜半遭盗，破门而入，企图援助，仍得适用本条规定，减轻注意义务。

（四）第一七三条第一项之适用

第一七三条第一项通知义务之规定，于第一七七条之情形无适用余地。管理事务不利于本人，或违反本人之意思者，应即停止管理，不发生管理人开始管理时以能通知为限，应即通知本人，如无急迫之情事，应俟本人指示的问题。

---

[1] 史尚宽先生采德国民法第六七八条规定，认第一七四条第一项的适用，须以管理人明知或可得知其管理事务违反本人明示或可得推知之意思为要件（所谓管理承担之过失，Übernahmeverschulden），可供参考。

[2] 史尚宽：债法总论，第六十四页。

二、本人得主张享有无因管理所得之利益

管理事务虽不利于本人，或违反本人之意思，本人仍得主张享有无因管理所得之利益。于此情形，本人所负第一七六条对于管理人之义务，以其所得之利益为限。分两种情形说明如下：

（1）管理事务，利于本人，但违反本人之意思。例如，甲有别墅，雇乙看管，乙违反甲之意思，出租于丙。甲得主张因乙管理事务所得之利益（租金）；但亦应于所得利益范围内，偿还乙为其出租房屋所支出之必要或有益之费用（如订立契约及整修已毁损厨厕之费用），及自支出时起之利息。

（2）管理事务，不利于本人。例如，甲有某件古董存放乙处，乙知甲有意出售，乃以二点五万元出售于丙，低于市价五千元。于此情形，甲仍愿主张享有因乙管理所得之利益（价金）时，亦应于所得利益范围内，偿还乙为出售该件古董所支出之费用（如运费），及自支出时起之利息。

三、本人不主张享有无因管理所得之利益时之法律关系

本人得不主张享有无因管理所得之利益。于此情形，

本人与管理人间的法律关系应依不当得利规定处理之。[1]在上举乙以自己名义出租甲所有别墅之例，甲得依不当得利之规定，请求乙返还其所受之利益（租金），而乙亦得依不当得利规定，请求甲返还其修缮别墅所受之利益。

第三款　例题解说

在前揭例题，甲未受委任，并无义务，而修缮他人遭台风毁损的房屋，应成立无因管理（第一七二条）。甲修缮他人房屋，是为管理人，其所管理的，为客观的他人事务，故谁为本人，应依该事务的权利归属加以判断。如题旨所示，丙于甲为修缮前，已自乙受让该屋之所有权及占有，则甲所管理的，系丙的事务。管理人对于本人为谁，并无认识的必要；纵对于本人有误认，仍应就真实的本人成立无因管理。故甲误认该屋为乙所有，而加以修缮，仍对丙成立无因管理。

甲得依第一七六条规定，向丙请求返还为其所支出之

---

[1] （一九七三）民司函字第四一三号函复台高级法院之一则法律问题研究意见中列有三点见解，可供参考：❶保证人受主债务人之委任而为保证者，可请求自支出时起之利息（即自主债务人免责之日起之利息）。（第五四六条第一项、一九二九年上字第一五六一号判例）。❷保证人虽未受主债务人之委任而为保证，但该保证利于主债务人并不违反主债务人明示或可推知之意思者，适用无因管理之法则，亦可请求自支出时起之利息。（第一七六第一项）。❸保证人未受主债务人之委任而为保证，且该保证非利于主债务人或违反主债务人明示或可得推知之意思者，应适用第一八一条不当得利之规定办理，此时不能请求自支出时起之利息，惟其所支付者，若以金钱为标的，似可适用第二三三条规定，得自请求之日起支付利息。

费用，须以管理事务利于本人，并不违反本人明示或可得推知之意思为要件。管理事务之承担，是否利于本人，应斟酌客观情事加以判断。甲修缮丙所有房屋之际，丙既已预定拆屋重建，其事务之管理，对丙非属实质有利，客观有益，故无第一七六条第一项规定之适用。

应再检讨的是，甲得否依第一七七条第一项规定向丙请求返还其所支出之费用。本条所谓管理事务不合于前条之规定，系指管理事务之承担不利于本人或违反其意思，甲修缮丙预定拆除重建之房屋，不利于本人，已如上述，丙既已向甲表示拒绝支付修缮费用，应解为其不欲主张享有因管理所得之利益，甲不得依第一七七条规定请求所支出之费用。

在管理事务不利于本人，或违反本人意思的情形，于本人不主张享有因管理所得之利益时，当事人间财产损益变动，应适用不当得利规定。甲修缮丙即将拆除重建之房屋，丙是否受有利益？或虽受有利益，但所受利益已不存在，涉及不当得利的基本问题，暂置不论。[1]

第五节 不真正无因管理[2]

某甲于其父不幸病故后，即将其父经常使用时

---

[1] 参阅拙著：债法原理（二），不当得利，第二三五页。

[2] 郑玉波："准无因管理"，载民法债编总论，第二〇七页；雷万来："论准无因管理"，载中兴法学，第十七期，第二一三页。

值四十万元的 BMW 轿车加以板金,支出五万元,再以五十万元出售于丙,并依让与合意交付之。经查该车系乙所有,借给甲父使用。试问:

(1)设甲非因过失误信该车系其父所有时,当事人间之法律关系如何?

(2)设甲因过失不知该车系乙所有时,当事人间之法律关系如何?

(3)设甲明知该车系乙所有时,当事人间之法律关系如何?[1]

第一款 误信管理

误信管理者,指误信他人事务为自己之事务,而为管理。此类管理仅发生于客观的他人事务,例如,某甲误乙所有之汽车为其继承之遗产,先行板金,再让售善意之丙(参阅例题)。关于误信管理,不能类推适用无因管理之规定,亦不能经本人承认而适用委任之规定。乙因甲对汽车为板金所受之利益(第八一二条、第八一六条),甲因让售该车于丙所受之价金,均应依不当得利之规定(第一七九条以下),负返还之义务。设甲有过失时,尚应依侵权行为规定(第一八四条第一项前段),负损害赔偿责任。对于误信管理,第九五

三条以下关于占有回复关系亦有适用余地，应请注意。

第二款　不法管理

一、侵权行为及不当得利

不法管理，乃明知为他人之事务，仍作为自己之事务而为管理。此类管理亦仅发生于客观的他人事务。在上开例题，设甲明知该车系乙所有时，即属之。其他如出租他人之物，行使他人之无体财产权（著作权、专利权等），在实务上亦颇常见，原则上应适用侵权行为与不当得利之规定。

二、第一七七条第一项规定的类推适用或准用

如上所述，于不法管理，被害人得依侵权行为规定行使权利，然而依侵权行为之规定，只能请求损害赔偿（包括所受损害及所失利益）；依不当得利亦只能以所受损害为最高限度。例如，甲将乙所有时值四十万元之汽车，以五十万元出售于丙，由丙善意取得时，则无论依侵权行为或不当得利规定，乙仅得请求四十万元，对于超过之部分，则不得请求。倘甲因此而得保有此项超过的利益时，与情理显有不合，且足诱导他人为侵权行为，故就利益衡量及价值判断言，应由乙取得此项利益，较为妥适。问题在于乙的请求权基础为

何?[1]

　　我学者有认为得适用第一七七条。[2]有认为得类推适用第一七七条。[3]亦有认为本人依无因管理主张权利时,管理人不得主张自己之侵权行为以为对抗。[4]就法学方法论言,以类推适用第一七七条规定较为稳妥。[5]

　　值得注意的是,修正于第一七七条增列第二项规定:"前项规定,于管理人明知为他人之事务,而为自己之利益管理之者,准用之。"立法说明谓:"无因管理之成立,以管理人有'为他人管理事务'之管理意思为要件。如因误信他人事务为自己事务(误信的管理),或误信自己事务为他人事务(幻想的管理)而为管理,均因欠缺上揭主观要件而无适用无因管理规定之余地。同理,明知系他人事务,而为自己之利益管理时,管理人并无'为他人管理事务'之意思,原非无因管理。然而,本人依侵权行为或不当得利之规定请求损害赔偿或返还利益时,其请求之范围却不及于管理人因管理行为所获致之利益;如此不啻承认管理人得保有不法管理所得之利益,显与正义有违。因此宜使不法之管理准用适法无因管理之规定,使不法管理所生之利益仍归诸本人享有,俾能除去经济上之诱因而减少不法管理之发生,爰增订第二项。"例如,甲擅将乙的汽车让售于丙,乙的房屋出租于丁时,乙得对甲准用第一七七条第一项规定,请求交付出卖其

---

[1]　参阅拙著:法律思维与民法实例——请求权基础理论体系。
[2]　史尚宽:债法总论,第六十七页;参阅郑玉波:民法债编总论,第二〇八页。
[3]　洪文澜:民法债编通则释义,第九十页。
[4]　王伯琦,民法债编总论,第五十三页;孙森焱,民法债编总论,第九十四页。
[5]　参阅拙著:"无因管理制度基本体系之再构成",民法学说与判例研究(二),第一〇六页。

车的价金,及出租其屋的租金;但应偿还甲所支出必要或有益费用,及自支出时起之利息。

第一七七条第二项规定对不法管理的准用,须以管理"明知"为他人之事务,而为自己之利益管理之者为要件,不包括"过失"在内,"过失的不法管理",应适用侵权行为及不当得利的规定。于故意的不法管理,其所以规定被害人得向加害人请求管理事务之所得,旨在吓阻不法,此于过失的情形,无适用的余地。

专利法规定发明专利权受侵害时,专利权人于请求损害赔偿时,得依其选择请求侵害人因侵害行为所得之利益(专利第八十八条、第八十九条,参阅商标第六十六条),乃属侵权行为损害赔偿的计算方法,而非基于不法管理的理由。

第六节　无因管理之承认

思考下列问题:

(1)第一七八条的规范意义。

(2)第一七八条规定管理事务经本人承认者,适用关于委任之规定,是否因此使本人与管理人发生委任契约关系? 如何适用关于委任的规定?

修正前第一七八条规定:"管理事务经本人承认者,适用关于委任之规定"。新修正条文为:"管理事务经本人承认者,除当事人有特别意思表示外,溯及管理事务开始时,适用关于委任之规定。"此项规定仿自瑞士债务法第四二四条。彼邦学者认为此项规定的意旨及适用范围未明,疑义不少,[1] 如何解释适用,实值研究。[2]

一、适用范围

第一七八条仅适用于真正的无因管理,对所谓不真正的无因管理,则不适用之,亦无类推适用余地。关于不法管理,第一七七条第二项设有准用同条第一项规定,使本人得请求不法管理所获致的利益,此系以不法管理人系属明知为要件。在不法管理人非属非知时,不能藉着类推适用第一七八条规定发生委任的效果,而使本人得主张委任人的权利(第五四○条至第五四二条)。

---

〔1〕 苏永钦:"无因管理本人之承认",民法经济法论文集(一),政大法学丛书(六),一九八八年,第一二三页。

〔2〕 Hofstetter, Geschäftsführung ohne Auftrag, in: Schweizerisches Privatrecht VII, 1981, S. 191: "Der Sinn und Anwendungsbereich dieser Bestimmung sind unklar". 以下说明多参照 Hofstetter 氏的说明。

　　大清民律第九二六条规定:"管理事务,若本人追认管理人之行为,准用委任之规定。"立法理由谓:"谨按管理事务经本人追认管理人之行为时,立法主义有二:一、于前条第二项情形(注:指管理事务不利于本人违反其意思),亦俾管理人以与第一项相同之请求权。二、使本人与管理人之间准用委任之规定,第二主义最适于理论,故本条采之。"民律第二次草案不设此规定。现行民法一方面设第一七七条规定(实质上同于承认事务之管理)一方面设第一七八条,乃兼采两种主义,实乃特殊罕见立法例,有无必要,深值深思。现行民法立法理由书谓:"谨按管理事务经本人追认时,无因管理之本质,是否有所变更,立法主义有二:一、使管理人就其违反本人意思所支出之费用,得向本人求偿其全部。二、使本人与管理人之间,适用委任之规定。第二主义最适于理论,盖无因管理人所为之行为,一经本人承认,即变为有权代理也。本条特采用之。"现行民法实已兼采两种主义。又所谓因无因管理所为之行为,一经本人承认,即变为有权代理,混淆无因管理与无权代理。由是可知,立法者对第一七八条的性质及其与第一七七条的关系,未有清楚的认识。大清民律立法理由简略,疑义不少。一九八一年后债编修正的立法理由仍有商榷余地。

二、规范功能

第一七八条规定仅具拟制（Fiktion）的效力，旨在使经承认的无因管理，如同委任待之，而非在于使无因管理转变为委任契约。盖契约须经双方当事人互相表示一致始能成立（第一五三条第一项），不能仅依当事人一方之意思表示，使无因管理此项事实行为（此为我之通说，在瑞士则为准契约），转变成为契约。

瑞士债务法关于无因管理，并无相当于我民第一七三条准用委任第五四○条至第五四二条的规定，其设第四二四条，自有相当理由。又依第一七七条（新修正第一项）明定管理事务不利于本人，或违反本人意思时，本人仍得享有因管理所得之利益，其效果相当于对无因管理的承认，而适用委任的规定；此实为瑞士债务法设第三四二条的主要功能。准此以言，第一七八条规定有无存在必要，不无研究余地。[1]

三、承认的性质

本人对管理事务的承认，系单独行为、不要式行为、

---

[1] 苏永钦教授建议第一七八条应予以删除；认为若欲扩大适用委任规定，可扩大第一七三条第二项准用范围；若欲给无因管理人较有利之规定，以鼓励民众"多管闲事"，则可修第一七四条、第一七六条有关管理人责任及求偿权之规定，使无因管理与委任之关系呈现更清晰之面目。强调"承认"之规定实无必要（"无因管理中本人之承认"，第一四二页），其见解可供参考。

得为明示或默示、具形成权的性质。

四、委任规定的适用

对他人管理事务的承认，既系本人的单独行为，其适用关于委任的规定，自不应使管理人处于较无因管理不利的地位。[1] 分三点说明之：

（1）其对管理人不利而不适用者，如第五四六条第一项、第二项规定，委任人对于受任人支出之必要费用或负担之必要费用应予偿还或代其清偿。依第一七六条第一项规定，管理人所得请求偿还或代为清偿之债务，包括必要或有益费用。为不使管理人因本人之承认致处于较不利之地位，有认为第五四六条应不适用，[2] 亦有认为在解释上得认第五四六条所谓必要费用，实包含第一七六条之有益费用。[3] 本书认为在管理人于本人承认后得请求报酬的情形（参阅下文），应适用第五四六条规定；若管理人无报酬请求权时，应认第一七六条规定之有益费用请求权，不因本人的承认而受影响。

第五五一条关于受任人继续处理之义务，不利于管理人，不应适用。

（2）其对管理人有利，而应适用者，如第五三五条规定："受任人处理委任事务，应依委任人之指示，并与处

---

[1] 苏永钦，"无因管理"中本人之承认，第一三五页。
[2] 苏永钦，"无因管理"中本人之承认，第一三九页。
[3] 孙森焱：民法债编总论第九十八页（注）。

理自己事务为同一之注意，其受有报酬者，应以善良管理人之注意为之。"在无因管理，管理人应尽善良管理人之注意。于本人为承认时，第一七四条关于管理人无过失责任的规定应不再适用；但第一七五条关于因急迫危险而为管理除有恶意或重大过失者外，不负责任的规定，为管理人的利益，仍应适用之。其他对本人有利尚应适用的，如第五四五条（预付费用）、第五四六条第二项（本人担保代负债务）等。

值得注意的是，第五四七条规定，于委任契约纵未约定报酬，如依习惯，或依委任事务之性质，应给与报酬者，受任人得请求报酬。此项规定对管理人有利，亦应适用之。例如，甲屋遭台风毁损，乙为之修缮，于甲承认其管理事务时，乙所得请求处理事务的报酬，不限于其所支出的费用（第一七六条第一项）。

五、管理人无权代理或无权处分

管理人为管理本人事务而为无权代理行为（如以本人名义租屋、购物），或无权处分（如以自己名义处分本人之物），亦属有之。本人对管理事务之承认通常可认系对无权代理或无权处分的承认。惟本人仅对管理人的无权代理或无权处分为承认时，不得即认系对管理事务之承认，而有第一七八条规定的适用。例如，甲知乙雅好集邮，乙未受委任，以自己名义向丙购买某件稀有邮票。于此情形，乙得不承认甲之管理事务，仅承认其购买邮票的无权代理，使买卖契约发生效力，而得向丙请求交付邮票，并移转其所有权（第三四八条）。

主要参考书目

一、中文书籍（依在台出版年度序列）

洪文澜　民法债编通则释义　　　　一九五四年
史尚宽　债法总论　　　　　　　　一九五四年
梅仲协　民法要义　　　　　　　　一九五五年
戴修瓒　民法债编总论　　　　　　一九五五年
王伯琦　民法债编总论　　　　　　一九五六年
郑玉波　民法债编总论　　　　　　一九六二年
孙森焱　民法债编总论　　　　　　一九七九年
邱聪智　民法债编通则　　　　　　一九八七年
黄　立　民法债编总论　　　　　　一九九六年

二、德文书籍

（一）教科书

Brox，Allgemeines Schuldrecht，19．Aufl．1991；Besonderes
Schuldrecht，17．Aufl．1991．

Enneccerul/Lehmann, Recht der Schuldverhältnisse, 15. Aufl. 1958.

Esser/Eike Schmidt, Schuldrecht (7. Aufl. des "Esser"), Bd. I, Allge. meiner Teil, 1991.

Esser/Weyers, Schuldrecht (7. Aufl. des "Esser"). Bd. ll, Besonderer Teil, 1951.

Fikentscher, Schuldrecht, 18. Aufl. 1992.

Flume, Allgemeiner Teil des Bürgerlichen Rechts, 2. Bd. Das Rechtsgeschäft, 3. Aufl. 1979 (zitiert: Flume, Rechtsgeschäft)

Larenz, Allgemeiner Teil des Deutschen Bürgerlichen Rechts, Aufl. 1989 (zitiert: Larenz, AT)

Larenz/Wolf, Allgemeiner Teil des Deutschen Bürgerlichen Rechts, 8. Aufl. 1997 (zitiert: Larenz/Wolf, AT.)

Larenz, Lehrbuch des Schuldrechts, Allgemeiner Teil, 14. Aufl. 1987 (zitiert: Larenz, Schuldrecht, I); Besonderer Teil, Habband 13. Aufl. 1987 (zitiert; Larenz, Schuldrecht, II/1)

Larenz/Canaris, Lehrbuch der Schuldrechts, Bensonderer Teil, Haband II, 14. Aufl. 1994 (zitiert: Larenz/Canaris, Schuldrecht II/2)

Medicus, Allgemeiner Teil des BGB, 6. Aufl. 1994 (zitert: Medious, AT)

Medicus. Bü: rgerliches Recht, 16. Aufl. 1993.

(二) 德国民法注释书 (Kommentare)

Erman Handkommentar zum Bürgerlichen Gesetzbuch, 9. Aufl.

1993 Münchener Kommentar zum Bürgerlichen Gesetzbuch, 2. Aufl. 1986 Palandt, Bürgerlichen Gesetzbuch, 1992, 51. Aufl.（zitiert: Palandt – Bearheiter）

Soerogel Kommentar zum Bürgerlichen Gesetzbuch, 12. Aufl. 1987 Staudinger Kommentar zum Bürgerlichen Gesetzbuch, 13. Aufl. 1990

（三）略称

Abs.	Absatz
AcP	Archiy für die civilistische Praxis
Anm.	Anmerkung
Aufl.	Auflage
BGHZ	Entscheidungen des Bundesgerichtshofs in Zivislsachen
BVerfGE	Entscheidungen des Bundesverfassungsgerichts
ff.	folgende
Hrsg.	Herausgeber
IherJb.	Iherings Jahroürcher der dogmatik des bürgerlichen Rechts
JuS	Juristische Schulung
JZ	Juristenzeitung
MDR	Monatsschrift für Deutsches Recht
NJW	Neue Juristische Wochenschrift
RabelsZ	Rabels Zeitschrift für Ausländisches und Internationales Privatrecht

Rn	Randnumer
S .	Seite
VersR	Versicherungsrecht

图书在版编目（CIP）数据

王泽鉴法学全集·第十二卷,债法原理. 基本理论、债
之发生/王泽鉴著. —北京:中国政法大学出版社,2003.9
ISBN 7-5620-2494-4

Ⅰ. 王... Ⅱ. 王... Ⅲ.①民法—法的理论—文集
②债权法—法的理论—理论研究 Ⅳ. D913.01 –53

中国版本图书馆 CIP 数据核字（2003）第 077396 号

书 名	王泽鉴法学全集·第十二卷	
	——债法原理①	
出 版 人	李传敢	
出版发行	中国政法大学出版社	
经 销	全国各地新华书店	
承 印	清华大学印刷厂	
开 本	787×960 1/16	
印 张	30.5	
字 数	300 千字	
版 本	2003 年 9 月第 1 版 2003 年 9 月第 1 次印刷	
印 数	0 001 – 2 000	
书 号	ISBN 7-5620-2494-4/D · 2454	
定 价	74.00 元	

社 址	北京市海淀区西土城路 25 号 邮政编码 100088	
电 话	(010)62229563 (010)62229278 (010)62229803	
电子信箱	zf5620@263.net	
网 址	http://www.cup1.edu.cn/cbs/index.htm	